# 환상적인 섹스는
## 50부터다

트레이시 콕스 지음
강동우, 백혜경 옮김

# 환상적인 섹스는
# 50부터다

긴소

# 지금으로부터 딱 20년 전의 일입니다.

2003년 봄, 저희는 성과학의 메카로 불리며 인간의 성생활을 제대로 연구한 킨제이 성 보고서가 나온 곳인 미국 킨제이 성 연구소로 날아가는 비행기에 몸을 실었습니다. 마침 그 해는 여성 성 보고서 50주년이 되던 해라 킨제이 연구소에서 다양한 국제학회가 직접 열리기도 했습니다. 성기능장애를 제대로 보는 전문가가 되고 싶은 희망으로 가득한 저희 부부에게는 절호의 기회였습니다.

저희는 20년 가까이 한국의 성의학 발전을 위해 여러 방식으로 이바지하고자 했습니다. 진료를 통해, 학회를 통해, 대학 강의를 통해, 300여 편이 넘는 신문사 칼럼을 통해, 400여 회의 여러 방송을 통해, 그리고 책과 요즘은 유튜브를 통해서 나름대로 지식 나눔을 해왔던 기억들의 시간이었습니다.

세월은 흘러 이제 저희 부부도 50대 이후의 삶과 노화에 관심을 가질 나이가 되었습니다. 고령화는 전 세계적인 현상입니다. 미국과 유럽은 물론이고 일본과 한국, 심지어 중국과 인도도 고령화가 가속되고 있습니다. 50세는 100세 시대의 딱 절반입니다. 통계적으로 한국인의 절대다수에서 50세 이후에 적어도 30년 이상의 삶이 남아 있습니다.

이 삶의 큰 전환기에 남성이나 여성이나 50세가 되면 갱년기를 맞이하며 신체적으로는 삶의 전성기가 지나고 있는 느낌이 들 수 있습니다. 그러나 신체적인 면 이외에는 반드시 전성기가 끝났다고 볼 수는 없습니다. 50대는 다양한 면에서 자유롭고 여유가 생기는 시기이기도 합니다. 저희 부부도 삶에 있어 중년 이후를 생각할 나이가 되었다는 점도 있지만, 점점 늘어가는 50대 이후 중노년 부부 환자들, 진료실 밖에 있는 수많은 중년층에게 있어서도 성(性)은 아주 중요한 이슈입니다.

과거에 저희 연구소에서 연구 조사했듯, 한국은 부부의 섹스리스가 세계 1, 2위를 다툽니다. 특히 중년에서는 모든 것이 끝난 것 마냥 성을 부담스러워 합니다. 하지만, 사람들이 과거에 비해 섹스에 무관심해졌다고 해도, 섹스에 대한 언급이나 담론이 상스럽다며 아무리 배척해도, 섹스는 우리 인간이 존재하는 한, 가장 중요한 욕구이자 활동일 수밖에 없습니다.

50대 이후의 삶에서 부부나 커플간의 만족스런 섹스는 건강, 경제적인 여유, 정서적인 안정과 같은 다른 많은 가치들과 함께 각 개인이 건강하고 행복해지는 지름길입니다. 그 길로 가는 여정에 중요한 참고 가이드를 찾던 차에 이 책이 저희 부부의 눈에 들어왔습니다. 이 책은 바로 중년 이후의 성생활에 중요한 참고자료가 될 것입니다. 내용 중에는 저희가 전문가로서 조언 드려야 할 내용도 고스란히 담겨 있습니다. 물론, 중년 뿐 아니라 젊은 남녀에게도 좋은 지침이 될 수 있습니다. 심각한 상태라면 병원의 진료를 받아야하지만, 보다 행복하고 바람직한 성에 대해 남녀가 함께 얘기하고 고민하고 새로운 길을 찾고자 한다면 좋은 가이드가 될 것이라는 점에서 이 책을 열심히 번역하였습니다. 또한 저희 의견을 한국의 실정에 맞게 첨언하여 출판하게 되었습니다. 여러분들의 삶에 행복이 가득하시길 기원합니다.

성의학 전문가 강동우, 백혜경 부부

# 인생 최고의 섹스가 기다리고 있습니다!

20년 전만 해도 다들 중년 여성이라고 하면 파마 머리, 펑퍼짐한 몸매, 낡은 스타일의 신발을 신고 화분에 물을 주는 뻔한 모습을 떠올렸습니다. 하지만 막 50세가 된 제니퍼 로페즈Jennifer Lopez를 한 번 보세요. 세상이 바뀌었다는 걸 느낄 겁니다. 네, 중년 여성들이 변했습니다. 요즘 50대는 예전 50대와 달라요!

요즘 중년 여성들에게는 예전 세대에는 없었던 강력한 롤 모델이 있죠. 헬렌 미렌Helen Mirren처럼 나이를 잊게 하는 동안의 미모, 아주 쾌활한 돈 프렌치Dawn French, 여전히 망사스타킹을 신는 파격적인 마돈나Madonna, 크리스틴 라가르드Christine Lagarde, 애니 레보비츠Annie Leibovitz, 애니 레녹스Annie Lennox, 이자벨 위페르Isabelle Huppert, 제니퍼 다우드나Jennifer Doudna, 미셸 오바마Michelle Obama 등. 이 여성들은 누구도 50대가 넘었다고 섹시하지 않거나 존재감이 없거나 위축되었다고 여겨지지 않습니다.

우리는 섹스에 관해서도 우리 어머니 세대와 다릅니다. 우린 정보와 지식으로 무장하고 있어요. 테스토스테론 보충제의 효과를 잘 알고 호르몬 대체 치료HRT가 성기를 건강하게 유지해주는 것뿐 아니라 정서를 안정시킨다는 것도 알죠.

요즘 우리들은 운동도 열심히 합니다. 요가와 필라테스를 하고 건강한 식습관을 추구하며, 젊게 살아가기 위해 옷 선택에도 많은 노력을 할애합니다.

우리 사회도 갱년기 이슈에 훨씬 오픈되어 있습니다. 호불호야 있지만 《그레이의 50가지 그림자》시리즈가 중년 여성들에게 엄청난 영향을 끼쳤다는 건 부정할 수 없죠. 섹스가 뻔하고 습관적이 아닌 설레고 흥분된 것임을 일깨워줬으니까요. 우리가 아직 섹스를 한다고 하면 아이들은 기겁을 할 수도 있지만 오히려 젊었을 때보다 섹스를 더 많이 하고 더 큰 만족감을 느끼는 여성들도 많답니다.

하지만 모든 것이 이렇게 순조롭기만 하다면 제가 이 책을 쓸 이유가 없었겠죠? 50세가 넘으면 변화가 일어납니다. 성욕이 크게 줄어들죠. 성욕 저하는 나이든 사람들이 성과 관련해 겪는 가장 흔한 이슈입니다. 게다가 여성에게는 두 배나 더 흔하고요. 성욕 저하에 대해 함께 고민하지 않는 커플들이 너무 많아요. 모르는 사이에 둘은 육체적으로 점점 멀어져서 친밀감도 잃고, 결국 애정 자체가 사라져 사이가 멀어지죠. 중년 이후로 점점 횟수가 곤두박질쳐 결국 섹스리스가 되고 당황하는 사람들이 많습니다.

이런 현상이 꼭 우리가 게으름뱅이라 그런 것만은 아닙니다. 아무리 요즘 50세가 35세 같아도 우리의 몸은 변화하고 있습니다. 폐경기는 성교통과 질건조증부터 성욕 저하, 신체 이미지의 몰락까지 겹치면서 엄청나게 많은 문제를 몰고 옵니다. 반면에 남성들은 성기가 예전처럼 작동하지 않는 발기부전이 생기면서 자신감의 위기에 빠지죠. 비아그라가 만병통치약인 것도 아니고요. 그뿐인가요. 50대 이후에는 무릎이 부실해지고 허리도 뻣뻣해지고 관절염도 찾아옵니다. 이런저런 약을 먹으니까 성 기능과 관련된 부작용이 나타나기도 하죠. 이러니 섹스가 쾌락보다는 스트레스를 줄 수 있습니다.

신체적인 문제만 고역이 아니죠. 인생 수십 년을 거쳐 똑같은 존재에게 성욕이 지속될 수 있을까요? 배우자를 너무도 사랑하지만 섹스는 하고 싶지 않다면 어떻게 해야 될까요? 섹스가 없어도 과연 좋은 관계가 유지될 수 있을까요? 불륜이 휩쓸고 간 자리에서 어떻게 이를 극복할 수 있을까요?

다행히 정보와 의지만 있으면 이 문제들을 잘 이겨내고 활기찬 성생활을 되찾을 수 있습니다. 왜 그래야만 하느냐구요? 섹스는 단지 쾌락이 전부가 아닙니다. 섹스는 우리의 건강을 지켜주기도 합니다. 섹스를 하면 면역력과 심장, 근력에 좋아요. 한 연구에서는 오르가즘을 느끼는 횟수가 가장 많았던 그룹에서 중년 남성의 사망률이 절반으로 줄어들었습니다. 섹스가 혈압과 스트레스를 낮추고 기분을 좋게 하며 심지어 기억력 개선에도 효과가 있다는 연구결과도 있습니다. 오르가즘은 정서적 웰빙과 육체적 웰빙에 모두 중요합니다. 숙면을 도와주고 이완에도 도움되며, 마음을 가볍게 하는 엔도르핀을 분비시킵니다. 나이에 상관없이 성적 친밀감과 웰빙은 강력한 상관관계가 있다는 것은 부인할 수 없는 사실이죠.

이 책은 단순히 회춘에 대한 것이 아닙니다. 필사적으로 시계를 되돌리는 방법을 다루는 책이 아니란 얘기죠. 여러분에게 정보와 실용적인 해결책을 제시해 최선의 상태가 되게 할 것입니다. 어떤 상황에서든 활기차게 적극적으로 인생의 후반부를 행복하게 살 수 있도록 돕는 것이 이 책의 목적입니다.

사람은 저마다 다릅니다. 그래서 저는 이 책을 쓸 때 여러 다양한 상황을 염두에 두었습니다. 결혼 생활이 오래된 사람, 돌싱 남녀, 행복하게 쭉 살아온 사람들, 그 중간쯤에 있는 사람들을 고려했습니다. 이성애자, 양성애자, 레즈비언, 섹스를 좋아하는 여성, 섹스를 두려워하는 여성, 뭐가 그리 좋은 건지 잘 모르는 여성 등 모두를 고려했죠. 이 책은 무엇보다 예전에 섹스를 좋아했지만 노화에 따라 열정을 잃어버린 여성들을 위한 책입니다. 여성 독자들을 위한 책이지만 남녀 모두에게 유익하도록 했습니다.

저는 이 책을 쓰기 위해 45~80세의 여성 수백 명을 인터뷰했는데요, 이야기를 들으며 희망이 솟기도 했고 가슴이 아프기도 했습니다.

만족스러운 성생활을 즐기는 여성들도 있고 섹스를 아예 하지 않는 여성들도 있었죠. 무슨 일이 있어도 섹스를 꼭 원하는 여성들도 있었고요. 어떤 여성은 45세에 처음 오르가즘을 느꼈대요. 17세에 처음 오르가즘을 느꼈고 70대인 지금까지도 같은 남성과 여전히 오르가즘을 느끼고 있다는 여성도 있었죠. 모든 여성에게 배울 점이 있었습니다. 이 책에 그들의 이야기가 등장합니다.

저는 57세이고 이 책은 성과 남녀관계에 대한 저의 열일곱 번째 책입니다. 첫 번째 책 《핫섹스》는 20년 전에 출간되었죠. 그 책을 읽고 저와 함께 비슷한 나이대를 맞이한 분들도 계실 겁니다. 당시 전 세계적으로 100만 부 이상이 팔려 베스트셀러가 되었고 20개 이상의 언어로 번역되었습니다. (아직도 판매되고 있습니다) 《핫섹스》는 단계적이고 실용적인 조언을 제공하는 최초의 섹스 서적 중 하나였죠. 황홀한 섹스를 즐기기 위해 알아야 할 모든 걸 말해주는 책이었죠. 50세 이하의 사람들을 위해서 말입니다. 하지만, 50세 이후의 섹스는 완전히 다른 종목의 스포츠가 되는 셈인데, 직접 그 나이가 되어 보지 않으면 모릅니다.

그러니까 이 책은 진짜 중년 버전의 《핫섹스》입니다. 여러분들에게 솔직하고 유익하고 재미있는 책이 되었으면 합니다. 즐겁게 쓴 만큼 즐겁게 읽어주셨으면 좋겠습니다.

절대 바뀌지 않을 섹스에 관한 6가지 진실

1. **내가 상대의 욕망의 대상이 된다는 것이 바로 가장 강력한 흥분제입니다.** 누군 가가 당신을 진정으로 원한다는 것 자체가 최고의 섹스 테크닉이죠.

2. **인생에서 가장 완벽한 섹스는 오르가즘이 포함되지 않을 수도 있습니다.** 순간 에 완전히 빠져들면 오르가즘은 중요하지 않아집니다. 오르가즘에만 몰두하는 섹스는 완전히 포인트를 잘못 맞춘거죠.

3. **가끔 섹스를 거절하는 것도 나쁜 일은 아닙니다.** 부담 없이 거절할 수 있다는 뜻이죠. 그래야 당신이 섹스에 응할 때는 정말로 하고 싶어 한다는 뜻이라는 걸 파트너도 깨달을 수 있습니다.

4. **섹스는 정신생리적입니다.** 뇌가 계속 자극되어야만 성기도 섹스에 관심이 생기 게 된다는 뜻이죠.

5. **섹스는 '저절로' 깨우치는 게 아닙니다.** 우리는 태어날 때부터 섹스하는 법을 아 는 게 아닙니다. 살면서 배우죠.

6. **진정으로 흥분한다는 것은 '젖거나' '단단해지는' 것만을 의미하지 않습니다.** 성 기뿐만 아니라 몸 전체로 느끼는 감정입니다.

# 차례

# 1 장,
## 당신의 성생활에
## 혁명을 일으킬 네 가지

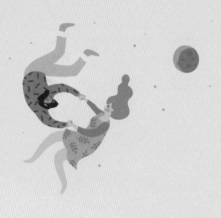

당신이 이 책의 첫 장을 읽는 일에
오롯이 집중해준다면
정말 좋겠어요.

나이에 상관없이 성적으로 행복한지 아닌지를 다루겠습니다. 그것
은 바로 섹스에 대한 당신의 생각입니다. 섹스에 대한 생각을 바꾸면
행동을 바꾸는 것만큼, 강력한 효과가 있어요.

항상 그렇듯이 아는 것은 힘입니다. 자신의 몸과 욕구가 기본적으
로 어떻게 작용하는지 아는 것이 새로운 섹스 테크닉을 익히는 것보다
훨씬 중요하죠. 물론 기술이 중요하지 않다는 말은 아닙니다. 다만, 올
바른 생각이 더 중요하다는 뜻입니다.

우선 다음의 네 가지 기본 원칙을 먼저 알아둔다면 나머지는 쉬워
집니다.

# 기대치를 관리하자

젊은 시절 열정적으로 섹스를 즐겼던 때로 시간을 되돌리고 싶지 않은 부부는 없겠죠. 하지만 '좋은 섹스'가 젊고 탄탄한 육체와 서로 눈빛이 마주치는 것만으로 혹은 손끝이 스치는 것만으로 활활 불타오르는 것이라 여긴다면 고정관념에 불과합니다. 중년 이후의 섹스가 훨씬 더 좋을 수도 있어요.

## 젊은 섹스는 무조건 더 좋은 섹스가 아니라
## 스타일이 다른 섹스일 뿐

우리의 몸은 나이를 먹으면서 변합니다. 삶도 변하죠. 우리가 원하는 것도 바뀌고요. 저 역시 20대에 하고 싶었던 일을 지금은 하고 싶지 않고 20대에 했던 것 같은 섹스를 지금은 원하지 않아요. (이 나이에 단단하고 깊숙하게 찔러 넣는 섹스를 한다고? 말도 안 되죠)

중년 이후의 섹스는 무조건 깊숙이 삽입하는 섹스가 아니라 피스톤 운동에 집중하지 않는 좀 더 부드러운 섹스입니다. 중년 이후의 부부가 오히려 성에 대한 만족도가 높은 이유는 속도를 늦추고 전희에 더 많은 시간을 할애하기 때문이에요. (전희는 나이에 상관없이 필요하지만 특히 50대 이후에 전희를 건너뛴다는 것은 정말 끔찍한 일이에요!)

성기도 노화를 거칩니다. 여성들은 질이 건조하고 따갑다고 불평하고, 남자들은 젊은 시절처럼 단단하고 팽팽하게 발기되지 않는다고 슬퍼하죠. 20대에는 섹스 생각만 해도 발기되었는데. 나이가 들면 강력한 자극이 필요하고 시간이 걸릴 수도 있고요.

이것은 정상적인 현상입니다. 이것이 바로 '노화'이고 그 누구도 피해갈 수 없습니다. 하지만 노화를 어떤 태도로 받아들일 것이냐가 중요합니다. 우울해하고 슬퍼하고 애통해하고 젊음을 그리워하면서 노화의 나쁜 점만 생각할 수도 있습니다. 흔히 말하는 고약한 늙은이가 되는 거죠. 아니면 현실을 받아들이고 긍정적인 부분을 찾으려 노력하면서 즐겁고 섹시하게 노화의 항해를 계속할 수도 있습니다.

늙는다는 사실을 걱정하는 것은 에너지 낭비에 불과합니다. 마찬가지로 젊은 시절을 떠올리며 지금은 절대로 그때처럼 될 수 없다고 생각하는 것은 무의미한 일이죠.

## 즉흥적인 섹스는 과대평가되었다

즉흥성도 중년들이 섹스에서 많이 생각하는 부분입니다. '우린 이제 즉흥적인 섹스를 하지 않게 됐어. 예전엔 자주 했는데. 그런 섹스가 그리워.'

하지만 과연 젊은 시절의 섹스가 시도 때도 없이 즉흥적이기만 했을까요? 갓 사귄 커플은 섹스를 준비하는 데 큰 노력이 필요합니다. 돋보이는 옷을 입고 속옷도 신중하게 고르고 침대가 깨끗한지 확인하고 음악과 조명도 고민하죠. 분위기가 무르익으면 어떤 식으로 접근할지 이전 애인들을 굴복시킨 비장의 무기를 꺼내면 그가 혹은 그녀가 어떻게 반응할까 생각해보기도 하죠. 이처럼 초기 커플에게 섹스는 특별한

이벤트인 만큼 끝없는 준비와 계획이 따릅니다.

사람들은 즉흥적인 섹스를 너무 과대평가합니다. 특히 중년기에는 더욱더 그렇죠. 중년 여성 중에는 러브젤 없이는 섹스가 힘든 분도 있고, 중년 남성 중에는 발기약 없이는 힘든 분도 많습니다. 전자나 후자나 모두 섹스에 사전 계획이 필요합니다.

게다가 나이가 들수록 느긋한 전희도 중요해지므로 편안함이 우선순위가 되죠. 함께 한적한 시골길을 산책하다가 갑자기 분위기가 달아올라서 나무에 기대 급하게 일을 치르고 싶어도 부실해진 무릎과 허리 때문에 꿈도 못 꿉니다. 50대 이후의 섹스는 과거의 섹스와 다릅니다. 젊은 시절과 똑같이 하려고 하지 말아야 해요. 기대치를 조정하고 골대를 옮기면 앞으로 놀라운 일들이 당신을 기다리고 있을 겁니다.

## 오르가즘 걱정은 그만하자

"섹스 테라피스트들은 오르가즘에만 중점을 두진 않는다."

30년 이상 1,500명이 넘는 개인과 커플을 상담한 미국의 섹스 테라피스트 스티븐 스나이더Stephen Snyder는 말합니다. "오르가즘은 반사작용에 불과합니다. 그 반사작용에 너무 감정적으로 반응하지 않는 것이 좋지요."

그런데 우리는 오르가즘에 너무 감정적으로 반응합니다. 여성들은 오르가즘에 대한 걱정이 너무 많아요. 오르가즘을 느끼지 못하는 것,

느끼기까지 너무 오래 걸리는 것, 지금 느낀 오르가즘이 지난 주에 느낀 오르가즘과 다르다는 것 등 걱정거리가 끝도 없죠.

스나이더는 모두 의미 없는 걱정이라고 말합니다. "오르가즘을 느끼기까지 얼마나 걸리는지를 왜 걱정하나요? 좀 오래 걸리면 어때서요?" 그는 몇 가지 간단하고 현실적인 조언을 줍니다.

"오르가즘에 도달하기까지 시간이 좀 걸린다면 한동안 바이브레이터를 사용하세요. 속도가 당겨질 겁니다. 나는 뭐든 좀 쉽게 가는 방법을 선호해요. 그러니 오르가즘에 도달하는 어려움을 줄일 수만 있다면 기꺼이 사용하세요." (이 조언은 오르가즘을 느끼는 데 바이브레이터가 필요하다면 '진짜 여성'이 아니라는 생각 또한 말끔하게 잠재워줍니다. 이 방면의 전문가인 남자가 괜찮다면 정말 괜찮은 겁니다!)

스나이더는 사람들이 오르가즘에 대해 너무 오버한다고 생각합니다. 저도 같은 생각이에요.

정말 좋은 섹스에서 오르가즘은 맛있는 식사를 끝내고 먹는 디저트와 같아야 한다고 스나이더는 말합니다. 디저트는 기억에 남을 수도 있지만 저녁 식사의 목적은 아니죠. "최고의 섹스를 즐기는 커플은 오르가즘을 목표로 삼지 않습니다. 오르가즘이 어쩌다 느껴지면 그냥 즐길 뿐이죠."

제가 이 책에서 언급할 사람이 또 있습니다. 《있는 그대로: 당신의 성생활을 바꿔줄 놀랍고 새로운 과학》이라는 역시 훌륭한 책을 쓴 성교육자 에밀리 나고스키Emily Nagoski입니다. 그녀도 오르가즘에 대한 걱정을 덜라면서 쉽고 유익한 조언을 합니다. 오르가즘에 대한 스트레스는 사람들이 성문제로 치료를 받는 이유 중 (성욕에 이어서) 두 번째로 가장 흔하다고 나고스키는 말합니다. 하지만 "오르가즘은 섹스의 목표가 아니다. 목표는 즐거움이다. 오르가즘을 느끼기까지 예전보다 오래 걸린다면 그건 좋은 일이다." 나고스키는 이렇게 생각을 바꿔보라고 조언합니다. '왜 30분이나 걸리는 거야?'가 아니라 '좋아! 이젠 30분이나 즐길 수 있어!'라고 말이죠.

그녀는 오르가즘은 간지럼을 타는 것과 비슷하다고 말합니다. 알다시피 누가 간지럽히면 재미있을 때도 있고 짜증날 때도 있고 아무렇지 않을 때도 있지요. 그런데 '파트너가 간지럼을 태우면 왜 재미있고 즐거울 때도 있지만 그렇지 않을 때도 있는 거죠?'라고 묻는 사람은 없습니다. 우리는 간지럼을 태워도 되는 때와 장소가 있다는 것을 직관적으로 알고 있습니다. 좋은 오르가즘도 때와 장소가 있어요. 오르가즘은 우리가 올바른 생각을 갖고 부담감에서 벗어나 행복하고 편안할 때 찾아옵니다. 알다시피 그런 완벽한 상황은 흔하지 않아요. 그런데도 우리는 폭발적인 오르가즘을 자주 혹은 곧바로 느끼지 못한다고 자신을 채찍질하죠.

고정관념을 깨뜨려야 합니다. 사실 질 삽입만으로 오르가즘에 도달하는 여성은 전체의 3분의 1도 안 되고 나머지 3분의 2는 가끔, 드물게 느끼거나 절대로 도달하지 못합니다. 하지만 많은 여성이 섹스할 때 오르가즘을 느끼지 못하는 것이 자신에게 문제가 있기 때문이라고 생각하죠. 당신도 그중 하나라면 이 사실에 마음이 홀가분해질 겁니다. 당신은 다수 중 한 명이지 예외가 아닙니다!

나가스키는 클리토리스를 '성애적 감각의 중앙역Grand Central Station for erotic sensation'이라고 표현합니다. 이것은 왜 여성의 80~90퍼센트가

질 삽입 없이 자위를 하는지 설명해주죠.

지금부터 내용도 여성들에게 새로운 시각을 제시해줄 수 있을지 모르겠네요. 여성의 성기 위쪽에 위치한 클리토리스Clitoris가 사실은 전체 클리토리스의 끝 일부분에 불과하다는 겁니다. 클리토리스의 대부분은 몸속에 위치하여 성기 질 전체로 이어지는 광대한 자극 시스템 속으로 퍼져 나갑니다. 클리토리스의 안쪽은 대부분 질에 둘러싸여 있어요.

클리토리스

이것은 어떤 여성들이 질 자극을 통해 오르가즘을 느끼는 이유를 설명해주죠. "이른바 질 오르가즘이라고 하는 것은 섹스를 통해 클리토리스 안쪽이 간접적으로 자극되어 느끼는 것에 불과하다." 스나이더는 말합니다.

오르가즘에 이름표를 붙이는 것도 피해야 합니다. (질 오르가즘, 클리토리스 오르가즘, 혼합 오르가즘 등) 오르가즘은 그냥 오르가즘일 뿐, 모두 궁극적으로 클리토리스가 자극되어 일어나죠.

# 섹스를 시작하자

최근에 저는 삽입 섹스의 통증 때문에 산부인과를 찾았습니다. "섹스를 자주 하지 않아서 그럴 겁니다." 산부인과 의사가 즉각 말하더군요. 섹스 횟수를 물어보지도 않았어요.

호르몬 대체 요법HRT을 받는지, 폐경이 왔는지도 묻지 않았죠. 전희의 중요성을 설명하지도, 남편의 물건이 특별히 크냐고 묻지도 않았어요. 그냥 처음부터 딱 한 가지에만 집중했죠. 규칙적으로 섹스를 하는지, 하지 않는지.

## 쓰지 않으면 잃는다

"쓰지 않으면 잃는다"라는 말은 50대에 접어든 이후로 거의 모든 것에 해당하지만 특히 섹스는 더욱더 그렇습니다. 규칙적인 섹스는 만성 방광염, 비뇨성기 탈출증, 요실금을 예방해주고 질위축이나 질건조증에도 도움을 줍니다. 남성의 경우에는 페니스에 산소를 공급하여 튼튼하고 건강한 발기를 도와주죠. 한마디로 규칙적으로 섹스를 하면 성기의 상태가 좋아집니다.

성생활을 멈춘 사람이 섹스를 다시 시작하고, 성생활을 하는 사람이 섹스를 좀 더 규칙적으로 해야 하는 첫 번째 이유가 바로 이거예요. 섹스는 몸에 좋습니다. (여기에서 '섹스'는 꼭 삽입 섹스를 말하지 않습니다. 어떤 종류의 성적 행위든 다 포함돼요. 자위가 될 수도 있고 전희일 수도 있고 물론 삽입 섹스일 수도 있죠. 하지만 원치 않는다면 그의 페니스가 그녀의 몸으로 들어가는 섹스를 하지 않아도 됩니다)

이제는 성욕이 줄었고 섹스 생각만 해도 두 사람 모두 한숨만 나오는 상황이라도 규칙적으로 섹스를 꼭 해야 할 설득력 있는 증거가 있습니다. 시카고대학의 연구에서 여전히 성생활을 즐기는 57~85세 부부는 전반적인 건강 상태에 대해 "아주 좋음" 또는 "탁월함"이라고 응답했습니다. 앞에서 말했듯이 연구에 따르면 오르가즘을 많이 느끼는 사람일수록 사망률이 절반으로 낮아집니다. 섹스는 면역계를 증진하고 스트레스를 줄이며 기억력을 개선해주죠. 이렇게 신체적인 것 말고도 효과가 또 있어요.

규칙적인 성관계는 삶에 즐거움을 가져다주고 친밀감intimacy 호르몬으로 불리는 옥시토신의 분비를 촉진해 신뢰와 친밀감, 유대감을 높여줍니다. 우울함을 덜어주고 전반적으로 긍정적인 태도와 자존감, 자신감을 올려주기도 하죠.

규칙적으로 섹스를 하는 부부는 그렇지 않은 부부보다 파트너에게 더 깊은 유대감을 느끼고 그들의 관계에 대한 만족도를 더 높이 평가합니다. 그리고 섹스를 하면 성욕이 높아지는 효과가 있습니다. 한동안 하지 않았다가 시작하면 좋았던 섹스의 느낌이 다시 살아나죠.

그렇다면 섹스를 얼마나 자주 해야 이런 좋은 효과를 누릴 수 있을까요? 연구에 따르면 일주일 1회 정도일 때 효과가 나타납니다. 아마 지금보다 열심히 노력해야 하는 사람들이 많을 겁니다.

영국의 섹스 및 부부 관계 칼럼니스트 수지 고드슨Suzi Godson이 나이와 결혼생활 지속 기간에 따른 부부의 섹스 횟수를 조사한 자료에 따르면 결혼한 지 10~15년 된 45~55세의 이성애자 부부 중 매일 섹스를 하는 이들은 5.3퍼센트입니다. 42.1퍼센트는 일주일 단위로, 15.8퍼센트는 일 년 단위로 하고 나머지 5.2퍼센트는 아예 하지 않죠.

하지만 여기에서 분명히 짚고 넘어가야 할 사실이 있습니다. 만약 부부 사이가 회복이 어려울 정도로 금이 가버렸거나 10년 넘게 섹스리스로 살아온 부부들에게 다시 섹스를 시작하라고 하는 것은 양손을 뒤로 묶고 에베레스트를 오르라는 말과도 같아요. (분노와 섹스리스 문제에 대처하는 방법은 나중에 다루죠) 따라서 섹스를 자주 하라는 조언은 섹스보다 소파에 앉아 와인을 마시며 TV를 보는 것이 더 편하고 좋은 평범한 부부에게 해당합니다. 함께 여유를 즐길 수 있다는 것이 부부의 특전이지만 섹스 또한 마찬가지죠.

규칙적인 섹스는 습관입니다. 섹스가 양치질처럼 자연스러운 매일의 일상으로 자리 잡는다면 '어쩌다 한 번씩' 섹스를 하는 사람보다 앞으로 훨씬 오랫동안 성생활을 즐길 수 있을 겁니다.

## 욕망이 섹스의 유일한 동기는 아니다

장기적인 관계에서 섹스를 할 때마다 둘 다 성욕을 느껴서 하는 것이라고 생각한다면 순진한 생각입니다. 때로는, 아니 어쩌면 그보다 더 자주일 수도 있는데, 하고 싶지 않아도 섹스를 할 때가 있지요.

왜 그럴까요? 파트너를 사랑하고 둘의 관계가 소중하고 그 사람을 성적으로 행복하게 해주고 싶어서라는 답은 어때요? 제가 보기에는 꽤 좋은 이유인데 그렇게 생각하지 않아요? 그런 열의는 욕망의 썩 괜찮은 대체제입니다. 마음을 넓게 가져보세요. 섹스를 당신이 파트너에게 줄 수 있는 선물이라고 생각해보세요. 그건 파트너에게만 좋은 일은 아닙니다. 성적인 자극을 기꺼이 받아들이려고 하면 정말로 성욕이 생길 수도 있으니까요. 파트너가 흥분하는 것을 보고 덩달아 달아오르는 경우가 많잖아요.

제 경험에 의하면, 규칙적으로 섹스를 하는 부부는 자신보다 파트너를 위해 섹스를 할 때가 전체의 20~25퍼센트 정도 됩니다. 어떤 치료사들은 장기적인 관계에서의 모든 성적 행위의 절반 정도만이 양쪽 모두에게 만족을 준다고 말합니다.

물론 처음 사랑에 빠졌을 때와 같은 일은 일어나지 않을 겁니다. 몽롱한 눈빛으로 '진정한 사랑'의 의미를 되새기던 그때 말이에요. 하지만 장기적으로 좋은 관계를 맺어온 사람들에게 한 번 물어보세요. 원치 않는데 섹스를 하는 것도 두 사람의 관계를 위한 노력의 하나라고 대답할 겁니다. (그러나, 원치 않는 섹스를 할 때도 있다는 의미가 성폭력 등 강제적 성행위에서 해당되는 것은 아니겠지요?)

## 섹스에 대해 이야기하자

이 책을 쓰기 위해 연구·조사하는 동안 몇 가지 충격적인 일이 있었습니다. 긍정, 부정적인 것 모두 있지만, 무엇보다 가장 놀라웠던 건 50세 이후로 섹스를 하지 않거나 섹스를 거론하는 대화 조차 않는 부부가 너무도 많다는 거였어요.

이는 평소 수줍음이 많거나 대화가 별로 없는 부부를 말하는 게 아닙니다. 사이가 아주 좋고 시시콜콜 모든 걸 다 털어놓는 부부들도 그래요. 서로 무척 사랑하고 잠자리에 대해 쑥스러움이 없는 부부라도 말이죠. 나이가 들면서 소화·배설 기능이 약해지고 피로가 늘어나는 등 노화에 흔히 나타나는 변화들은 허심탄회하게 이야기하면서 성기능이 절반이나 줄었다는 이야기는 절대 피해야 할 주제가 되는 거죠.

"혹시 섹스를 안 하게 된 이유를 아시나요?" 제가 결혼한 지 17년 된 59세 여성에게 물어봤어요. 그녀는 남편과 5년 동안 섹스를 하지 않았다고 해요.

"남편이 관심이 없어요. 이유는 모르겠어요. 바람을 피우는 건 아닌 것 같은데. 그냥 섹스에 흥미가 없어졌나봐요. 사실 저도 그렇고요. 큰 문제는 아니라고 생각해요."

"이유도 모르고 서로 상의도 않은채 남편과 다시는 섹스를 하지 않는다는 것에 만족하시나요?"

그녀는 고개를 떨굽니다. "그런 이야기를 하는 게 부끄러워요."

어떤 부부는 더 이상 섹스를 하지 않기로 결정하고도 무척 행복하게 살아갑니다. 하지만 인생에서 그렇게 중요한 부분이 없어지는데 최소한 짚고 넘어가기는 해야 하지 않겠어요? 현재 상황에 파트너가 만족하는지 확인해야 하지 않겠어요? 섹스가 없어도 유대감과 친밀감을 유지하는 방법을 얘기해봐야 하지 않겠어요?

**섹스를 솔직히 대화하는 부부가
오랫동안 성생활을 지속하고 행복하다**

거의 모든 성 문제는 파트너와 대화를 나눌 수만 있다면 해결될 수 있습니다. 한편으론 섹스에 대해 이야기하기 부담될 수 있죠. 하지만 처음의 어색한 순간을 견디면 대부분의 부부는 그것이 생각보다 훨씬 쉽다는 것을 깨닫게 됩니다. 걱정이 사라지고 상대와 훨씬 편해졌다는 느낌을 갖게 되죠.

남성은 발기가 잘 안 되거나 도중에 금방 발기가 죽으면 수치스러움과 좌절감을 느낍니다. 여성은 여성대로 섹스할 때 너무 아프다고 고백하면 섹시하게 보이지 않을까봐 걱정하지요. 이건 이성애자들에게만 한정된 문제도 아니에요. LGBT(편집자 주: 레즈비언(Lesbian)과 게이(Gay), 양성애자(Bisexual), 트랜스젠더(Trangender)의 앞 글자를 딴 것) 등 성적소수자들 중에도 자신이 성적으로 완벽하지 않다는 걸 인정하고 싶은 사람은 없지요.

서로 섹스에 대해 솔직해지고 대화를 많이 나눌수록 성반응이 불안정하거나 서로 어색한 상황이 생겨도 잘 이겨낼 수 있어요.

솔직한 대화를 나누다보면 서로 확신을 얻고 위태로운 관계도 되돌릴 수 있습니다. 제가 자주 하는 말이 있어요. 섹스에 있어 여러분들의 입은 여러모로 쓸모가 많지만 특히 서로 대화를 나누는 데 쓸모가 있죠.

### 섹스에 대해 대화를 시작하기 전에

대화를 통해 무엇을 바라는지 미리 생각해봅시다. 얘기하기 전에 진지하게 한 번 지금 상황을 짚어보세요. 상대방이 섹스를 피하는 게 문제인가요? 아니면 섹스를 하지 않게 된 상황 때문에? 현재의 성생활에 변화를 주고 싶거나 앞으로 섹스를 관두고 싶어서? 당신이 원하는 것을 정확하게 한 문장으로 써보세요. 쉽게 이해가 되는지 확인해보세요. 너무 예민한 문장이 아닌지도 확인해보세요. 상대방을 비난하는 건 아닌지 말이죠.

**긍정적인 것부터 시작하세요.**
"~가 너무 싫어"가 아니라 "**~했으면 좋겠어**"라고 말합니다. 그가 가슴을 만져주지 않는다면 "왜 가슴 안 만져줘?"가 아니라 "**당신이 가슴 만져줄 때가 좋아**"라고 말하세요.

**몸으로 말해요.**
당신이 원하는 것이든 원하지 않는 것이든 몸으로 표현하는 것도 좋습니다. 그의 손길이 별로 좋지 않으면 몸을 피하세요. 단 몸을 밀착시킨 상태로 말이죠. 손길이 기분 좋으면 신음 소리를 내세요. 지금 그가 만져주는 곳이 별로 좋지 않으면 그의 손을 가만히 들어서 당신이 좋은 부위로 가져가는 거죠.


# 파트너와 섹스에 대해 말하는 방법

**섹스라는 주제를 꺼낼 때**

- "나는 당신을 사랑하고 우리가 행복했으면 좋겠어. 우린 평생의 동반자니까. 우리 얘기 좀 할 수 있을까? 성생활이 더 즐거울 방법을/섹스하지 않은 지 너무 오래된 점에 대해/당신이 섹스를 피하는 것 같은 기분이 드는 것에 관해 이야기해보고 싶어. 지금 얘기해도 괜찮을까?"

### 새로운 것을 시도하고자 할 때

- "어젯밤 우리가 ~를 하는 꿈을 꿨어." (상대방의 반응을 살핀다. 관심이 있으면 호기심 가득한 표정으로 자세히 얘기하고 싶어 하겠죠?)
- "어제 친구에게 들었는데—사생활이니까 어떤 친구인지는 말하지 않을게—남편하고 ~를 한대." (만약 상대방도 마음이 있다면 "한 번 해보자!"라고 할 것이고 아니라면 "변태 같아!"라고 하겠죠)

### 내가 해주고 있는 걸 상대방이 좋아하는지 확신이 서지 않을 때

- "내가 이렇게 하면/더 세게 하면/더 부드럽게 하면 좋아?"
- "여기 만져도 돼?"

### 뭔가를 더 원할 때

- "당신이 그렇게 해줄 때 좋아. 계속해줄 수 있어?"
- "일요일 점심에 술 한 잔하고 늘 섹스했던 거 기억나? 정말 좋았는데. 다시 해보자."

### 다른 방식을 원할 때

* 당신이 그렇게 해줄 때 좋아. 내가 또 뭘 좋아하는지 알아? 당신이 ~해주는 거. 그거 정말 기분 좋아."
* 난 당신이 오럴해줄 때 좋아. 그런데 있잖아, 이젠 절정에 이르기까지 시간이 더 오래 걸려. 좀 더 오래 해줄 수 있어? 서두르는 느낌이 들 때가 있거든."

### 그와 함께 침대에 있을 때 바이브레이터를 사용하고 싶다면

여기에서 '그'라고 한 이유는 침대에서 동성 여성끼리 바이브레이터를 사용하는 것은 문제되는 일이 거의 없기 때문입니다. 젊은 남자들은 그나마 협조적이겠지만 나이든 남자들은 여전히 위협을 느낄 수도 있습니다.

바이브레이터를 자연스럽게 소개하는 방법은 다음과 같습니다. 그에게 두 사람을 위한 재미있는 선물을 샀다고 해보세요. 총알 바이브레이터. 먼저 그의 몸에 사용해보세요. 바이브레이터를 그의 젖꼭지 주위에 갖다 대세요. 그의 페니스와 고환에도 장난치듯 살짝 대보세요. 그의 긴장이 풀리고 기분 좋아하는 게 보이면 이제 그가 바이브레이터로 당신 몸에 장난을 치게 해보세요. 그가 그걸 클리토리스에 대면 "음. 좋아!"라고 하고 절정에 이르기 몇 분 전에 밀어내세요. (젊든, 늙든 여성들이 바이브레이터를 쓰면 금방 오르가즘을 느끼는 걸 보고 의기소침하는 남자들이 의외로 많거든요. 자기는 한참 동안 힘을 써야 같은 지점에 도달

---

하는데 말이죠) 몇 번에 걸쳐서 이렇게 하세요. 적응시키는 셈이죠. 매번 그가 바이브레이터를 당신에게 좀 더 오래 사용하게 하되 오르가즘을 느낄 때까지 사용해서 바이브레이터를 오늘의 주인공으로 만들진 마세요.

그가 완전히 긴장을 풀기 시작하면 알아차릴 수 있을 겁니다. 그때 피날레로 들어가면 됩니다. 만약 당신이 더 크거나 강력한 바이브레이터를 원한다면 그런 상황에서는 "다음번엔 다른 바이브레이터도 사보자"라고 말하기가 쉬워지지요.

### 하면 안 되는 말

- "지금 하는 그거 싫어."
- "장난 아니야. 또 젖은 수건을 침대에 깔면 이혼할 거야. 당신은 정리정돈도 못하고 침대에서도 엉망진창이야."
- "우리도 남들처럼 섹스를 자주 해야 하는 거 아냐?"
- "내가 뭘 좋아하는지 왜 몰라?"
- "그거 싫다고 몇 번이나 말해?"
- "전에 사귄 남자는 이런 식으로 했는데 당신도 그렇게 해주면 안 돼?"
- "좀 빨리 끝내면 안 돼?"
- "빨리 해치워 버리자."
- "솔직하게 말해주는 게 좋지? 당신하고 섹스하기 싫은데 어떡하라고."

---

- "이젠 당신을 봐도 흥분이 안 돼."
- "도대체 뭐가 문제야?"

역자인 강동우 성의학 박사의 성생활에 관한 '꿀팁'을 소개합니다.

DR.강 Tip

## 과거는 묻지도 말하지도 마세요

가슴속에 간직해 왔던 연정을 고백하는 것만큼 아름다운 일이 또 있을까요. 하지만 남녀 사이엔 아니한 만 못한 고백이 있습니다. 바로 '과거 고백'입니다.

병원을 찾은 한 남성의 얘기입니다. 그는 서로 지난 일을 다 털어놓자며 아내를 구슬렸어요. 망설이다 과거를 고백한 아내에게 "다 지나간 일"이라고 다독이며 쿨하게 반응했고요. 하지만 그날 이후 아내를 보면 발기가 되지 않고 성행위를 피하게 됐습니다. 그 과거의 남자가 아내를 안고 있는 장면이 자꾸 떠올라 화가 난다는 것이었죠.

남성들은 상대 여성의 과거 남에게 강한 적대감을 보이곤 합니다. 그 적대감은 겉으론 제3자인 과거남에게 향한 것처럼 보이지만 속내는 아내를 겨냥한 경우가 많습니다. 직접 아내에게 뭐라 하기가 어려워서인 거죠. 시간이 지나면서 분노는 점점 아내를 향하고 이러지도 저러지도 못하는 남성은 아내를 못살게 굴기도 합니다.

상대의 과거 연애나 성 경험에 대해서는 묻지도 따지지도 않는 것이 정답입니다. 괜한 고백이 커플 간에 원치 않는 위기나 갈등을 일으키는 게 대부분이거든요. 만약 상대의 과거에 집착하게 된다면 차라리 헤어지는 게 나아요. 이런 집착을 가진 사람 중엔 편집증적 성향이 강한 경우가 많아서죠. 스스로 감당할 능력이 안 된다는 겁니다.

남녀 간의 과거는 차라리 모르는 게 약입니다. 중요한 건 과거가 아니라 지금 두 사람이 서로 얼마나 사랑하고 신뢰하는지이니까요.

2 장 ,
나이 들어도 성욕을
지키는 방법

긴장하세요.
이 장을 읽다 보면 정신이 번쩍 들 테니까요.

나이가 들어감에 따라 우리 몸에 일어나는 모든 일에 관해 이야
기할 겁니다. 거북하고 거슬리는 얘기도 있어요. 그렇지만 직면하는 게
낫습니다. 노화를 막을 수는 없지만 부딪힐 방법은 많습니다. 첫 번째
는 자신을 교육하는 것입니다. 지금 서로의 몸에 어떤 변화가 일어나고
앞으로 어떻게 될지 안다면 상황에 대처하기가 훨씬 유리해지니까요.

# 50세 이후의 일반적인 성생활

50세 이후로는 무엇보다 신체 변화를 헤쳐 나가는 방법을 배워야만 합니다.

### 당신의 몸에 무슨 일이 일어나고 있나

당신이 젊었을 때와 다르게 느끼는 이유가 있습니다. 성호르몬인 에스트로겐과 테스토스테론 수치가 줄어들기 때문이에요. 에스트로겐은 여성의 질을 촉촉하고 건강하게 해줍니다. 클리토리스, 요도, 방광, 기타 성기의 건강한 기능 역시 에스트로겐에 달려 있어요. 에스트로겐 수치가 줄어들면 이런 기관들은 말 그대로 위축돼죠.

에스트로겐이 부족하면 질은 건조해지고 질 내 산성이 약해집니다. 성적으로 흥분해도 질이 촉촉해지는 데 시간이 더 오래 걸리게 되죠. 혈류량도 감소하고 질의 조직이 얇고 약해지기 때문입니다. 탄력이 떨어지고 질이 위축되어 성관계가 고통스럽거나 불편할 수 있어요.

혈류량이 적다는 것은 신경 말단의 민감도가 낮다는 것을 의미하기도 합니다. 클리토리스의 신경 말단도 포함되지요. 오르가즘을 느끼기까지 더 오래 걸릴 수도 있고 절정에 달하기가 어려울 수도 있어요. 호르몬의 변화 때문에 오르가즘의 강도도 변하는 거죠.

폐경이 될 때쯤이면 체내 테스토스테론은 20대 때보다 절반 수준으로 줄어듭니다. 폐경 이후에는 소량만 생산되지요. 테스토스테론이 성욕에 영향을 끼치고 클리토리스와 소음순의 혈류와 흥분에 기여해 결과적으로 오르가즘에 영향을 주는 것으로 보입니다.

일반적으로 성욕을 담당하는 또 다른 호르몬인 프로게스테론도 배란이 멈추면 감소하고 분비가 중단됩니다.

이처럼 우리가 섹스를 하고 싶어지게 만드는 세 가지 호르몬이 서서히 줄어드는 것이지요. 50대가 되면 "섹스하고 싶은 기분" 스위치가 꺼져버린 듯한 기분이 드는 것도 이상하지 않지요?

남자들의 상황도 별로 좋지 않습니다. 남성의 테스토스테론 수치도 급격히 줄어듭니다. 발기를 하거나 유지하기가 어려워지고 성욕이 줄고 음경으로 가는 혈류량이 줄어든다는 뜻이죠. 이런 상황도 여성과 마찬가지의(상당히 우울한) 결과로 이어집니다. 민감성이 약해져서 흥분하는 데 시간이 더 걸리고 다시 발기하려면 회복 시간도 더 오래 필요하죠. 오르가즘의 강도도 약해지고 사정도 약해지고 사정 양도 줄어듭니다.

50대 이후에 접어들면 성생활에 특별히 영향을 미치는 변화가 일어나는 것 외에도 많은 사람들이 피할 수 없는 일반적인 건강 문제도 생깁니다. 전반적으로 유연성이 줄고 관절염에 걸릴 수도 있고 쉽게 피로해지고 체력이 떨어집니다. 암과 싸워야 할 수도 있어요. 남자들은 특히 고지혈증, 심혈관 질환, 2형 당뇨의 위험이 큰데 이것들도 혈액 순환에 영향을 미쳐 발기부전Erectile Dysfunction, ED을 초래할 수 있습니다. 발기의 빈도와 그 정도가 떨어지니 쉽게 절정에 이를 수 없게 되지요. 그래서 성적 자신감이 떨어지고 성기능에 대한 불안감이 자주 생기게 됩니다.

중년 여성들에게 가장 큰 문제는 섹스가 아프고 불편하다는 것일 거예요.

"섹스할 때마다 너무 아프다고 찾아오는 50대 여성 환자들이 많아 요."

"섹스하면서 이를 꽉 깨물고 참는 여성들이 많아요."

위 이야기는 어느 일반의에게 들은 이야기에요.

듀렉스(2019)가 성인 1,200명을 대상으로 한 연구가 이를 뒷받침해 줍니다. 영국 여성의 거의 4분의 3(73퍼센트)이 성관계 도중에 성적 불 쾌감을 경험하고 24퍼센트가 통증 때문에 파트너에게 빨리 끝내달라 고 요청한다는 사실을 발견했죠. 그런데 그 상대 남성들은 57퍼센트만 이 여성의 힘든 상황을 인지하고 있었다는 점이 주목할 만합니다.

"섹스가 고통스러워졌다고 털어놓는 여성들은 큰 좌절감을 느껴 요." 영국에서 30년 동안 성치료사로 일한 빅토리아 레만Victoria Lehmann 이 말합니다. "성기능이 처지는 중년 남성들은 대부분 비아그라로 해결 하죠. 하지만 여성들은 쉽지 않고 남성들은 참을성이 없어요. 여성들 이 아프다고 멈추면 흐름이 끊기니까 발기가 풀어질까 봐 남성들은 걱 정하지요. 특히 나이든 남자들에게는 중요한 이슈입니다."

나이가 들면 질의 내벽이 건조하고 얇아져서 요로감염증UTI에 걸 리기가 쉬워집니다. 저도 그래서 병원에 자주 갔어요. 삽입 섹스를 할 때마다 요로감염증에 걸리는 것 같았거든요. 삽입을 기피하는 또 다른 이유입니다. (그 치료방법은 116쪽에서 다루겠습니다.)

---

# 활기차야 할 이유

중년 여성들에게 젊은 시절의 섹스를 묘사해보라고 하면 이런 단어들을 떠올립니다.

무지, 순종, 지루함, 두려움, 이질적, 충동적, 외설적, 위험, 혼란, 급박, 두려움.

그리고 지금의 섹스를 묘사하는 말들은 이렇죠.

감각적, 실험적, 애정, 다채로움, 다양함, 모험적, 배려, 여전히 재미있고 사랑받는 기분, 상대가 날 원한다는 느낌, 행복감.

나이가 들면 평가에 대한 걱정이 줄어 사랑을 나눌 때도 좀 더 자신감이 넘치게 되죠. 좀 더 이기적이 되기도 합니다. 침대에서나, 밖에서나 불쾌한 일을 당하고 두고 보고 있지만 않아요. 자식들을 위해서 참고 살아왔지만 아이들이 다 크고 나면 '젠장. 내 할 일은 다 했어. 이젠 날 위해 새로운 짝을 찾을거야'라고 생각하게 되죠. 실제로 50대 이상은 데이트 시장에서 빠르게 성장하는 영역이기도 하죠. (312쪽부터 돌싱에 관한 이야기도 할 거예요)

오랫동안 행복한 결혼생활을 해온 부부라면 앞으로도 변함없으리라는 사실에서 위안을 느낄 수 있습니다. '우린 평생 함께하겠구나'라는 생각이 깊어지죠.

---

일반적으로 50대에는 돈과 시간이 많아집니다. 성적인 면에서 서로에게 집중하고 탐구해나가야 할 시간이죠.

사람은 나이가 들수록 두려움이 사라지기도 해요. 스카이다이빙을 하는 할머니들이 그 증거예요. 예전에는 꺼렸던 일을 부부가 함께 도전해볼 수도 있어요. 함께 암스테르담으로 가서 홍등가를 구경하고 탄트라 섹스 워크숍에 참석해보세요. 아이들이 태어나기 전에 소파에서 즐겼던 섹스를 떠올리고 이제는 침실이 아니라 다른 곳에서도 해보세요.

섹스 횟수는 적을 수 있지만 질은 더 좋아지는 경우가 많아요. 오르가즘이 예전과 다르게 느껴지는 것이 반드시 나쁜 것만은 아닙니다. 이는 마리 드 헤네젤Marie de Hennezel이 《프랑스 여성을 위한 60세 이후의 섹스 가이드》에서 너무도 잘 설명해줍니다. "이제는 오르가즘이 거친 파도가 온몸을 덮쳐 휩쓸고 가듯 어둡고 충동적이고 원치 않는 측면에서 제대로 깨어나 느끼는 것 같아요."

실제로 섹스가 나이가 들수록 좋아진다는 새로운 연구결과가 많이 있습니다. 〈헬스 플러스〉지가 45세 이상의 사람들을 대상으로 한 연구에서는 여성이 나이들수록 모험심이 강해진다는 사실이 발견되었죠. 여성의 89퍼센트가 다양한 위치와 장소에서의 섹스를 좋아한다고 했어요. 대부분 20대 때보다 40대의 섹스가 더 좋다고 했지요. 또 다른 최근 연구에서는(2019년, 맨체스터 대학교) 성생활을 하는

50세 이상의 남성 80퍼센트가 90대까지도 성생활에 만족하는 것으로 나타났습니다. 50~69세 여성도 마찬가지였고요.

이 모든 긍정적인 정보를 읽으면서 이런 생각이 들 수도 있어요. '난 그렇지 않은데. 난 섹스가 끔찍해. 내 상태가 생각보다 훨씬 안 좋구나.' 하지만 당황하거나 절망하지 마세요. 연구는 연구일 뿐입니다. 모든 것에는 부정적인 면과 긍정적인 면이 다 있어요. 그러니 이제는 긍정적인 얘기를 해보도록 하죠.

어떤 이유에서든 섹스를 하지 않게 되었다면 당신만 그런 것이 아니에요. 나이가 들면서 성에 관심이 없어지는 현상은 남성보다 여성에게서 두 배 더 흔하게 나타납니다. 아마도 여성으로서 나이들면서 섹스가 불편하고 고통스러워졌고, 섹스 하면 무조건 삽입 섹스만 생각하는 부부가 대부분이라 그럴 거예요. 물론 분명히 다른 이유도 많이 있겠지만 말이지요.

앞으로 저는 이 모든 것에 대해 두루 다루고 여러분의 성생활에 악영향을 미치는 문제를 해결해줄 방안을 제시할 것입니다. 섹스리스 부부 문제도 한 챕터에서 따로 다루고(9장 참고) 섹스를 하지 않기로 결정한 사람들에게 도움 되는 방법도 다룰 거예요.

## 성 문제를 일으킬 수 있는 약물

성에 문제를 일으킬 수 있는 약이 많이 있습니다. 호르몬의 생성이나 혈액의 흐름에 영향을 미쳐 성욕과 흥분, 성기능을 방해하기 때문이죠. 아래의 약을 복용하고 있고 성기능성에 문제가 있다면 의사와 상담해 다른 약을 찾거나 복용량을 줄일 필요가 있습니다. 당연한 얘기지만 의사와 상의도 없이 마음대로 복용을 멈추어서는 안 됩니다. 성기능도 중요하지만 임의로 약을 중단했다가 생명에 위험이 되어선 안 되겠지요.

- 항우울제
- 항히스타민제
- 혈압약
- 스타틴과 피브레이트 계열 등 콜레스테롤을 낮추는 약물
- 통증 관리 약물, 특히 아편제제
- 이뇨제
- 심장질환 약
- 베타 차단제
- 안정제
- 항진균제
- 위산 역류, 속쓰림, 궤양 치료에 사용되는 약물

# 나이 관련 성 문제의 해결책

이 책은 전체가 50대 이후에 겪는 모든 성적 문제를 해결하는 방법을 다루지만 우선 시동도 걸 겸 당신이 실천할 수 있는 몇 가지 간단하고 실용적인 방법을 소개합니다. 나이에 상관없이 성욕을 지키는 데 도움이 되는 방법들이에요.

## 이 부부처럼

남편과 나는 휴가를 떠난 곳에서 다른 부부에게 절대 말을 걸지

않아요. 비행기 안에서도 절대로! 그런데 지난번 여행에서 그 룰이 처음 깨졌어요. 저녁에 리조트에서 다른 손님들이 전부 사라져버린 어리둥절한 상황이 벌어졌거든요. (알고 보니 리조트에서 조금만 걸어가면 식당이 즐비한 해변이 있더군요. 우리 부부가 얼마나 호텔 방안에만 처박혀 있었는지 알겠죠?)

우리가 말을 건 부부는 50대 후반이었어요. 전에도 본 적 있었죠. 부부가 손을 꼭 잡고 바다로 산책하러 가는 것도 봤고 기다란 의자에 누워 잡담을 나누는 모습도 봤거든요. 금실이 무척 좋은 부부란 걸 알 수 있었죠. 그들과의 대화는 아주 즐거웠습니다. 결혼한 지 오래됐고 함께 사업체를 운영한다더군요. 어쩌다 보니 내가 이 책을 쓰고 있다는 이야기도 나왔는데 그 부부가 큰 관심을 보이는 겁니다.

"친구 중에도 섹스리스가 있어요. '뭐? 도대체 왜!' 우린 이해할 수 없어요." 아내의 말에 저는 그 부부에게 아직도 규칙적으로 섹스를 하는지 물어봤죠. 그들의 대답은 "당연하죠! 일주일에 한 번씩 꼭 해요. 처음 사귀었을 때부터 쭉."

네, 나이가 들면서도 성생활을 제대로 하고 있는 커플을 만났습니다. 규칙성이 관건이에요. 그 부부는 잠시 섹스를 중단하기도 했는데 둘 다 건강상의 문제가 있던 시기였었다고 해요. 그러다가 다시 주 1회 섹스를 시작했죠. 이 부부가 다른 많은 부부들이 겪는 문제를 겪지 않은 건 항상 규칙적으로 섹스를 해왔기 때문이에요. 규칙적인 섹스야말로 여성의 질벽을 튼튼하게 해주고 남성의 발기를 단단하게 유지하는 최고의 방법입니다. 섹스에 대한 이 부부의 방식에는 건강한 단순함이 있습니다. 그들은 섹스를 복잡하게 만들지 않았지요. 20대 때도 즐겼던 것이니까 당연히 나이들어서도 계속 즐기고 있는 것이었죠. 이 부부를 본받으세요. 이들은 뭘 좀 아는 부부니까요.

그 부부가 하는 게 또 있었는데요…….

## 운동하기

건강상의 문제가 운동에 지장을 줄 수 있겠지만 할 수만 있다면 운동을 하세요. 운동은 단지 건강과 몸매를 지켜주는 것뿐만 아니라 혈류량도 증가시켜줍니다.

이게 성기능에 얼마나 중요한지 이미 알고 있겠지만 뇌에도 중요하답니다. 운동은 인지 기능에 중요한 도파민 생성을 증가시킵니다. 근육을 강화시키고 순환과 기분도 개선해주죠. 한마디로 침대를 벗어나 활동량을 늘리면 침대에서 활동적이 되는 거예요.

캘리포니아 대학교가 실시한 연구에 따르면 일주일에 4번 1시간 동안 유산소 운동을 한 남자들은 섹스의 횟수와 성적 만족도가 증가했습니다. 참가자들은 신체 이미지의 긍정적인 변화와 자신감으로 섹스를 더 원하고 즐기게 되었다고 했어요. 당연한 이야기지요. 내가 내 몸을 싫어한다면 다른 누가 가까이 오는 게 당연히 싫겠지요? (신체 이미지에 대해서는 3장에서 더 자세히 이야기해요)

## 건강하게 생활하기

건강한 식단을 유지하고 술을 줄이고 담배를 끊고 필요하다면 살도 빼세요. 이 나이쯤 되면, 우린 잘 알잖아요. 뭐가 몸에 좋고 뭐가 나쁜지. 한번 잘 살펴보고 변화를 주세요. 비타민 $B_{12}$, 마그네슘, 종합 비타민을 챙기세요. 스트레스를 관리하세요. 스트레칭이나 요가, 필라테스 수업을 들으세요. (유연성에 큰 도움이 됩니다)

## 행복감을 느끼는 일을 하기

네, 성욕은 호르몬의 영향을 받지만 감정과 전반적인 기분 역시 큰 부분을 차지합니다. 기대되는 일이 있거나 마음에 드는 사람을 만나면 성욕이 올라갑니다. 새로운 일을 해보세요. 새로운 곳으로 여행을 떠나고 친구들도 만나고 자신을 관리하세요. 당신이 행복할수록 친밀함에 더 오픈됩니다.

## 섹스를 위해 신체적으로 준비하기

만성적인 통증이 있다면 진통제를 복용하세요. 몸이 뻣뻣하면 스트레칭을 합니다. 섹스를 하기 전에 따뜻한 물로 목욕이나 샤워를 하세요. 몸과 마음이 최상의 상태가 될 수 있도록 필요한 준비를 하세요.

## 섹스하는 시간 바꾸기

하루 중 여러 시간대를 실험해봅니다. 복용하는 약이 있고 그 부작용이 있다면 컨디션이 가장 좋을 때는 언제인가요? 그걸 고려해서 계획을 세워보세요. 피곤한 밤이 아니라 아침에 섹스를 하는 것으로 바꿔보세요. 그때 남성의 테스토스테론 수치가 가장 높아서 흥분하기도 쉽답니다.

**섹스를 수면제로 사용하기**

섹스는 '친밀감 호르몬'으로 불리는 옥시토신의 분비를 촉진하고 스트레스 호르몬인 코르티솔을 낮춰 잠들기가 쉽게 해줍니다. 그리고

오르가즘을 느끼면 프로락틴이라는 호르몬이 분비되어 긴장이 풀리고 졸린 상태가 되죠. 섹스는 여성의 에스트로겐 수치를 높여 숙면 상태인 렘수면에도 도움이 됩니다. 스트레스를 해소해주는 효과도 뛰어나죠.

## 수면 시간 늘리기

최근 (여대생 대상) 연구에서 여성의 수면 시간이 늘어날수록 다음 날 성욕이 더 커진다는 사실이 나타났습니다. 잠을 한 시간만 더 자도 다음날 어떤 종류든 섹스를 하게 될 가능성이 14퍼센트 증가했습니다. 이 연구에서는 수면 시간과 흥분의 상관성도 발견되었어요. 풋풋한 여대생들을 대상으로 한 연구이니 당신과 관계가 없다고 생각하나요? 다시 생각해보세요. 또 다른 연구에서는 갱년기 여성들 사이에서 수면 문제가 성적인 문제와 직접적으로 연관 있는 것으로 나타났습니다.

### 삽입 자세에 대해 다시 생각해 보기

부실해진 허리, 뻣뻣한 관절, 무릎 문제, 관절염, 고관절 문제 같은 질환은 당신이 가장 좋아하는 체위를 불가능하게 만들 수 있습니다. 하지만 다른 선택권도 많고 원래의 체위를 좀 더 수월하게 해주는 방법도 많습니다. 이를테면 베개를 몸에 받친다거나 가능하다면 파트너가 좀 더 몸을 움직이게 한다던가. 여유가 된다면 섹스를 좀 더 편하게 해주도록 디자인된 가구도 도움됩니다(244쪽 참고).

'스푼 포지션'도 권할 만합니다. 옆으로 눕는 게 편하니까 '스푼'처럼 둘이 옆으로 누워서 하는 체위입니다. 당신이 옆으로 눕고 그가 뒤에서 당신을 껴안은 상태로 삽입합니다. 삽입하기 쉽도록 무릎을 가슴 쪽으로 끌어올리세요. 무릎을 올린 상태로 엉덩이를 뒤로 쭉 빼줍니다.

X자 체위도 편합니다. 서로 머리를 침대의 반대 쪽 끝에 대고 눕습니다. 당신이 다리를 교차해 X자로 만든 상태로 그가 삽입합니다. 서로 한쪽 다리를 위에 놓고 한쪽 다리는 상대방의 아래에 둡니다. 움직임을 제어하기 위해 서로 손을 꽉 잡습니다. 이건 두 여성에게도 좋은 체위예요. 서로 동시에 성기 부위가 자극되니 그렇습니다.

## 호르몬치료 고려하기

4장에서 갱년기와 섹스의 통증에 대해 자세히 다룰 거예요. 호르몬치료를 받으면(모든 사람에게 적합하지는 않아요) 아주 극적인 변화가 일어날 수 있습니다. 몸 상태가 좋아지고 기분도 안정적으로 유지해줄 거예요.

## 러브젤 사용하기

러브젤은 삽입, 손으로 해줄 때, 바이브레이터를 이용한 자위 등 모든 성적 활동에 사용하기 시작합니다. 처음 사용해보는 사람이라면 성생활에 큰 변화가 나타날 거예요. 질건조증이 섹스를 너무 괴롭게 만드니까요. (하지만 강 박사는 무작정 윤활제를 사용하는 것은 자제하고 근본 원인인 질건조증을 치료해야 한다고 말합니다. 다음 내용 참고)

---

## 폐경 전이라면 윤활제보단 근본 원인을 찾아보세요

윤활제가 어쩔 수 없이 필요한 경우가 분명 있죠. 폐경기 이후의 여성 중 질 위축 및 성기능 퇴화로 인해 정상적인 분비액 생산 자체가 아예 불가능할 때입니다. 그런데 폐경기가 아니거나 폐경기라도 분비가 잘 되다 갑자기 문제가 생겼다면 근본 원인을 확인해볼 필요가 있습니다.

여성 분비액 부족이 생기는 이유는 성기의 혈류 감소 때문인 경우가 가장 많고, 그 밖에도 성 흥분을 억압하는 심리적 문제, 남성의 테크닉 부족, 질염으로 인한 분비기능 결함 등이 있습니다. 따라서 분비액이 부족해 성 행위 때 불편함을 느낀다면 병원에 찾아와 혈류검사, 신체검사, 성 상담 등을 통해 원인을 찾으면 도움을 받을 수 있습니다.

수용성 윤활제도 도움이 됩니다. 하지만 원인이 되는 문제를 덮어 두고 미봉책만 쓰는 꼴이 될 수도 있죠. 윤활제를 오래 사용하면 여성의 분비기능이 더 약해질 수도 있습니다.

## 섹스 토이 사용하기

섹스 토이는 많은 문제에 대한 해결책입니다. 싱글이라면 성생활을 계속 이어가게 해주고 발기에도 도움이 되고 민감성이 약해져서 흥분하기까지 더 큰 자극이 필요할 경우에도 도움이 되죠. (8장에서 자세히 다루겠습니다)

# 더 중요해진 전희

만약 삽입 섹스가 어렵거나 그가 삽입할 정도로 단단하게 발기되지 않는다면 오럴 섹스나 손으로 해주기처럼 예전에 "에피타이저"로 즐겼던 것들이 메인 요리가 됩니다. 여성들에게는 성생활에서 일어날 수 있는 가장 좋은 부분이죠. 여러 번 말했듯이 대부분의 여성들이 클리토리스 자극으로 오르가즘을 느끼는데 삽입 섹스만으로는 클리토리스 자극에 있어서는 비효율적이죠,

둘 다 오럴 섹스와 손을 이용한 자위에 의존하면 테크닉이 무척 중요해집니다. 그래서 이 장에서 섹스 기술을 복습하고 새로운 도전에 적응하는 방법을 제안하려고 하는 겁니다.

## 중년의 연인들을 위한 오럴 섹스 지침

오럴 섹스를 하는 사람을 위해서 쓴 글이니까 파트너도 꼭 읽게 하세요.

### 1. 그가 그녀에게 해줄 때

**편안한 위치를 선택하세요.** 그녀는 성기가 의자의 가장자리에 오게끔 앉고 당신은 그 앞에 쿠션을 받치고 무릎을 꿇고 앉습니다. 그녀가 주방 싱크대나 식탁에 앉고 당신은 앞에 낮은 스툴(등받이 없는 의자)에 앉아도 됩니다. 두 자세 모두 목이 편하고 당신이 뭘 하고 있는지 잘 보입니다. 키 차이가 잘 맞는다면 그녀를 서 있게 하고 당신은 쿠션을 받치고 무릎을 꿇고 앉으세요.

**그녀는 몸매가 좋고 당신은 그렇지 못한가요?**(무릎에 문제가 있다거나) 그렇다면 당신은 침대에 눕고 그녀가 다리를 벌리고 당신의 얼굴 위로 올라타서 무릎 꿇은 채 앉

는 것도 방법입니다. 여성은 무릎으로 균형을 잡으며 벽을 잡고 고정한 채로요. 전통적인 자세(그녀가 침대에 누워서 다리를 벌리고 당신은 그 사이에 엎드린 자세)로 한다면 그녀의 엉덩이 아래를 베개로 받쳐서 그녀의 성기에 닿기 쉽게 하세요. 그녀가 옆으로 누운 상태로 당신이 다리 사이로 들어가 그녀의 위쪽 다리를 당신의 목에 올려놓은 자세도 시도해 보세요.

**의식적으로 혀를 이완시키세요.** 목과 얼굴 근육도요. 그러면 당신도 좀 더 쉬워지고 그녀도 더 기분이 좋아집니다. 목에 너무 힘을 주지 말고 턱도 편안하게 하세요.

**입안을 촉촉하게 하세요.** 되도록 침이 많이 고여 있는 게 좋아요.

**시작은 부드럽게,** 그리고 그녀가 이끄는 대로 따라가세요. 혀가 느껴지지 않을 정도로 살짝 핥아주는 걸 좋아하는 여성들도 있지만 간지러워하는 여성들도 있거든요.

**성급하게 곧장 클리토리스로 향하지 마세요.** 그녀의 가슴을 핥고 애무하고 목에 키스하고 허벅지를 쓰다듬는거죠.

**일단 클리토리스에 닿으면** 혀의 평평한 면으로 길게 쭉 핥고 좌우로 핥거나 지그재그로 움직이거나 원을 그리세요. 빠르고 느린 움직임, 단단하고 부드러운 움직임을 실험합니다. 혀를 넓고 평평하게 펴서 클리토리스 전체를 부드럽게 휙휙 움직이세요. 치구(음모가 있는 곳)의 살 부분을 밀어 올리고 힘을 뺀 혀로 클리토리스 주변에서 천천히 원을 그립니다.

**피드백을 따르세요.** 계속 멈추고 그녀에게 좋은지 물어보면 너무 정신이 없습니다. 둘이 이런 시스템을 만들어보세요. 당신이 그녀의 허벅지를 꽉 잡으면 "괜찮아?"라고 묻는 거고 그녀가 당신의 팔을 잡으면 "예스"라고 답하는 거죠. 만약 괜찮지 않다고 하면 잠시 멈추고 그녀의 새로운 지시를 듣는 것도 괜찮아요.

**그녀가 새로운 것을 원한다고 삐지지 마세요.** 지금까지 해왔던 방식을 그녀가 좋아하지 않았다는 뜻이 아니에요. 단지 그녀의 몸이 변해서 이제 다른 방법이 필요하게 된 것일 뿐입니다. 당신과 오랫동안 매번 똑같은 방법으로 오르가즘을 느꼈지만 어느 날부터 갑자기 (임신 이후나 50대 이후) 그 방법이 통하지 않게 될 수 있거든요. 그걸 지나치게 여길 필요가 없어요.

**혀가 피곤해지면** 혀를 움직이는 대신 머리를 좌우, 위아래로 움직이거나 혀를 대고

---

있는 상태로 그녀가 몸을 꿈틀거리게 하세요.

**그녀의 엉덩이를 꽉 잡고** 크고 넓은 원을 그리며 돌리세요. 이렇게 하면 간접적으로 항문 주위가 자극됩니다. 이제 그녀는 더 많은 자극이 필요해졌는데 수줍어서 말하지 못했을 수도 있거든요. 오르가즘을 느낄 때(혹은 그 전에) 윤활제를 묻힌 손가락을 항문에 넣어주는 걸 좋아하는 여성들도 많은데 하기 전에 꼭 물어보세요!

**"느리게 부드럽게 꾸준히"를 외우세요.** 동작을 계속 바꾸지 마세요. 오럴을 해주면서 손으로는 계속 그녀의 몸을 쓰다듬으세요.

**적응하세요.** 나이가 들면 남녀 모두 흥분하는 데 시간이 더 오래 걸립니다. 그녀가 원할 때까지 계속할 것이고 당신도 그녀만큼 즐기고 있다는 걸 보여주세요.

**손가락을 넣기 전에 꼭 물어보세요.** 질에 자극이 되거나 피부가 연약하다면 그녀는 그곳에 손가락을 넣는 걸 원하지 않겠죠. 만약 그녀가 괜찮다고 한다면 윤활제를 많이 써서 부드럽게 해주고 우선 손가락 한두 개를 넣어 시작하세요.

**바이브레이터를 준비해두세요.** 빨리 사정할 것 같거나 그녀가 좀처럼 오르가즘으로 넘어가지 못할 경우를 대비해서 말입니다. 바이브레이터를 클리토리스에 가까이 댄 채로 키스하거나 가슴을 애무하세요. 그녀가 바이브레이터를 넣어달라고 할 수도 있지만(그럴 때는 꼭 윤활제를 쓰세요) 대부분의 여성들은 절정에 이를 때까지 계속 바이브레이터를 클리토리스에 대고 있는 답니다.

**섹스에 오르가즘이 필수는 아닙니다.** 오럴 섹스는 오르가즘의 여부와 상관없이 기분을 좋게 하지요. 섹스할 때마다 꼭 오르가즘을 느끼지 않아도 됩니다.

## 2. 그녀가 그에게 해줄 때

**편안한 자세를 찾으세요.** 무릎 상태가 괜찮다면 그는 벽에 기대어 서 있고 당신은 베개를 대고 무릎을 꿇고 앉은 자세가 가장 좋아요. 아니면 그가 침대에 걸터앉고 당신은 그 앞에 무릎 꿇은 자세이거나.

여성이 무릎 꿇기가 힘든 상황이 아닌가요? 그렇다면 당신이 침대에(적당한 높이의 다른 가구도 괜찮아요) 걸터앉고 그는 앞에 섭니다. 높이와 비율을 맞추는 게 중요해요. 계단, 가구 등을 이용해 그의 물건과 당신의 입 높이를 맞추면 되지요. 당신이 머리에 베개를 받치고 누운 상태에서 그가 위에서 무릎을 꿇는 자세도 괜찮습니다. 양손으로 침대 뒤쪽의 벽에 몸을 기대면 되지요. 이때 손이 꺾이거나 목에 무리가 갈 수 있으니 비스듬하게 눕지 마세요.

**이빨이 보일 정도로 입술을 벌릴 필요는 없습니다.** 턱과 목에 힘을 빼고 입술을 갖다 대는 것이 더 쉽고 편합니다.

**입뿐만 아니라 손도 사용하세요.** 헛구역질 나는 것을 막아줍니다. 그의 페니스가 입안에서 빠져나가는 서로 어색한 순간을 예방할 수 있죠. 그런 일이 생긴다면 혹시 발기가 단단하지 않아서 그러는 걸까 그가 불안해할 겁니다. 쉽게 헛구역질이 나온다면 그의 페니스를 입천장이나 뺨 쪽으로 조준하세요.

**페니스의 뿌리 쪽을 잡으세요.** 혈류를 가두어 발기 유지에 도움이 됩니다. 입술을 귀두에 댄 채로 꼭 닫으세요. 실제로 빨지 않는 상태로 살짝 압박만 가하는 겁니다. 손에 힘이 없거나 오래 잡고 있기가 힘들다면 그가 잡도록 합니다.

**음경소대(귀두와 음경을 이어주는 얇은 띠 모양의 부분)를 혀로 움직여주세요.** 이 부분의 피부는 매우 민감하답니다.

**입을 따라 손도 리드미컬하게 움직이세요.** 천천히 시작해서 흔들림 없이 점점 빠르게 움직입니다. 페니스 쥔 손을 입의 움직임에 따라 올렸다 내렸다 합니다. 입이 귀두에 닿을 때는 손으로 음경을 감싸고 아래로 내려갈 때는 손을 펴세요. 잘하면 그가 입과 손의 차이를 구분하지 못할 겁니다. 나이든 남자들은 더 강한 자극을 주기 때문에 손을 같이 사용하는 걸 선호해요. 그가 좋아하지 않는다면 그냥 음경 기저부를 잡고 있습니다.

**시선을 맞추면서 하세요.** 서로 눈을 맞추는 것만으로도 분위기가 확 올라갑니다.

**혀가 귀두에 닿을 때마다 빙 돌려서 음경소대에 닿게 하세요.** 손이 귀두 위로 올라갈 때 살짝 비틉니다. 귀두에 닿으면 속도를 늦추세요. 거기가 가장 민감한 부분이니까요.

**다른 부위도 잊지 마세요.** 고환을 감싼 음낭을 애무하고 핥으세요. 손가락으로 회음부(항문과 고환 사이의 체모 없는 부분)를 따라 애무하면서 음경 안쪽에도 자극을 주세요.

**당신도 즐기고 있다는 걸 그에게 알려주세요.** 신음을 내세요. 잠깐 멈추어 고개를 살짝 들고 욕망 가득한 눈빛으로 쳐다보고 다시 시작하세요.

**서두르지 마세요.** 나이가 들수록 그가 절정에 이르기까지 더 오래 걸리는 게 당연합니다. 좀 더 서두르고 싶다면 좀 더 빨리 움직이고 손에도 힘을 좀 더 줍니다.

**다른 자극을 추가하세요.** 이제 그는 절정에 이르려면 입을 통한 자극 말고 다른 것이 더 필요할지도 모릅니다. 윤활제 바른 손가락을 항문에 넣어 전립선을 자극해보세요(방법은 208쪽 참고). 그의 유두를 만지거나 손날을('L'로 만들어) 그의 다리 사이로 가져 회음부를 눌러보세요. 그의 아랫배에 손을 대고 천천히 안정감 있게 문질러 음경의 보이지 않는 쪽을 자극합니다.

**그가 절정에 이르는 순간에 어떻게 할지 생각해 보세요.** 결정적인 순간에 그 혼자 팔딱거리게 하지 마세요. 정액을 삼키는 걸 좋아하지 않는다면 그가 사정하는 순간 입을 떼고 손은 계속 움직이면서 다른 곳에(가슴 등) 사정하게 합니다.


## 손으로 하기

오럴 섹스와 마찬가지로 손으로 하는 방법도 예전처럼 쉽게 흥분되지 않을 수 있습니다. 몸이 변했으니 모든 것에 적응이 필요하지요. 파트너에게도 알리고 문제를 풀어가세요. (섹스 대화가 어색한 사람은 30쪽을 참고하세요)
질 좋은 윤활제를 많이 사용하세요. 걱정하지 말고 중간에 멈춰 윤활제를 더 사용하기도 하구요. 바이브레이터가 손가락보다 더 효과적이라면 고민하지 말고 파트너에게 말하세요. (덜 애써도 되니 더 좋지요!) 손에 문제가 있어도(관절염 등) 마찬가지입니다.

### 1. 그녀가 그를 손으로 해주기

**자세를 선택하세요.** 침대에서 그의 옆에 누운 자세로 해주는 게 가장 일반적인 방법이죠. 하지만 나이에 상관없이 이 자세는 별로 효과적이지 못해요. 대신 그의 뒤에 선 채로 손을 앞으로 내밀어 그의 페니스를 잡아보세요. 거울 앞에서 하면 더 흥분이 되죠. 당신이 침대에 걸터앉은 상태로 그가 앞에 서 있어도 됩니다. 당신은 건강하고 그의 건강 상태가 별로라면 그의 발 쪽을 보고 배에 걸터앉으세요.

**그에게 자위하는 모습을 보여 달라 하고 최대한 똑같이 해주세요.** 특히 손과 손가락의 위치를 잘 살펴봅니다. 그가 당신의 손에 포개어 위치를 잡아주도록 합니다. 힘을 가하는 정도나 속도를 그가 맞춰 주어도 좋고요.

**기본적인 움직임은 음경을 살짝 감싼 상태에서 위로 올렸다 내렸다를 반복하는 것이죠.** 엄지는 음경의 이쪽에 나머지 손가락은 저쪽에 놓은 상태로 잡고서 위아래로 왔다 갔다 하거나 흔드는 동작을 취해도 됩니다.

**쥐는 힘이 부족하다면 페이스트리를 굴리듯 양쪽 손바닥 사이에 음경을 놓고 굴려 보세요.** 아니면 양손을 깍지 낀 상태로 안쪽 공간에 음경을 넣습니다. 두 엄지까지 맞붙인 상태에서 살짝 틀어주면서 올렸다 내렸다 하세요.

**움직임에 변화를 주세요.** 빠르게 10회, 느리게 10회씩 번갈아가면서 움직이세요. 바꿀 때마다 좀 더 힘을 줍니다.

**가짜 진주 목걸이를 사용해 보세요.** 목걸이를 당신의 손이나 그의 음경에 두른 채로 위아래로 움직입니다. 윤활제를 듬뿍 사용하세요. 그전에 진주알의 거친 부분을 네일 파일로 정리해줍니다. 더 강한 자극이 필요할 때 효과적이에요.

**'스트로커'를 사용하면 그를 더 흥분시키고 당신의 일을 덜 수 있어요.** 스트로커는 겉면이 우툴두툴한 남성용 자위 도구인데 음경에 끼워 위아래로 움직이면 됩니다. 윤활제를 충분히 사용하세요.

**오럴 섹스와 마찬가지로 다른 자극을 추가하세요.** (손가락 넣기, 젖꼭지 만지기)

**계속하기가 어려우면 그에게 넘기세요.** 그가 자위하는 모습을 지켜봅니다. 그를 더 흥분시키고 싶으면 그가 자위하는 동안 당신도 누워서 섹스 토이를 사용하세요.


## 2. 그가 그녀를 손으로 해주기

**자세를 선택하세요.** 효과적으로 손이 비틀리지 않는다면 그녀의 옆에 눕는 일반적인 자세도 괜찮습니다. 다리를 벌리고 앉은 그녀의 뒤에서 당신도 다리를 벌리고 바짝 붙어 앉아도 됩니다. 두 손으로 클리토리스를 만지거나 한 손은 가슴이나 다른 곳을 만지세요. 의자에서 그녀가 당신의 무릎에 앉는 자세도 괜찮아요.

**뭘 원하는지 그녀에게 물어보세요.** 나이가 들수록 클리토리스를 전보다 직접적으로 강하게 자극해주는 걸 좋아하는 여성도 있고 반대로 좀 더 부드럽게 만져주는 게 좋은 여성도 있거든요. 그녀는 어느 쪽인지 물어봐야 알 수 있겠죠?

**윤활제를 듬뿍 사용하세요.** 윤활제를 옆에 두고 질이 건조해지기 시작하면 더 사용합니다. 침을 약간 섞어 문지르세요.

**우선 그녀의 닫힌 음순에 손가락을 가만히 대고 있으면서 그녀가 몸을 어떻게 움직이는지 살펴보세요.** 어느 정도의 힘이 가장 좋은지 알 수 있어요. 그래도⋯⋯

**생각보다 더 느리고 부드럽게 만지세요.** '너무 거칠다'는 여자들이 나이에 상관없이 자주 하는 불평이지만 특히 이 나이에는 더 문제가 될 수 있거든요. 검지와 넷째 손가락을 음순 바깥쪽에 놓고 가운데 손가락을 이용해서 클리토리스를 위아래로 만지거나 원을 그리며 천천히 리드미컬하게 문지르는 게 가장 기본적인 방법입니다. 이때 손가락 끝만 사용하지 말고 손가락의 평평한 부분과 손끝의 살 부분까지 쓰면 감촉도 부드럽고 더 넓은 부분을 만질 수 있습니다.

**보디랭귀지를 읽으세요.** 그녀가 당신의 손 쪽으로 몸을 민다면 좀 더 강한 터치를 원한다는 뜻입니다. 살짝 뒤로 물러난다면 좀 더 부드럽게 만지세요.

**그녀가 원하지 않으면 손가락을 넣지 마세요.** 특히 삽입 섹스할 때 아파하는 그녀라면 더더욱요. 외부와 클리토리스 부분을 자극하는 데 집중하세요.

**손으로 해주는 것도 오럴 섹스와 공식이 같아요.** 부드럽고 일관성 있게 계속 움직여주세요. 그녀에게 예전보다 더 강한 자극이 필요하다면 당신의 손에 그녀의 손을 대고 원하는 강도를 직접 보여 달라고 하세요.

**그녀가 강하고 직접적인 자극을 원한다면 '굴리기'를 한 번 써보세요.** 클리토리스를 만지는 대신 클리토리스 표피(클리토리스를 보호하는 주름 모양의 살)를 음경소대처럼 활용해 보세요. 그 부분을 완충장치로 이용해 엄지손가락과 집게손가락 사이에 놓고 굴려서 클리토리스를 자극합니다.

---

3장,
난 이제
섹시하지 않은데

섹시한 기분은
섹시해 보이거나 섹스를 원하는 것과는
완전히 다릅니다.

빅토리아 시크릿 모델이라도 스스로 섹시함을 느끼지 못할 수 있
어요. 자기가 섹시하다고 느끼는 것은 몸매가 아니라 태도입니다. 이
태도는 정말로 중요해요. 왜냐하면 이것만으로 성생활에 얼마나 만족
하는지를 알 수 있거든요.

스스로 성적 매력이 있다고 느낄수록 섹스를 즐기고 오르가즘을
느끼고 파트너와 편안하게 섹스 토크를 나눌 가능성이 크다는 사실을
보여주는 연구결과가 해마다 줄줄이 나옵니다. 대표적으로 2012년에
발표된 연구결과가 있는데요, 20년 동안 시행된 57개 연구를 검토한

결과인데, 신체 이미지가 흥분, 성욕, 오르가즘, 섹스 횟수, 성적 자존감 등 섹스와 관련된 거의 모든 요소들과 중요한 연관성이 있다는 사실이 확인됐어요. 자기가 자기 몸을 부끄러워하고 추하다고 생각한다면 누가 그걸 보거나 만지는 게 싫은 게 당연하잖아요?

그럼 자신의 몸에 대한 혐오가 어디에서 나올까요? 대표적으로 살이 쪘다는 거죠.

## 여성이 자기 몸을 싫어하는 이유

우리 여성들은 수많은 이유로 자신을 비판하는 걸 참 잘해요. 그중에서도 몸무게가 가장 대표적이죠.

만약 당신이 친구들을 만나 "나 오늘 정말 예쁜 것 같아"라고 말하면 어떻게 될까요? 성교육자 에밀리 나고스키는 학생들에게 이 질문을 했어요. 학생들은 웃으면서 그런 사람은 없을 것이라고 했죠. "그럼 저녁 약속에서 친구를 만나 '나 오늘 너무 뚱뚱한 것 같아'라고 말하는 사람은 얼마나 많죠?" 학생들은 만장일치로 '항상'이라고 대답했습니다.

여성은 자신을 비판하는 것은 허락되지만 칭찬하면 벌을 받습니다. 나고스키는 저서 《있는 그대로: 당신의 성생활을 바꿔줄 놀랍고 새로운 과학》에서 이런 이야기를 했어요. 사람들은 통통한 아기를 사랑하고 귀여워하죠. 그 통통한 살을 1그램마저도 완벽하고 예쁘게 봅니다. 그런데 사춘기에 접어들면서부터 여성들은 뭐가 예쁘고 예쁘지 않은지에 대한 기준을 배우기 시작하죠. "신체 비판의 씨앗이 심어지고 쑥쑥 자라나고 자기 몸에 대한 자신감은 무시되고 처벌받는다"라고 그녀는 적었죠.

잡지와 광고, 거의 모든 TV 프로그램과 영화에서 불가능에 가까울 정도로 날씬하고 '완벽한' 몸매를 가진 여성들의 이미지가 홍수처럼 쏟아집니다. 그리고 소셜미디어가 악을 뿌려댑니다. 포토샵도 하고 좀 만지작거리면 솔직히 외모가 별로인 친구들까지 슈퍼모델로 변신하잖아요. 사회적으로 젊음을 숭배하고 노화는(살찐 몸과 더불어) 최악의 불행 취급을 받습니다. 이런 세상에서 과연 외모에 별로 신경 쓰지 않는 여성들에게 희망이 있겠어요?

요즘 내 몸을 사랑하자는 자기 몸 긍정주의body-positive 운동도 있죠. 하지만 여성의 '섹시함'에 대한 지극히 편협한 기준을 널리 퍼뜨리는 철옹성이 떡하고 버티고 있어요. 똑똑하고 성공하고 잘 교육받은 여성들이 여러 세대에 걸쳐 신체이형장애(실제로는 외모에 큰 결점이 없는데도, 자신의 외모에 심각한 결점이 있다고 여기는 생각에 사로잡히게 되는 질병)에 가까운 잘못된 신체 이미지를 가진 여성들이 나올 만도 하지 않겠어요?

난 지금까지 살면서 자기 몸매에 스트레스 받지 않는 여성은 딱 두 명밖에 못 봤어요. 그거 아세요? 그녀들은 태어날 때부터 운이 좋았을 뿐이에요. 둘 다 키도 크고 날씬하고 롱다리에 뭘 먹어도 절대 살이 찌지 않거든요. 보통 여성들은 어렸을 때부터 몸매와 몸무게 걱정을 하고 50세까지도(그 이후로도 내내) 스트레스를 받지요. 50세 넘은 여성들에게 자신의 몸에 대해 어떻게 생각하는지 물으니 이런 답이 나왔습니다.

"난 내 몸이 싫어요. 막내를 낳고 뱃살이 생겼는데 폐경 이후로는 온몸에 군살이 넘쳐나요. 보기 안 좋아요."

"출산 후로 내가 섹시하다고 느끼지 못했고 몸무게도 늘고 살도 텄어요. 남편도 저한테서 매력을 느끼지 못하는 것 같았고요. —결국 제 생각이란 걸 알게 됐지만— 한번 그런 생각이 드니 사라지지 않았죠."

"스물다섯 살부터 매일 몸무게를 쟀고 지금은 57세입니다. 평생 체중계의 숫자가 그날의 제 기분을 좌우했죠. 솔직히 2킬로그램 이상 변한 적도 없는데 말이에요. 그날 제가 '뚱뚱'하다고 느끼는가가 제 성욕을 절대적으로 좌우해요. 체중계의 숫자가 작게 나오면 예쁘게 꾸미고 침대에서 섹시하게 굴어요. 그렇지 않으면 섹스하고 싶은 마음이 조금도 들지 않아요. 남편은 그게 한심하다고 생각해요. 저도 알지만 어떻게 고쳐야 할지 모르겠어요."

### 자기 몸이 싫으면 섹스도 싫어진다

'오늘은 섹스하기 싫어. 맥주를 많이 마셔서 배가 나왔잖아'라고 생각하는 남자를 본 적 있나요? 그럼 당신은 거울에 비친 자신의 모습을 보고 '맙소사, 나 너무 뚱뚱해'라고 생각하고 성욕이 사라지는 걸 느낀 적 있어요?

미국에서 '죽은 침실Dead Bedrooms'이라는 오싹한 이름의 설문조사가 이루어졌습니다. 18~65세 1,000명에게 무엇이 성욕을 사라지게 하는지 물었죠. 무려 46%가 체중 증가라고 대답했습니다. 영국의 연구에서는 여성 10명 중 한 명이 섹스하는 도중에 자신의 몸매에 자신감을 느끼지 못한다고 대답했고요. 반면 남성은 그런 경우가 3퍼센트밖에되지 않았죠. 《자기야, 오늘은 안 돼, 나 오늘 뚱뚱한 것 같아》의 저자마이클 알비어Michael Alvear의 말을 빌려 그 결과를 이야기하겠습니다.

"부정적인 신체 이미지는 성욕을 완전히 질식시켜 없애버릴 수 있습니다. 섹스를 하고 싶어도 거절하게 만들죠. 육체의 쾌락이 아니라자신의 부족함에 온통 신경이 곤두서게 만듭니다. 수치심 때문에 자신을 흥분시키는 것을 요구하지 못하게 되고 결국은 절정에 이르기가 어렵거나 오르가즘을 느껴도 별로 좋지 않게 됩니다. 수치심이 문으로들어오면 성욕이 창문으로 도망가는 겁니다.

여성 대부분이 평생 자기 몸과의 끊임없는 싸움을—얼굴도 마찬가지죠, 노화도 두려움의 대상이니까—계속합니다. 그런 식으로 엄청난 에너지가 낭비되는 거예요! 우리 몸은 그 자체로 아주 똑똑하고 효율적이고 대단한 기계인데 그걸 자기혐오와 경멸감으로 대한다니 얼마나 경악스러운 일인가요. 건강이 위험할 정도로 과체중이라면 당연히식단과 생활방식을 바로잡아야 합니다. 하지만 그 정도까지는 아닌 사람들이 대부분이지요.

우리의 체중은 '모델' 수준이 아닐 뿐이지 지극히 건강한 수준입니다. 우리 얼굴도 '모델' 같지 않을 뿐 못생기지 않았어요. 출산으로 몸매나몸무게가 변했다면 의미 있고 멋진 이유 아닐까요.

자식들과 예전 몸매 둘 중에서 하나만 골라야 한다면 뭘 고르겠어요? 다들 자식을 선택합니다. 스무 살 이후로 웃지 않아 주름이 하나도 생기지 않은 얼굴과 즐거운 인생을 살아오느라 주름진 얼굴 중에서 뭘 고르겠어요? 다들 (어쩌면 빅토리아 베컴을 제외하고) 후자를 고를 겁니다.

달라진 얼굴과 몸매 때문에 자신을 괴롭히는 게 다 무슨 소용일까요? 솔직히 이런 글을 쓰면서 저는 화가 나요. 당신도 그랬으면 좋겠어요. 이 책을 읽고 있다면 당신은 아마 50세가 넘었겠죠. 이제는 이 바보 같은 짓을 그만둘 때가 되지 않았나요? 이젠 어른이잖아요. 이 챕터에서는 그 방법을 가르쳐주려고 해요. 성생활뿐만 아니라 인생 전체가 훨씬 좋아질 거예요.

## 섹시한 기분이 오르가즘보다 중요하다

연구에 따르면 파트너가 자신에게 매력을 느낀다는 것을 알면 여성의 성적 만족도와 성기능이 모두 개선됩니다. 최근 연구에서는 섹시한 기분이야말로 여성을 흥분시키는 가장 중요한 요소라는 점이 드러났지요. 그 연구에서는 파트너가 있는 662명의 이성애자 여성들을 조사했습니다. 그들이 파트너에게 성욕을 느끼게 만드는 것이 무엇인지 알아보려는 것이었죠. 가장 중요한 요소로 바로 파트너가 자신에게 매력과 섹시함을 느끼는 상황이었고, 그것이 여성의 성욕을 좌우한다고 밝혀졌어요.

미국의 성치료사 스티븐 스나이더도 말합니다.

"현실적으로 여성은 상대가 자신을 원한다는 것을 느껴야 합니다. 많은 여성들에게 그건 산소와 같습니다. 여성에게는 섹시한 기분이 오르가즘보다 더 중요해요."

이것은 두 가지를 의미합니다. 첫째, 남성들은 여성에게 주기적으로 섹시하고 매력적이라고 말해주는 것이 중요하다는 걸 알아야 합니다. "예쁘다"가 아니라 "섹시해!"라고 말해줘야 한다는 거죠. 둘째, 반대로 여성들은 남성이 그렇게 말해주면 믿으세요. 스스로 섹시하고 매력적이라는 걸 믿지 않는다면 그가 그렇게 말해줘도 소용없겠죠?

자, 그럼 어떻게 하면 앞으로 자신에게 부정적이지 않고, 긍정적일 수 있을지 알아봅시다.

## 부정적 자기 이미지를 개선시키는 방법 중 쩍 좋지 않은 것: 다이어트

다이어트와 운동은 신체 이미지의 개선에 도움이 되지 않습니다. 신체에 대한 인식은 신체 사이즈와는 별로 관계가 없기 때문이죠. 가장 작은 사이즈를 입는 사람이라도 자신이 뚱뚱하고 예쁘지 않다고 생

각할 수 있어요.

알비어는 대중매체에 등장하는 모델과 여배우에 초점을 맞춘 연구를 언급합니다. 그들은 건강한 보통 여성보다 체지방이 10~20퍼센트나 적습니다. 하지만 '정상적인' 여성보다 성기능 장애나 성욕 저하가 나타나기 쉽죠. 체중 자체가 문제가 아니라, 체중에 대한 자신의 인식이 중요한 거죠.

"여성들은 자신의 몸이 어떻게 보이는지에 대해 매우 왜곡되고 부정확한 관점을 가지고 있습니다. 연구결과에 따르면 그들은 자신의 신체 사이즈와 몸매를 25퍼센트 이상 과하게 평가합니다"라고 알비어는 말합니다. 이건 저도 경험해봐서 확실히 알아요.

첫 결혼식 때 디자이너가 만든 웨딩드레스를 샀어요. 세상에서 하나뿐인 웨딩드레스이기를 바랐는데 피팅하러 매장에 갔더니 내 거랑 완전히 똑같은 드레스를 창가의 마네킹에 입혀놓은 거예요. 사이즈만 두세 치수 작았죠. 당연히 화가 머리끝까지 치밀었어요. 난 디자이너에게 왜 내 거랑 똑같은 드레스를 또 만든 거냐고 따졌어요. 그 가엾은 남자 디자이너는 깜짝 놀란 표정이었죠.

"아닌데요. 저건 손님 드레스입니다. 들어오실 때 기분 좋으시라고 깜짝 선물로 쇼윈도에 걸어놓은 거예요."

"저건 내 드레스가 아니라고요!" 저는 정말이지 화가 났어요.

"내 사이즈는 저것보다 두 치수 크다고요!"

저는 디자이너가 창가의 마네킹에서 벗겨 온 드레스를 입어보고서야 그의 말을 믿었죠. 아주 장갑처럼 꼭 들어맞더군요. 변명하자면 결혼식을 앞두고 평소 아무리 침착한 사람이라도 예민해지기 마련이잖아요. 지금 생각할 때 놀라운 건 "증거"를 보고도 내 몸에 대한 나의 생각이 변하지 않았다는 거예요. 마네킹이 입은 정확히 내 사이즈의 드레스를 보고 사이즈가 작다고 생각했으면서도 내가 날씬하다는 생각은 하지 못했으니까요. 정말 바보가 따로 없죠!

여성들이 자신의 신체 사이즈를 25퍼센트나 크게 생각한다는 건 누구나 이런 경험을 한 적이 있다는 뜻입니다. 자신에게 긍정적이 되는 첫걸음은 눈에 보이는 그대로 믿는 법을 배우는 거예요. 그래요, 자신의 몸이 싫을 수도 있어요. 하지만 실제로는 당신이 생각하는 것보다 4분의 1은 덜 혐오스럽다는 겁니다.

### "늙은"건 매력적이지 않다고 누가 그래?

여성들이 스트레스받는 건 몸매뿐만이 아닙니다. 여성들은 늙어가고 있다는 표시가 나는 것도 두려워하죠.

저는 런던 중심부에 사는데 보톡스와 필러, IPL(옮긴이 주: 피부에 강한 파장의 빛을 방출하는 시술)나 레이저 시술 같은 피부 관리를 고민하는 50대 여성들이 가득합니다. 비용이 수백 또는 수천 파운드나 드는데 마치 좋은 세안제나 보습제처럼 "필수"로 여기죠. 솔직히 말하자면 저도 그런 고민에서 자유롭지 못하답니다. 저도 몇 년 동안 보톡스를 맞았고 필러도 맞아봤어요. (대부분 망했고 괜찮을 때가 가끔 있음) 글을 쓸 때 정맥이 두드러지고 여기저기 검버섯이 생긴 손을 보면서 "어휴, 어쩌다 이렇게 됐지?"라고 생각하는 나쁜 버릇도 생겼어요. (답: 어떻게 된 거긴요. 태어나 57년을 살았으니 그렇지) 그런 내가 싫은데도 버릇을 고치지 못하네요.

'나이든 사람'의 성에 관한 책을 쓴다고 하면 젊은 사람들의 반응이 굉장합니다. 자신도 모르게 찌푸리면서 "우웩" 하거나 가식적으로 "참 좋은 일이네요"라고 하죠. 하지만 속마음이 다 보여요. '장난해? 그 나이에도 섹스를 한다고? 그 나이 먹은 사람하고 섹스하고 싶은 사람이 과연 있을까?'

원래 이 책의 제목을 《나 50세, 나랑 섹스해요》로 하려고 했어요. 이중적 의미를 가진 제목이라 저도 출판사도 마음에 들었죠. 맙소사, 어쩌다 벌써 내가 이렇게 늙었을까? 늙은 나를 아직 원하는 사람이 있을 거라고 제발 말해줘! 50대 이상의 여성들이 대부분 느끼는 감정이 담긴 제목이었죠. 사실 생각해보면 꽤 끔찍해요. 50세라고 해봤자 '100세 시대'에 아직 절반밖에 안 온 거잖아요.

그런데 50세가 넘었다고 왜 우리랑 자고 싶어 하는 사람이 없을까요? 젊은 육체가 늙은 육체보다 성적으로 더 매력적으로 여겨지는 데는 진화와 관련해 여러 가지 이유가 있습니다. 가장 분명한 건 여성이 젊을수록 가임 능력이 있다는 거죠. 하지만 매끄러운 피부가 주름진 피부보다 더 매력적이라는 건 누가 정했죠? 주름진 피부가 사실은 열심히 살아온 삶을 대변하는데 말이죠. 정맥이 튀어나온 내 손은 오랫동안 키보드를 두드리며 세상에 도움이 되기를 바라는 마음으로 책을 써온 시간을 말해줍니다. 왜 검버섯은 보기 싫고 주근깨는 귀엽죠?

서양에서는 나이든 게 놀림의 대상입니다. 40세가 넘은 사람에게 줄 생일 카드를 사본 적 있는 사람이라면 그런 카드 문구의 90퍼센트가 늙어가는 몸에 대한 경멸적인 농담을 바탕으로 한다는 걸 알 겁니다. 늙었다는 것은 혐오와 불쾌함의 대상이 되죠. 30세가 넘은 사람에게 최악의 모욕은 "늙어 보인다"이죠. 서양 이외의 문화에서는 노인들에게 좀 더 친절합니다. 한국과 중국에서는 노인을 공경하는 문화가 있습니다. 그리스에서도 '노인'이 경멸적인 용어가 아니고요.

솔직히 제가 지금까지 머리 염색에 쓴 돈을 합치면 (20대 초반부터 흰 머리가 생겼거든요) 프랑스 남부에 별장을 사고도 남았을 겁니다! 보톡스와 페이셜, 노화 방지용 화장품과 바디 용품에 뿌린 돈을 합치면 별장을 하나 더 살 수 있었을 걸요.

저는 답이 뭔지 모릅니다. 하지만 저는 50세가 넘은 여성이 젊은 여성들만큼, 아니 그보다 더 섹시할 수 있다는 건 알아요. 헬렌 미렌, 이자벨 위페르, 할리 베리, 레나 올린이 곧바로 떠오르네요. 하지만 제 주변에도 성형수술이나 그 어떤 '도움'도 없이도 성형수술과 메이크업, 인스타그램 필터에 전적으로 의존하는 요즘 젊은이들의 카다시안 스타일의 섹시함 정도는 단숨에 따돌리는 여성들도 많아요.

# 성적 자존감을 올려주는 세 가지

다이어트나 운동으로 몸을 바꾸는 것이 효과가 없다면 과연 어떤 방법이 있을까요? 가장 효과적인 세 가지를 소개합니다.

## 섹스하기

제가 이 책을 쓰기 위해 실시한 설문조사에서 참여 여성 모두 신체 이미지가 부정적인 건 아니었어요. 아주 긍정적인 사람들도 있었습니다.

"저는 몸에 대한 자신감이 그 어느 때보다도 커졌어요. 50세에 요가를 시작했고 지금은 요가 강사가 되었죠. 매일 요가를 하다 보니 유연성이 나아졌고 근력도 붙고 날씬해졌습니다. 가슴은 처졌지만 스스로 섹시한 매력이 있다고 느껴요."

"저는 49세인데 제가 여전히 아름답다고 느낍니다. 왜 안 그렇겠어요? 세상에 나는 단 한 명뿐인데."

"바람을 피운 후로 내 몸에 대한 이미지가 바뀌었어요. 남편은 항상 내가 예전보다 뚱뚱해졌다고 무시했죠. 제가 바람을 피우게 된 건 그 남자는 저의 모든 부분을 사랑해주기 때문이에요. 몸무게는 그대로지만 제 생각은 완전히 달라졌어요."

———

"저는 자유로운 성생활을 즐겨왔어요. 신체 자신감의 훌륭한 실험실이나 마찬가지였죠. 많은 남자가 나에게 매력을 느낀다는 것이 증명되기도 했지만 현실 속에서 다양한 연령대 사람들의 알몸과 성적으로 흥분한 모습을 볼 수 있었기 때문이기도 해요. 저는 군살은 없지만 근육질에 가슴도 작은 스타일인데 폐경기 이후에 호르몬 치료를 받으면서 몸무게가 늘고 가슴도 커져서 좀 더 여성스럽고 섹시하게 느껴져요."

설문조사에서 자신의 몸에 대해 부정적으로 말하는 여성들에게는 공통점이 또 있었습니다. 그들은 섹스를 하지 않았어요. 파트너가 있는데도요. 자신의 몸에 대해 긍정적이고 스스로 매력적이라고 생각하는 여성들은(방금 인용한 여성들을 포함해) 섹스를 했습니다. 그것도 아주 만족스러운 성생활을 즐기고 있었죠. 만족스러운 성생활은 신체 이미지를 향상시켜줍니다.

즐거운 성적 경험은 우리 몸에 대해 더 좋은 기분을 느끼게 해줍니다. 파트너가 자신과 사랑을 나누는 것을 좋아한다면 그 사실이 기분 나쁠 리 없잖아요? 섹스와 신체 이미지는 서로 윈윈이에요.

자신의 몸에 대해 좋게 느낄수록 섹스도 만족스러워집니다. 섹스를 더 원하게 되고 신체 이미지도 개선되는 거죠.

반대로 이건 루즈-루즈 상황이죠. 영국에서는 신체 자신감이 낮은 여성들이 선호하는 섹스 체위를 조사했어요. 그들이 가장 선호하는 체위는(약 40퍼센트) 정상 체위였습니다. 그럼 여성의 신체 자신감을 가장 떨어뜨린 체위는 무엇이었을까요? 바로 여성 상위였죠.

정기적으로 (외부 클리토리스 자극 없이) 삽입 섹스를 통해 오르가즘을 느끼는 여성은 30퍼센트밖에 안 되지만 그중에서 다수가 여성 상위나 자신이 제어하는 체위를 통하여 오르가즘을 느낍니다. 정상 체위는 가장 여성 친화적이지 못한 체위에요. 다른 자극을 더하기가 쉽지 않은 데다, 여성 성감에 중요한 앞쪽 질벽과 페니스가 각이 맞지 않기 때문이죠. 낮은 신체 자신감은 여성들이 오르가즘을 느낄 가능성이 가장 적은 체위를 선택하게 만듭니다. 가장 좋은 방법을 외면하고 말이에요.

## 섹스 테크닉 키우기

섹스 기술을 키우는 것이 다이어트나 스스로 예쁘다고 주문을 외우는 것보다 자기 이미지에 훨씬 더 도움이 된다고 알비어는 말합니다. 자신이 성적으로 유능하다는 것을 아는 여성은 침실 밖에서는 몰라도 섹스 도중에 자신의 몸매를 의식하는 일이 거의 없습니다. "성적 자신감은 침실에서 자신감을 가지게 해주고 침실 자신감은 외모에 대한 불안을 줄여줍니다"라고 알비어는 말하죠.

———

이 책에서도 섹스 테크닉이 많이 소개되니까 간과하지 마시길.

## 운동

성적인 자아를 되돌리고 싶다면 운동을 하라는 게 이상한 조언처럼 들릴지도 모르지만 운동은 성욕을 다시 불붙여주는 확실한 효과가 있습니다.

텍사스 대학 오스틴 캠퍼스의 신디 메스턴Cindy Meston 박사의 연구에서는 성욕이 낮은 여성이라도 운동이 성욕을 크게 높여준다는 결과를 보였습니다. 메스턴 박사는 자전거 운동을 하고 난 여성들에게 에로틱한 사진을 보여주었을 때 그렇지 않은 여성들보다 성적 흥분도가 크게, 때로는 매우 극적으로 높아졌다는 사실을 발견했지요. 운동하는 여성들이 클리토리스의 혈류가 더 강하다는 사실을 알려주는 연구도 있었고요.

혈류가 강하면 무조건 섹스에 좋은 쪽으로 도움이 된다는 사실은 이미 아시죠? 운동은 모든 사람에게 좋아요. 그러니까 운동하세요. 헬스장에 다니기가 싫으면 밖에 나가서 산책을 하거나 집에서 운동 수업을 들어보세요. 다양한 수준에 맞는 훌륭한 무료 온라인 피트니스 수업이 많아요. 걷기, 자전거 타기, 수영, 필라테스를 해보세요. 웨이트 운동(특히 중년 여성들에게 좋아요)과 호신술 수업도 있습니다. 성생활이 아주 좋아질 겁니다.

# 기타 효과적인 방법들

**자신에게 솔직해지기.** 섹시함을 느끼려면 스스로 섹시하다고 느끼고 싶어야 합니다. 이 책에서 제안하는 방법을 전부 다 시도해보는 척하지만 사실은 그 무엇도 별 도움이 되지 않는다는 걸 확인하고 싶은 마음일 수도 있어요. 그런 마음가짐이라면 모든 게 시간 낭비일 뿐입니다.

진심으로 섹스를 원치 않는다면 파트너와 섹스 없이도 행복한 삶을 살기 위해 노력하는 쪽으로 초점을 바꾸세요. (이 얘긴 5장에서 할게요)

**강렬한 불꽃이 아니라 깜빡임.** 물론 욕망이라는 불꽃이 아랫배에서부터 거대하고 뜨겁게 휘몰아치는 사람들도 있지만 대부분 사람들에게는 작은 깜빡임에 가까워요.

이글거리는 불꽃처럼 뜨거운 욕망만이 진짜 흥분이라고 생각하나요? 장기적인 관계에서는 그런 불꽃이 찾아오려면 아주 오래 기다려야 할 겁니다. 사람들은 젊어서 처음 연애를 시작할 때나 불륜처럼 해서는 안 되는 일을 할 때 짜릿함을 느끼죠. 오랫동안 충실하게 함께해온 사람에게 계속 뜨거운 욕망을 느끼는 건 드문 일입니다. 인간이 원래 그렇게 만들어졌어요.

깜빡이는 불꽃도 불꽃입니다. 그 사실을 받아들이고 노력해 나가세요.

**성행위의 주도.** 주로 먼저 섹스를 주도하는 사람이 '섹시한 사람'으로 보이게 됩니다. '섹시한 사람'이 되면 섹시한 기분이 느껴지죠. 상대방이 다가오기만을 기다리지 않고 먼저 섹스를 요구하는 사람이 되는 것은 잠자는 성욕을 깨우는 효과적인 방법입니다.

**나를 흥분시킬 책임은 나에게도 있다.** 미국의 '슈퍼테라피스트' 에스더 페렐Esther Perel은 딱 잘라 말합니다. 나를 흥분시켜야 할 사람은 파트너가 아니라 나 자신이라고요. 섹스하는 동안 성적 환상에 빠지거나 시도 때도 없이 섹스를 하고 싶었던 젊은 시절을 떠올리게 하는 음악을 튼다거나, 아니면 침대로 가기 전에 먼저 바이브레이터로 '준비운동'을 좀 해도 되죠(바이브레이터를 침대로도 들고 가면 더 좋고). 야한 책이나 영화를 보는 방법도 있어요.

**섹스 유발인자에 주의하세요.** 포르노에 대해 간단히 짚고 넘어갈게요. 저는 자위할 때 포르노 보는 걸 좋아합니다. 하지만 남편과 같이 보기도 하는데 그럴 만한 이유가 있어요.

포르노를 혼자 보는 것도 괜찮지만 역효과를 가져올 수 있는 트리거가 되면 안 되니 주의하세요. 저는 오래전에 사귀었던 남자친구에게 담배를 끊겠다고 약속한 적이 있어요. 결국 끊지 못했고 그도 포기했죠. 그때 골초였던 저는 담배를 끊기로 약속한 이후로 남자친구가 옆에 없는 시간을 더 기다리게 되었어요. 전에는 사랑스러웠던 남자친구의 존재가 이제는 따분한 시간과 연결되어 버린 거죠. 남자친구가 옆에 없어야 재미있는 일-흡연-이 시작될 수 있었으니까요.

---

결국 우리는 헤어졌어요.

마찬가지로 파트너가 없을 때 혼자 '재미있는 섹스(몰래 야한 포르노를 보면서 자위하는 것)'를 즐기는 건 주의할 필요도 있어요. 파트너가 출근하거나 먼저 잠자리에 드는 순간마다 몰래 혼자서 섹스를 즐기는 식이 된다면 그게 바로 당신의 섹스 트리거란 말이죠. 그러면 파트너와의 섹스는 따분하고 지루한 시간으로 연결되어버리는 거예요. 혼자서 즐기는 섹스도 재미있고 흥미진진하죠. 하지만, 포르노를 좋아한다면 같이 탐구해보세요. 그러면 두 사람은 따로 노는 게 아니라 함께하는 게 되는 겁니다.


## 영향을 주는 것들을 통제하라


"태어날 때부터 자신의 몸을 싫어하거나 성적 수치심을 느끼는 사람은 없습니다. 그건 모두 후천적으로 학습된 것들이에요"라고 나고스키는 말합니다. 이를 얼마든지 없앨 수 있어요. 몇 가지 방법을 소개합니다.

**기분을 상하게 하는 소셜미디어를 끊으세요.** 이건 신체 이미지를 바꾸는 가장 중요한 방법입니다. 솔직히 남들의 꾸며진 인스타그램을 보고 나서 자신의 평범한 모습을 바라보면 기분 좋을 사람이 있나요?

**"완벽한" 여성들이 나오는 잡지나 웹사이트를 그만 보세요.** 마이클 알비어는 지난 20년 동안 관련 연구에서 미디어가 여성의 자존감을 무너뜨린다는 결과가 나오지 않은 적은 단 한 번도 없다고 말합니다. "패션 잡지를 읽는 것이 자신의 이미지에 미치는 영향은, 흡연이 폐를 손상시키는 것과 마찬가지다"라고 그는 적었습니다. 그리고 포르노를 볼 거면 아마추어의 포르노를 보세요. 그래야 현실적인 몸매를 가진 현실 속의 여성들이 나오니까요.

**내 몸매를 조롱하는 친구는 멀리 하세요.** 엄격하게 이 룰을 따르세요. 친구들을 만나고 돌아오면 자신에 대해서도 기분이 좋아야 합니다. 뭐 같은 게 아니라.

**파트너가 당신의 몸을 비판한다면** 화내기 전에 먼저 체크하세요. 만약 그의 어떤 말이 의식된다면 당신도 그 부분에 민감한 거예요. 누구라도 화낼 수밖에 없는 상황이라고 생각된다면 "의견 고마워"라고 짧게 반응하고 대화를 중단합니다. 혼자만의 공간으로 가서 그의 말에 어떤 기분이 들었는지 적어보세요.

파트너의 표현 중에 또 어떤 것이 듣기 싫었는지 생각해봅니다. 어느 정도 진정되면 파트너에게 진지하게 이야기를 나누자고 합니다. "당신이 X라는 말을 했을 때 난 이러저런 느낌이었어"라는 말로 시작합니다. 그가 이해한 것 같으면 대화를 끝내세요.

만약 그 이후에 똑같은 일이 반복되었고 상대방에게 한 번 더 기회를 주고 싶다면 경고를 합니다. 또 반복되면 그때는 돌아서세요.

아이들 때문이나 재정적인 이유 때문에 불가능하다면 믿을 수 있는 가족이나 친구가 그들의 잘못을 깨닫도록 합니다.

**기분 나쁜 것들은 갖다버리세요.** 당신을 불행하게 만드는 게 있다면 버리세요. 너무 작은 속옷이나 청바지 혹은 원피스처럼 사이즈가 맞지 않아 입지 못한 옷들처럼 죄책감을 느끼게 하는 것 말이에요. 사이즈가 잘 맞고 편하게 입을 수 있는 옷을 사세요.

**연민의 태도로 자신을 대하세요.** 친한 친구가 끊임없이 자책하고 자신을 깔아뭉갠다면 어떻게 하겠어요? 그러지 말라고 하고 칭찬의 말을 해주겠죠? 자신에게 그렇게 해주세요. 스스로 자신에게 독설가가 되지 말고 최고의 절친이 되어 주세요.

**남들이 했던 외모 칭찬을 전부 적어보세요.** "눈썹이 예쁘다"거나 "옷이 정말 잘 어울린다"거나 뭐든지 다요. 평소에 전부 다 적어놓고 불안할 때마다 읽어 보세요.

# 머릿속에 부정적인 소리를 없애는 법

당신은 미친 게 아닙니다. 하지만, 누구나 머릿속에서 목소리가 들려요. 이걸 '내사introject라고 하는데 중요했거나 중요한 사람들(부모, 선

생님, 예전 파트너, 현재 파트너 등)의 생각이나 목소리를 우리가 내면화할 때 일어나죠. 긍정적인 내사—좋은 이야기를 해주는 목소리—는 보통 조용하게 이야기를 합니다. 반면 부정적인 내사는—나쁜 말을 하는 목소리—꼭 들으라고 크고 무례하게 이야기를 해요.

## 섹스하는 도중에 드는 자신의 몸에 대한 나쁜 생각을 멈추는 빠른 방법

**감정에 집중합니다.** 섹스에는 바깥이 아닌 안에서 일어나는 일이 중요해요. 내면에 집중하세요.

**당신의 몸이 아닌 파트너를 보세요.** 상대방의 눈을 보세요. 섹시하죠. 내 몸이 아닌 그의 몸을 보세요.

**말을 하세요.** (원하지 않는다면) 굳이 외설스러운 말을 할 필요는 없어요. 그냥 "지금 그거 좋아", "좋아", "당신 정말 섹시해" 같은 말을 하세요. 신음 소리를 내고 칭찬도 합니다. 대화는 섹스에만 집중하게 해줍니다. 말하는 동안에는 순간에 머무를 수 있어서 몸매에 대한 걱정으로 빠질 일이 없습니다.

**적극적으로 몸을 움직이세요.** 이리저리 움직이고 주도하세요. 가만히 누워있지 말고 그에게 뭔가를 하고 그도 뭔가를 하게 하세요. 몸을 움직이면서 섹스에 적극적으로 참여할수록 쓸데없는 생각에 사로잡힐 일도 없죠.

**섹스 판타지를 활용하세요.** 파트너를 바라보는 방법이 효과가 없으면 눈을 감고 당신이 적극적인 역할을 하는 판타지를 떠올려 보세요. 그 환상에 계속 젖어보세요.

부정적인 양육은 매우 파괴적인 내사를 만듭니다. 제 친구는 어릴 때부터 어머니에게 조금이라도 반항하면, 어머니가 친구의 몸을 훑어보면서 깎아내리는 말을 했어요. 거식증이라고 할 정도로 삐쩍 마른 친구에게 어머니는 "너 또 많이 먹고 있니?"라고 했죠. 살만 빼면 예쁠

거라거나 그렇게 뚱뚱하고 못생겼으니 널 좋아할 남자는 없을 거라고
한 예전 남자들 역시 나쁜 영향을 주었죠.

내사를 관리하는 요령은 아주 간단합니다. 우리가 그 존재가 무엇
인지만 알아도—목소리를 칭하는 이름이 따로 있고 나에게만 들리는
게 아니라는 것—목소리가 놀라울 정도로 차분해지거든요.

또 다른 방법은 내사가 들리면 무엇인지 파악해 보세요. "네 허벅
지는 너무 굵어"라는 소리에 생각해보세요. 그 소리는 바로 이모의 표
현이었어요. "멍청한 노인네 같으니라고. 내 몸이지, 자기 몸인가. 남의

몸에 무슨 상관이야" 이렇게 반응하는 게 답입니다.

"넌 가슴이 작아서 섹스할 때 별로야."

이 말은 알코올 중독자인 전 남친 리처드의 목소리입니다. 이럴 때
는 "웃기셔. 자기 앞가림도 못 하는 주제에" 이렇게 반응하면 됩니다. 일
단 이렇게 누구의 목소리인지 파악하고 나면 그 생각이 어디에서 나오
는지 알 수 있죠. 내사목소리가 들려도 관심을 아예 주지 않으면 힘을
빼앗을 수 있어요.

이렇게 생각해보세요. 당신은 강둑에 앉아 있고 흘러가는 강물이
바로 생각입니다. 그중에는 좋은 것도 있어요. 과거 헤어진 남자친구는
당신과의 섹스가 가장 좋았다고 했죠. 그 생각은 큰 파도가 되게 하고
나머지는 그냥 흘러가게 놔둡니다. 읽던 책을 계속 읽거나 누워서 하
늘을 쳐다보세요. 당신의 허벅지를 가리키는 이모의 기분 나쁜 얼굴이
떠오르면 한 번 째려봐주고 다시 책을 읽습니다. 그녀는 금방 물살을
타고 떠내려갈 겁니다. 이 기술을 터득하려면 오랜 연습이 필요하지만
정말로 효과가 좋답니다.

# 완벽한 섹스를 만드는 법

나고스키는 저서 《있는 모습 그대로》에서 "성욕의 이중 통제 시스
템"에 대한 이야기를 많이 합니다. (옮긴이 주: 정확히는 나고스키의 의견
이 아니라 역자의 스승이자 미국 킨제이 연구소장이었던 반크포트Bancrfot 박

사가 제시한 개념으로 성욕 및 성반응에 관해 성의학계에서 인정하는 아주 중요한 학술적 개념) 간단히 말해서, 성욕의 이중 통제 시스템은 누구나 섹스에 관하여 브레이크(옮긴이 주: 억제요소)와 액셀러레이터(옮긴이 주: 흥분요소)가 있다는 거예요. 액셀은 섹스를 하고 싶게 만드는 요소들이고 브레이크는 흥분을 억제하는 요소들이죠. 배란기에 성욕이 강해지거나 파트너의 알몸을 보았을 때, 섹스하고 싶은 장소에 있거나 판타지를 떠올릴 때 등이 액셀이죠. 브레이크에는 수행불안, 원치 않는 임신, 성병에 대한 두려움, 스트레스, 부정적인 신체 이미지, 오르가즘이나 성적 유능감에 대한 걱정(옮긴이 주: 제일 중요한 브레이크는 '제대로 안 되면 어쩌지?' 처럼 실패에 대한 수행불안) 등이 있습니다.

섹스를 더 원하기 위해서는 당연히 액셀을 더 세게 밟아야 하지만 —섹스를 원하게 되는 더 많은 이유를 생각하기—브레이크를 줄이는 것이 더 중요합니다. 나고스키는 섹스의 흥분 유발요소보다도 섹스의 억제요소를 물리쳐야 앞으로 더 나아갈 수 있다고 말합니다. 다음은 그녀가 조언하는 성욕을 높이는 방법입니다.

**브레이크를 찾아라.** 섹스를 하고 싶지 않게 만들고 억제하는 요소를 전부 적어보세요. 섹스가 하고 싶어지려면 무엇이 필요한가요?

**브레이크를 제거하는 계획을 세워라.** 만약 스트레스가 섹스를 억제하는 큰 원인이라면 스트레스를 줄이는 방법을 찾아봅니다. 아이들이 들을까 봐 걱정되면 베이비시터, 친구, 가족의 도움으로 부부만의 시간을 마련하거나 주말여행을 떠납니다. 최대한 자세하고 구체적인 아이디어를 짜보세요.

사실 흥분 스위치를 "꺼뜨리는" 것들은 섹스와는 아무런 관계가 없는 게 대부분이에요. 나고스키는 이유가 무엇이든 친절하고 부드러운 태도로 필요한 조치를 취하라고 말합니다. 피곤해요? 잠을 더 자세요. 스트레스가 심해요? 울든 소리치든 달리든 문제를 해결하고 스트레스를 해소하세요. 그와의 관계가 불안해요? 상대방과 대화를 해보거나 필요하다면 심리치료를 받아보세요.

**문제를 받아들여라.** 문제 상황을 예측하고 받아들일수록 계획이 무산될 위험도 줄어듭니다. 흥분 스위치를 억제하는 요소들을 즉각 해결하긴 힘드니 미리 대비책을 세워두세요.

### 또 좋은 방법들

**침실 분위기를 바꿔보세요.** 은은하고 부드러운 조명을 사용합니다. 향초도 좋습니다. 향초에는 기분 전환 효과가 있다는 게 증명되었죠. 품질 좋은 리넨 침구도 수면에 도움이 되고 신선한 공기는 활력을 돋워주죠. 벽에 에로틱한 그림을 걸어두고 매트리스는 섹스를 버틸 정도로 단단해야 하며 엉덩이와 등을 받칠 베개도 여러 개 준비해두세요. 태블릿이나 핸드폰은 꺼놓고 방안이 옷 등으로 어지럽지 않은 게 좋습니다.

**저녁 데이트를 하러 나가기 전에 섹스를 하세요.** 보통은 저녁 식사 데이트 후 섹스를 하지만 배불리 먹고 빵빵한 배를 보여주기 싫잖아요. 때로는 다 벗지 않은 몸이 더 섹시하죠. 특정 신체 부위가 정말로 신경 쓰인다면—뱃살 등—가리세요. 하지만 티셔츠로 가리진 마세요. "베이비돌" 스타일의 살랑거리는 잠옷이나 캐미솔은 몸매를 덜 의식하게 해주면서도 돋보이게 하는 효과가 있습니다. 그의 셔츠를 입고 단추를 반만 열거나 다 풀어헤친 상태로 커다란 베개에 누운 자세도 좋은 방법입니다.

**"섹스 하이힐"을 신으세요.** 그가 알몸이나 섹시한 란제리를 입고 하이힐을 신은 당신의 유혹을 견디긴 힘들죠. 평소에 거의 신지 않는 높은 구두가 결국은 돈 낭비가 아닐 수 있습니다.

4장 ,
　　빌어먹을
　　　　　　여성　갱년기

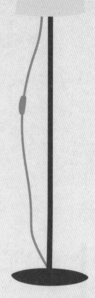

슈퍼마켓에서 어떤 자그마한 노부인이
제 앞에서 느릿느릿 움직입니다.

저는 장보기를 5분 안에 다 끝내야 하는데 말이죠. 그녀는 쇼핑카
트로 내 앞을 막아놓고 한참 동안 밀가루를 쳐다봅니다. 드디어 움직
이는가 싶더니 다시 멈추는 게 아니겠어요.

순간 때리고 싶을 정도로 핵폭탄급 분노가 끓어오릅니다. 네, 여기
까지는 제 갱년기 증상이었습니다.

나는 좋은 사람이에요. 보통은 그런 폭력적인 상상 같은 건 하지
않습니다. 그런데 갱년기가 되니 항상 분노로 이글거리고 짜증이 폭발
하는 사람이 되어버렸어요. 친구들이 저를 무서워할 정도였지요. 나도
내가 무서웠습니다. 가장 친한 친구는 갱년기를 큰 문제없이 조용하게

보냈거든요. 유일한 변화는 생리 양이 점점 줄어들더니 폐경이 된 것뿐이었어요. 전 친구가 미웠습니다. 솔직히 지금도 조금 미워요. (유치하지만 어쩔 수 없네요)

갱년기는 많은 여성에게 철천지원수입니다. 또 어떤 여성들에게는 바쁠 때 치맛자락을 잡고 칭얼거리는 귀찮고 짜증나는 어린아이 같은 존재죠. 갱년기에는 공통점도 있지만 모든 사람의 경험이 다르죠.

여성들이 제게 들려준 갱년기 사례를 몇 가지 소개할게요.


- "지하철역 화장실에서 갑자기 심각한 공황발작이 왔어요. 화장실에서 사람들을 밀치며 밖으로 뛰쳐나갔죠. 폐쇄 공포증이 느껴지면서 너무 무서웠고 영문을 알 수 없었습니다. 알고 보니 갱년기 증상의 하나라더군요."
- "전 갱년기가 조용히 지나갔어요. 기분이 살짝 가라앉고 밤에 땀을 조금 흘리긴 했던 것 같네요. 평소 건강한 식단과 술을 멀리한 게 도움이 되었나 봐요. 아, 물을 많이 마신 것도요."
- "전 갱년기 이후로 엘리베이터나 전철 같은 걸 못 타요."
- "아, 그 대단하신 갱년기요. 저는 몇 달 동안 안면홍조와 밤에 식은땀 말고는 조용히 지나간 편이에요. 물론 질이 사하라 사막보다 건조해져서 방광염에 자주 걸리죠."
- "솔직히 난 무사히 탈출한 줄 알았어요. 지금 60세인데 지금까지 갱년기 증상이 하나도 없거든요. 솔직히 우쭐한 기분도 있었죠! 그런데 갑자기 요로감염증에 걸려서 산부인과에 갔더니 의사가 '이런, 아주 많은 일이 벌어지고 있군요'라는 거예

요. 질위축이 상당히 심했어요. 겉으로 아무런 증상이 없었기 때문에 안쪽은 생각을 못 했어요. 즉각 호르몬 치료도 시작했어요."

- "18개월 정도 호르몬 치료를 거부했지만 친구들이 미친 듯 땀을 흘리며 부채질을 하고 불평하는 제 모습에 지치는 것 같아서 결국 병원을 찾았죠."
- "항상 불안감이 심했는데 견딜 수 없을 정도의 수준이 됐어요. 저는 호르몬 치료가 불가능해서 항우울제를 복용하고 있어요. 약을 끊으면 정말 큰일이 납니다. 솔직히 지금 제 상황에 갱년기가 어느 정도로 작용하는 건지는 정확히 모르겠어요."
- "저는 갱년기를 거의 느끼지 못하고 지나쳤어요. 정말 감사한 일이죠."

여성마다 갱년기의 모습은 천차만별입니다. 몇 달 동안 불편한 정도부터 몇 년 동안 고통의 연속이기도 하고. 어느 쪽이든 갱년기는 여성의 삶과 성생활에 영향을 끼칩니다. 이 장에서는 갱년기를 잘 헤쳐나가기 위해 알아야 하는 모든 것을 알려줄 겁니다. 분명 잘 헤쳐 나갈수 있을 거예요.

갱년기의 긍정적인 면도 보세요. 지겨운 생리와 영원히 안녕입니다. 드디어 해방이죠! 건강한 성욕과 관심이 있는 여성들은 70~80대 (그 이상까지도)까지도 오르가즘을 느끼고 행복한 성생활을 이어나갈수 있습니다. 갱년기를 결정적인 단절이 아닌 잠깐의 방해라고 생각한다면 괜찮을 겁니다.

저는 갱년기에 끼치는 영향에 우리의 자세와 문화를 자주 거론합니다. 우선 먼저 갱년기 여성에게 나타나는 감정과 신체 변화에 관해 이야기해보죠.

# 건강 상태와 식단이 중요하다

폐경이 되면 흔히 온갖 건강 문제도 함께 나타납니다. 여성들은 쉴 새 없이 바쁩니다. 남편과 아이들을 돌보는 일부터 사방팔방 찾는 사람, 할 일은 또 어찌나 많은지요. 그 와중에 자신의 건강은 맨 뒷전으로 밀려나 버립니다.

지금 영양소 결핍, 과체중, 나쁜 식습관, 운동 부족 등의 문제를 안고 있다면 폐경 증상이 더 심하게 나타날 겁니다. 50세 이상 여성들이 자존감 문제와 우울증으로 고생하는 것도 드문 일이 아닙니다.

호르몬 수치는—갱년기 문제의 주된 원인—식단과 수면, 운동에 큰 영향을 받습니다. 식단뿐 아니라 문화적 차이도 중요합니다. 인도 여성 480명을 대상으로 한 인류학 연구결과에서는 대부분 월경 주기의 변화 이외에는 아무런 증상이 없는 것으로 나타났습니다. 다른 연구에서 일본인 여성들은 안면홍조가 드물게 나타났고요. 일본인의 평균적인 식단에 콩이 풍부하기 때문일 수도 있습니다. 어쨌든 식단과 생활 습관이 갱년기에 영향을 끼치는 것은 분명하죠.

---

# 안면홍조와 질건조: 신체적 증상

건강 상태가 아주 좋아도 갱년기는 제비뽑기와도 같습니다. 심하게 오기도 하고 가볍게 오기도 하죠. 폐경이라고 하면 그냥 단순한 것만 같습니다. 생리가 멈추었고(12개월 동안) 이제는 임신을 하지 못한다는 뜻이니까요. 난소에서 호르몬 분비가 감소해 혈액 속의 호르몬도 줄어듭니다. 보통 45세에서 55세 사이의 여성에게 일어나는 노화의 자연스러운 일부분입니다. 하지만 전혀 자연스럽게 느껴지지 않는다는 게 문제죠. 흔한 증상은 아래와 같아요.

**안면홍조와 야간의 식은땀.** 저는 내 몸의 온도 조절기가 고장 난 것 같았어요. 하루에 10~20번 정도 심한 안면홍조가 나타났죠. 숨길 수도 없었어요. 붉은 얼굴과 땀으로 뒤범벅된 몸에 익숙해질 수밖에 방법이 없었죠.

**질건조와 자극.** 에스트로겐이 부족하거나 없다는 것은 혈액순환의 감소를 의미합니다. 질벽이 점점 얇아지고 탄력이 줄어들어 자연적인 윤활이 멈춥니다.

질이 건조할수록 감염되기도 쉽습니다. 특히 요로감염의 위험이 커집니다. 당연히 섹스할 때도 아프죠.

**사라지는 성욕과 느려지는 흥분 속도.** 폐경 전후로 에스트로겐 수치가 예측하기 어려울 정도로 변하고, 배란이 이뤄지지 않아 프로게스테론 생산이 멈추고, 20대에 피크를 찍었던 테스토스테론 수치는 절반으로 떨어집니다. 이 모든 것이 성욕을 떨어뜨리지요. 혈류량 감소로 질의 민감도가 줄어들어 오르가즘을 느끼기가 어려울 수 있습니다.

**요실금.** 에스트로겐은 방광과 요도가 제대로 기능하도록 도와줍니다. 에스트로겐이 부족하면 골반저근이 약해지죠.

**수면 문제.** 프로게스테론은 깊은 잠에 빠지도록 도와줍니다. 폐경 전후로는 이 수치가 떨어지기 때문에 수면 패턴에도 영향이 생기죠. 식은땀이 흘러 한밤중에 깨고 불안감이 심해져 잠을 깊이 자기가 어려워집니다.

자, 두루 우울한 내용이죠? 하지만 이런 폐경기 증상들이 더 싫어지는 건 자신이 이제는 매력적이지 않다고 느끼기 때문입니다. 서양 문화에서는 가임기가 끝났다는 것을 "불모지", "메마르다", "늙은", "한물간" 같은 감정적이고 모욕적인 말로 표현하곤 합니다. 이런 현상이 우리의 성적 자존감에 도움될 리가 없죠. 실제로 폐경기 이후 낮은 성욕이 호르몬 때문이기보다는 폐경기에 대한 우리의 태도와 관련 있다는 것을 입증할 증거들이 있죠.

성욕이 낮은 여성에게 성기능장애의 예측인자가 무엇인지 6개의 호르몬 요소를 실험했던 연구였거든요. 어떤 결과가 나왔는지 아세요? 그 어떤 호르몬도 큰 예측 효과가 없었습니다. 스트레스, 자기 가치, 트라우마 이력, 관계 만족도, 기타 감정적 요인들이 호르몬보다 여성의 성욕에 훨씬 더 많은 영향을 미친다고 나타났어요.

폐경이 찾아오면 호르몬 수치는 확실히 떨어집니다. 그건 사실이죠. 하지만 그것이 행복한 성생활의 종말을 의미한다는 것은 사실이 아니라 허구입니다.

# 브레인 포그, 숙면의 어려움, 상실감: 감정적 증상

우선 폐경은 신체적으로 큰 피해를 줍니다. 잠을 푹 자기가 어려워 예민해지고 안면홍조마저 더욱더 힘들어지죠. 갱년기를 힘들게 만드는 감정적 증상에는 뭐가 있는지 알아봅시다.

**브레인 포그.** 여성 10명 중 6명은 주로 폐경 첫해에 혼돈이나 건망증을 경험합니다.

**슬픔, 시도 때도 없이 터지는 눈물샘, 우울, 좌절감, 짜증, 분노에 가까운 화, 심한 불안과 스트레스.** "내가 미쳐가는 것 같았어요. 그 무엇도 마주할 수가 없었어요. 저는 성공한 프리랜서인데 도저히 인터뷰하러 갈 엄두가 나지 않았습니다. 3개월 동안 집안에만 처박혀 있었어요. 호르몬 치료를 시작한 후에야 정상으로 돌아온 게 느껴지더군요."

**감정 기복.** 에스트로겐과 프로게스테론 수치 감소가 기분을 조절하는 세로토닌의 생성에 영향을 줍니다. 그래서 감정이 예측하기 어렵고 극단적이 되죠. "강아지가 나오는 화장지 광고를 보고 울기도 하고, 아주 잠깐 우유를 밖에 내놨다고 여자친구가 폭발적으로 화를 냈어요."

"남편과 아이들은 제 정서가 불안하다고 했지만 제가 보기엔 그들이 날 짜증나게 했어요!"

# 도움되는 치료법

당연히 증상, 현재와 과거의 건강 이력, 위험 요소를 참고해 치료를 받아야겠죠. 하지만 도움이 필요할 때 참고할 수 있도록 기본적인 치료 계획을 소개합니다.

### 질과 골반 검사

꼭 치료를 받아야 할 필요는 없으니 원하지 않는다면 증상을 의사에게 말로만 설명해도 됩니다. 하지만 질과 골반 검사를 받으면 현재의 상태나 주의해야 할 점을 알 수 있습니다.

앞으로 정기적으로 검진도 받도록 합니다. 갱년기 여성에겐 무척 중요해요. 유방과 자궁경부 검진도 필수적이니 거르지 마세요.

## 호르몬 검사

다시 말하지만 필수는 아닙니다. 다만, 자신의 현재 상태를 파악하고 필요한 치료가 뭔지 아는 데 도움이 됩니다.

## 호르몬 보충 요법

호르몬 치료에 대한 과거 부정적인 '근거'는 이제 신뢰를 잃었습니다. 물론 절대로 호르몬 치료를 받아서는 안 되는 여성들이 있긴 합니다. 예를 들어, 유방암에 걸렸거나 의심되거나 혈전이 있는데 치료를 받지 않은 경우가 그렇죠. 그 외엔 대부분 치료가 가능합니다. 효과가 정말 좋아요.

저는 호르몬 치료를 시작한 지 일주일 만에 세상이 제 틀을 잡아가는 느낌이 들더군요. 피부에 다시 윤기도 나고 기분도 안정되고 분노도 사르르 녹아버렸습니다. 호르몬 치료를 받는 친구들도 전부 효과가 좋아요. 호르몬 치료는 성기를 더 좋은 상태로 유지해주고 성욕과 질 윤활을 개선해줍니다. 당연히 섹스에도 좋겠죠.

호르몬의 부작용 위험은 최단기간 동안 가능한 한 최소량만 투여하면 줄일 수 있습니다. 하지만 다수의 산부인과 전문의는(위험도 낮은 사람이라면) 효과 유지를 위해 소량을 원하는 한 계속 투여해도 된다고 조언합니다.

호르몬 치료는 여러 가지 형태로 이루어집니다. 알약으로 복용할 수도 있고, 젤이나 크림을 사용한다면 (피부에 바르는 식) 용량을 자신에 맞게 좀 더 조절할 수 있겠죠. 국소 질 도포용 에스트로겐—크림, 링, 질에 넣는 좌약—은 조직의 건강, 유연성, 윤활을 회복시킵니다. (자궁을 적출했다면 호르몬 치료 시 에스트로겐만 필요하고 자궁이 있으면 자궁 내막을 보호해주는 프로게스테론도 필요합니다)

저도 에스트로겐을 질에 삽입하니 건조하고 자극되어 있던 질이 되살아나더군요. 갱년기 증상도 억제하고 다시 '젊음'을 느껴보고 싶다면 적극 추천합니다.

호르몬 치료는 숙면과 기억력, 성욕에도 도움이 되고 전반적으로 기분을 좀 더 끌어올려 줍니다. 조기 폐경에 따른 호르몬 치료는 뼈 건강을 지켜주고 혈압에도 좋은 효과를 냅니다. 노년 여성에게도 근력을 키워주고 뼈의 건강을 증진해줄 수 있어요.

연구결과에 따르면 호르몬 치료는 성교통을 크게 개선해주는 효과가 있습니다. 호르몬 치료를 받는 여성의 무려 93퍼센트가 성교통이 나아졌다고 했거든요. (저도 그렇고요) 57~75퍼센트는 섹스 시 불편감이 개선되었다고 했죠.

호르몬 치료가 내키지 않거나 위험도가 높아서 불가능하다면 자연적인 대체요법도 있습니다. 하지만 주의하세요. "자연 요법"이나 "약초 요법"이라고 해서 무조건 안전하다는 뜻은 아니니까요. 사실, 그런 제품들은 해로운 부작용이 나타날 수도 있습니다. 정기적으로 복용하는 처방약이나 일반약과의 상호작용으로 위험해질 수 있죠. 어떤 치료든 시작하기 전에 반드시 의사와 상의하세요. 질 보습제도 안전하고 효과가 있습니다.

또 다른 대안으로 "자연적인" 생동일성 호르몬 요법이라는 것도 있습니다. 식물성 재료로 만드는 건데 인간의 호르몬과 비슷해요. 하지만 그 효과는 아직 확실하지 않습니다. 런던에서는 큰 사업으로 성장했죠. 꽤 가격도 비싸지만 많은 사람이 이용하죠. 이 요법을 제공하는 클리닉들은 생동일성 호르몬이 호르몬 치료보다 안전하다고 광고합니다. 그런데 문제는, 그 산업에 대한 적절한 규제가 이루어지지 않고 갱년기 증상을 완화해주거나 전적으로 안전하다는 사실을 증명하는 확실한 연구결과도 없다는 거예요.

## 테스토스테론 보충제

테스토스테론 수치가 낮으면—나이가 들면 누구에게나 일어나는 변화입니다—성욕이 크게 줄어듭니다. 이건 아주 중요한 호르몬이에요. 성생활에만 도움 되는 게 아니랍니다. 테스토스테론 수치가 낮으면 기억력 저하, 심장질환, 낮은 골밀도와 근력 문제가 생깁니다.

우선 병원에 가서 테스토스테론 수치 검사해 보세요. (모든 치료법이 그렇듯 이 방법에도 위험과 부작용이 따를 수 있어요) 테스토겔 같은 젤을 처방받아 허벅지 안쪽이나 팔 윗부분에 매일 발라줍니다. 개인에 따라 2주~몇 달 안에 효과가 나타납니다. 에스트리올 크림도 흔하게 사용됩니다. (제품이나 라이선스 문제는 항상 바뀌므로 의사에게 가장 안전하고 효과적인 최신 치료법을 요청하세요)

하지만 미리 경고할게요. 테스토스테론을 복용하면 성격이 바뀔 수도 있습니다. 저는 테스토스테론 수치가 낮아서 보충제를 사용하기로 했어요. 저는 성욕이 무척 강한 편이었는데 폐경 이후로 심하게 약해졌거든요. (정말 싹 사라져버렸어요!) 테스토스테론을 보충해주니 2주 이내에 성욕이 돌아오긴 했는데…… 별로 반갑진 않더군요. 성욕에 지배당하지 않는 생활도 좋은 점이 있거든요. 평온함이 있죠. 삶이 더 평화로워지고요.

테스토스테론 수치가 낮으면 개인 트레이너나 직장 동료와 눈이 맞을 가능성도 줄어들지만 경쟁심도 약해져요. 제 테스토스테론 수치가 정상으로 돌아오자 그동안 사라져서 내심 기뻤던 제 나쁜 면들이 돌아오더라고요. 헬스장에서 내 옆에 있던 엄청 몸 좋은 20대 남자에게 지지 않으려고 안간힘을 쓰다가 심장마비가 올 뻔했습니다! 참을성이 없어지고 사람들에게 쉽게 짜증이 나고 심하게 에너지가 넘쳤어요.

효과가 있긴 한데 저한테는 좀 아니었어요. 저는 성욕이 좀 약하고 평온한 삶이 더 좋네요. 하지만 이 방법의 효과에 만족하는 여성들이 꽤 많아요.

## 크랜베리 알약

갑자기 요로감염에 자주 걸린다면 고농도 크랜베리 제제를 규칙적으로 복용할 것을 추천합니다. 이미 요로감염이 일어났을 때는 크랜베리 주스나 고농도 크랜베리 제제를 복용하는 것이 도움된다는 증거는 없습니다. 하지만 연구자들은 감염을 일으키는 박테리아가 요도벽에 달라붙기 어렵게 만들어 요로감염을 예방하는 데 도움을 줄 수 있다고 말하기도 합니다.

삽입 섹스도 요로감염을 일으킨다고 여겨지므로 삽입 섹스보다는 전희나 오럴 섹스로 관심을 돌리는 것도 방법입니다. (이 책에 그 방법이 많이 소개됩니다)

안면홍조와 야간의 식은땀을 줄여주는 약들도 있어요. 슬픈 기분과 심한 불안감에 시달린다면 항우울제와 항불안제를 복용하는 것이 도움이 됩니다. 인지행동치료도 또 다른 방법이고요.

레이저 질 성형 수술이 심한 질위축과 요실금을 없애준다고 광고하는 병원들이 많지만 이 글을 쓰는 시점에서는 과학적인 근거가 충분하지 않습니다.

# 폐경은 전부 심리적인 증상인가?

갱년기의 증상은 보편적이지 않고 문화권마다 다양합니다. 일각에서는 문화가 폐경기의 경험을 예측하는 가장 중요한 요인이라고 말하기도 하지요.

서구 사회에서는 젊음을 우상화합니다. 다른 문화권에서는 노인을 공경합니다. 서양에서는 갱년기가 끝을 의미한다고 여기고, 거의 '질병' 취급을 합니다. 그런가 하면 다른 문화권에서는 새로운 시작으로 봅니다. 자유와 여성에 대한 존경의 시기라고. 서양의 폐경기를 둘러싼 수

치심과 오명이 폐경 증상을 더 악화시키고 있다는 주장도 있습니다. 만약 폐경이 두려움보다는 찬미의 대상이 된다면 우리의 고통도 줄어들까요?

물론입니다! 공공장소에서 안면홍조가 일어났을 때 당황하면 당연히 더 심하게 느껴지겠죠. 하지만 남들의 시선을 신경쓸 필요가 없다면 집에 혼자 있을 때처럼 그냥 사라질 때까지 기다리면 되겠죠. 별 문제가 아닐 겁니다.

일본어로 갱년기를 '코넨키'라고 하는데 대략 '부활의 시간'과 '에너지'라고 번역할 수 있습니다. 중국에서 노인은 현명한 존재로 공경받고 그들의 지혜를 적극적으로 구하죠. 중국과 일본 여성들은 안면홍조와 야간의 식은땀 증상이 나타날 확률이 낮습니다. 그리고 마야족 여성들은 폐경기를 고대합니다. 폐경기 여성은 현명한 여성으로 인정받고 공동체 안에서 큰 힘이 주어지기 때문이지요. 인류학자 마르차 플린트Marcha Flint에 따르면 인도 라자스탄Rajasthan의 여성들은 얼굴을 가리고 은둔하면서 지내는 여성들이 폐경 이후에는 "여성들만 지내는 공간에서 남성들이 술을 마시고 대화하는 공간으로 갈 수 있고" 공개적으로 남성들을 방문하거나 농담도 주고받는다고 합니다.

예일 의대 교수 메리 제인 민킨Mary Jane Minkin은 갱년기가 성생활과 관계에 끼치는 영향에 관해 북미와 유럽의 남녀 8,200명(55~65세)을 연구했습니다. 어땠을까요? 질건조증, 안면홍조, 체중 증가 같은 일반적인 갱년기 증상의 정도가 국가별로 다르게 나타났습니다. 민킨은 이렇게 말했죠. "노인이 공경받고 나이든 여성이 지혜로운 존재로 여겨지는 사회일수록 갱년기 증상이 훨씬 약하게 나타납니다. 그렇지 않은 사회에서는 많은 여성이 폐경기를 노년과 동일시하여 갱년기 증상을 훨씬 더 심하게 겪습니다."

"갱년기가 어떤 영향을 끼치느냐는 인생의 어느 시기이냐에 따라서도 크게 좌우됩니다"라고 영국의 성치료사 빅토리아 레만이 말합니다. "갱년기 즈음에 많은 일이 일어나죠. 부모님의 죽음, 부부의 이혼, 경력의 단절, 주변의 급사 등. 어떤 여성들은 다른 걱정거리가 너무 많아서 갱년기 증상을 알아차리지 못하기도 합니다." 제3세계 문화권에서는 갱년기 증상을 걱정하는 것도 사치입니다. 깨끗한 물을 구하러 우물로 가기 위해 생사의 위협을 무릅써야 한다면 안면홍조 따위나 걱정하고 있을 수 없겠죠.

그리고 프랑스 여성들이 있습니다.

## 프랑스 여성의 갱년기 가이드

《프랑스 여성들의 ○○○ 가이드》로 시작하는 책이 많은 데는 이유가 있습니다. 프랑스 여성들은 여러 방면에서 다른 나라 사람들과 다른 방식으로 접근합니다.

우선 프랑스에서 나이는 "섹시함"의 걸림돌이 되지 않습니다. 현 프랑스 대통령 부인 브리지트 마크롱Brigitte Macron을 보세요. 66세인 그녀는 41세인 남편보다 스물다섯 살이나 연상인데다 여전히 미니스커트와 가죽 바지를 멋지게 입죠. 마리 드 헤네젤Marie de Hennezel은 노화에 대한 프랑스 여성들의 태도를 평소의 우아한 문체로 요약합니다. "마음은 늙지 않는다. 내면의 젊음이야말로 젊음 그 자체보다 더 섹시할 수 있다."

두 번째로 프랑스 여성들은 갱년기에 대해 말하지도 않고 인정조차 않아요. 물론 자연의 법칙까지 바꾸진 못했지만—프랑스 여성들도 폐경이 옵니다mon dieu!—그런데 대부분은 폐경기에 대해 절친과도 얘기조차 하지 않습니다.

프랑스 남자와 결혼해 프랑스에서 26년을 산 영국 여성 줄리 파커 Julie Parker는 친한 친구들의 은밀한 부분까지도 전부 다 알고 있습니다. "친구들과 갱년기에 대해 편안한 대화를 나누고 서로의 비밀도 주고받으려고 했는데 다들 어깨를 으쓱하면서 '기억이 안 난다'거나 '전혀 알아차리지 못했다'는 대답이더라고요." 10명 중에 단 한 명도 갱년기에 대해 이야기하지 않았어요. 심지어 불륜 문제까지 속속들이 알고 있는 친구들인데 말이죠.

또 다른 영국 여성도 비슷한 이야기를 해주었습니다. 그녀의 프랑스인 친구가 의사에게 갱년기 증상을 상담했는데 남편에게 말하지 말라고 했다더군요. 솔직히 개인적으로 저는 남녀관계에서 뭔가를 숨기는 것은 좋지 않다고 생각합니다. 하지만 프랑스 여성들은 우리만큼 갱년기 증상이 심하지 않아서 그럴 필요가 없는지도 모르죠.

왜 그럴까요? 그들은 약사나 의사에게 도움받는 것을 두려워하지 않습니다. 프랑스 여성의 친구들은 질건조증에 대해 모를 수 있지만 약사는 분명히 알겠죠. 프랑스 여성들은 호르몬 치료와 생동일성 호르몬 치료법에 훨씬 더 개방적입니다.

물론 프랑스 여성들의 또 다른 특징은 잘 알다시피 체중 관리를 열심히 한다는 거죠. 전문가들은 체질량지수BMI가 높을수록 특히 안면홍조와 관절통 같은 갱년기 증상이 더 심하게 나타날 수 있다고 말합니다.

### 이를 아는 게 도움 될까?

서구 사회의 여성들이 프랑스 여성들의 이야기를 알면 갱년기 증상이 전부 다 심리적인 거라는 사실을 받아들일 수 있을까요? 프랑스 여성들처럼 자신의 섹시함에 자신감을 가진다면 갱년기를 좀 더 쉽게 보낼 수 있다고 말이에요. 세상이 젊음에 덜 집착한다면 여성의 갱년기도 더 나아질 수 있다고 말이에요. 아마 아닐 겁니다. 저도 폐경이 시작된 48세에 건강하고 날씬하고 성적 자존감도 높았지만 끔찍한 안면홍조와 피부 건조증, 질건조증, 성교통이 어김없이 찾아왔거든요. 내가 느낀 갱년기의 고통은 절대로 심리적인 게 아니라 실제 현상이었죠.

좀 더 논리적인 이론은 아래와 같습니다. 세상에는 갱년기를 심하게 겪는 여성과 별로 그렇지 않은 여성 둘로 나뉩니다. 식단과 문화가 영향을 끼치고, 생활방식과 유전, 전반적인 건강 상태, 태도뿐 아니라 여성에 대한 사회의 가치 기준과 관점 또한 영향을 끼칩니다. 한마디로 수많은 요인의 조합이죠.

물론 프랑스식이라고 다 옳은 건 아니에요. 저는 폐경을 숨기기보다 더 많이 이야기해야 한다고 생각합니다. 솔직히 전 이 책에서 '질건조증'이라는 표현을 쓸 때마다 내심 쾌감을 느꼈습니다. 우린 그 용어를 편하게 볼 필요가 있어요. "나 오늘 질이 너무 건조해. 분명 또 요로감염 올 거야!"라는 말을 "코가 간질거려. 감기 올 것 같아"라고 말하듯 친구에게 편하게 하세요. 여성들이 먼저 부끄러워하지 않는 모습을 보여준다면 온 세상이 그렇게 될지도 모릅니다.

## 폐경으로 섹스가 고통스러워진다면

섹스하면 통증을 떠올리는 여성들이 많습니다. 저도 그중 한 명이고요. (지금은 그래도 좀 나아졌지만 섹스가 절대로 예전처럼 편하진 않겠죠) 거의 모든 여성이 섹스를 하다가 통증을 느낀 적이 있죠. 어떤 상황이든, 어떤 시점이든 말이에요. 그가 너무 깊이 들어와 자궁경부에 부딪힐 때 "아!" 하는 소리와 함께 원망스럽게 눈을 흘기죠. 자세를 바꾸거나 좀 더 얕게 삽입하면 쉽게 고칠 수 있는 문제입니다. 하지만 처음부터 끝까지 통증이 지속된다면 그건 완전히 다른 문제에요. 그런 종류의 통증이라면 주의를 기울여야 합니다. 신체 어느 부위에서건 통증이 있으면 절대로 그냥 넘기지 마세요.

### 삽입이 통증을 일으키는 (수많은) 이유

성교통은 섹스와 관련된 모든 통증을 가리킵니다. 성교통의 원인은 다양하며, 정확한 진단이 효과적인 치료의 핵심이죠.

언젠가 사라지겠지 하고 대수롭지 않게 여겨선 안 됩니다. 절대 그냥은 사라지지 않으니까요. 내 착각이겠지 생각하지도 마세요. 상상이 아니라 진짜니까요. 극심한 정도가 아니라도 통증은 통증입니다. 통증이 생겼다는 건 당신이 고대하던 것, 즉 섹스가 이젠 두려운 일이 되었다는 뜻이죠.

성교통의 원인은 여러 가지가 있지만 자가진단할 수 있는 영역이 아닙니다. 당신이 가장 먼저 해야 할 일은 병원 예약이에요. 하지만 어떤 통증인지 미리 살펴보면 의사에게 정확하게 설명할 수 있습니다. 건강 관련 문제를 전적으로 온라인 검색에 의존해서는 안 됨을 명심하세요. 반드시 전문의와 상의해야 합니다.

**노화와 폐경**은 질의 내벽을 위축시킵니다. 호르몬 수치가 감소해 질벽이 얇아지고 건조해지기 때문이죠. 질이 좁아지고 짧아지고 탄력이 줄어듭니다. 질이 건조할수록 쉽게 손상을 받아 요로감염 같은 감염에 취약해지죠.

**질건조증.** 이 이야기는 앞에서도 많이 했죠. 여기서 또 언급하는 이유는 그만큼 많은 여성에게 큰 문제이기 때문입니다. 듀렉스 조사에 따르면 영국 여성의 73퍼센트가 질건조증 때문에 섹스를 하는 동안 불편함을 느낍니다.

여성 질세정제 브랜드 바지실Vagisil이 40~61세 여성 2,000명을 대상으로 실시한 설문조사에서는 섹스의 통증이나 불편함을 일으키는 가장 큰 원인이 질건조증함인 것으로 나타났습니다. 조사에서는 40세 이상 여성 중 절반 정도가 이를 경험한 적이 있으며 성생활에 큰 영향을 미친다고 결론 지었습니다. 질건조증을 경험한 여성의 52퍼센트는 파트너를 실망시켰다고 느꼈으며, 33퍼센트는 파트너가 불만을 표시했다고 답했습니다. 25퍼센트는 핑계대며 섹스를 피하고, 24퍼센트는 언젠가 나아지기를 바라면서 '속으로 고통을 참으며' 그냥 섹스를 한다고 대답했습니다.

질건조증은 성적 불안의 가장 큰 원인임이 분명합니다.


**긴장된 질근육**도 통증을 일으킬 수 있습니다. 완전히 흥분하지 않아서 전희가 더 필요하기 때문이기도 하죠. 아니면 과거에 섹스할 때 아팠던 기억 때문에 불안해서일 수도 있고요. 그에게 화가 나서 섹스를 하고 싶지 않아서일 수도 있고요. 성추행이나 성폭행처럼 과거의 트라우마 때문일 수도 있습니다. 질경련증vaginismus은 질의 바깥쪽 3분의 1이 저절로 경직되어 삽입이 불가능하거나 어려워지는 증상입니다. 과긴장성골반저기능장애High tone pelvic floor dysfunction는 또 다른데요, 질과 방광, 직장을 지탱하는 근육들이 긴장해 이완되지 않는 증상을 말합니다.

- 진균 감염과 성병STI 같은 감염에 걸리면 질이 아프고 자극이 됩니다(349쪽 참고). 세균성 질염bacterial vaginosis은 질 생태계의 균형이 깨져서 냄새나는 분비물이 생기는 질 내 감염증입니다.
- 골반통은 유착, 자궁내막증(흉터 조직), 섬유종, 낭종으로 인해 생깁니다. 자궁 절제술 같은 골반 수술을 받은 이후에 섹스가

고통스러워질 수도 있습니다. 암 치료 또한 마찬가지입니다.

- 외음부통은 외음부와 질에서 타는 듯한 통증을 유발합니다. 유발성 전정통도 질 입구를 만지면 타는 듯한 통증이 일어납니다.

- 간질성 방광염은 만성 방광 질환으로 방광 내막에 염증을 일으킵니다. 빈뇨와 급박뇨 증상이 나타나고 소변볼 때 칼로 찌르는 듯한 극심한 통증을 느낍니다. (네, 저도 경험이 있어요)

## 섹스의 통증에 대처하는 방법

반드시 의사의 도움을 받아야 합니다. 질이나 골반 통증이 있다면 절대 스스로 치료하려고 하지 마세요.

**의사의 진찰을 받으세요.** 병원을 찾는 것이 첫 번째 단계입니다. 불편하다면 여의사를 찾아가세요. 의사는 온갖 케이스를 다 보았을 겁니다. 좋은 윤활제를 사용하기만 하면 된다는 말을 믿지 마세요. 물론 윤활제도 도움이 되지만 아무런 소용이 없는 경우가 허다합니다. 주치의가 잘 알지 못하거나 문제를 일축한다면 전문 산부인과나 비뇨기과의를 추천해달라고 하세요.

**성치료사를 만나보세요.** 유능한 성치료사도 도움이 될 수 있습니다. 약물치료 같은 치료법이 신체적인 문제를 해결해줄 수는 있지만 성교통은 두 사람의 관계에 영향을 미칠 수 있습니다. 당신은 섹스를 하는 게 불안하고 그는 당신이 자신에게 매력을 느끼지 않는 걸까 걱정하게 되지요. 여성들이 섹스하기 싫어서 거짓말로 아픈 척하는 것이라고 생각하는 남자들도 있어요.

**질 보습제를 사용해보세요.** 보습제는 윤활제와는 다릅니다. 섹스할 때가 아니라 평소에 사용해 질을 촉촉하고 편안하게 해주는 제품이에요. 아직 그 효과는 확실히 증명되지 않았습니다. (호르몬 치료가 가능한 경우 저라면 에스트로겐 혹은 에스트라디올 페서리를 선택하겠어요) 질 세정제를 한번 사용해보고 싶다면 파라벤이나 아스파탐이 함유되어 있지 않은 제품으로 선택해 잠자기 전에 사용하세요.

기본적으로 자신의 상태를 치료하는 방법에 무엇이 있는지 의사에게 물어보세요. 약 이름이나 치료법은 끊임없이 바뀌기 때문에 제가 구체적인 약품명을 알려주는 것은 의미가 없어요. 하지만 대부분의 증상에는 다 치료법이 있습니다.

하지만 때로는 치료법이 효과가 없을 때도 있습니다. 그렇다면 삽입 섹스를 그만두고 섹스의 의미를 새롭게 정의하는 것이 유일한 방법일 겁니다. 좀 극단적으로 들릴 수도 있는데 사실은 그렇지 않아요. 나이든 커플 중에는 삽입 위주의 섹스보다 삽입 없는 섹스를 더 즐기는 사람들이 많답니다.

또 다음과 같은 방법도 있습니다.

**질 확장기(스틱)를 사용해 보세요.** 질 확장기는 질을 스트레칭해주는 튜브 모양의 막대기입니다. 보통 플라스틱 소재이고 여러 사이즈가 한 세트로 이루어져 있습니다. 우선 지름이 가장 작은 것부터 사용하고 서서히 편해질수록 더 큰 사이즈로 옮겨갑니다.

**케겔 트레이닝 키트를 사용해 골반저근육을 강화시킵니다.** 역시 가장 가벼운 무게부터 시작해 점점 무거운 것으로 올라갑니다. 볼을 질에 깊숙이 넣은 상태로 힘을 주었다 빼는 일반적인 케겔 운동을 해주세요. (저는 제가 디자인에 참여한 슈퍼섹스 제품을 이용하는데요, 관심 있으시면 찾아보세요)

**서두르지 말고 느긋하게 섹스를 시작하세요.** 윤활제를 바른 그의 페니스가 외음부와 클리토리스, 질 입구를 쓰다듬듯 어루만집니다. 너무 서둘러서 삽입하지 말고 천천히 하세요. 삽입하기 전에 오르가즘을 느끼는 것도 질 이완에 도움이 됩니다.

**너무 깊이 삽입되지 않는 위치를 선택합니다.** 여성 상위를 비롯해 당신이 좀 더 제어하기 쉬운 자세일수록 좋아요. 남자들은 흥분하다 보면 통제력을 잃기도 하니까요. 아니면 둘이 다리를 바짝 붙이고 평평하게 누워서 하는 체위를 선택하세요. 여성이 옆으로 눕고 남성이 뒤에서 끌어안는 이른바 스푼 체위spooning sex는 후배위만큼 효과적입니다.

## 오랜만의 섹스를 준비하는 방법

파트너와 한동안 섹스를 하지 않았다거나, 싱글인데 새로운 애인이 생겨서 오랜만에 섹스를 하게 될 수도 있습니다. 그러면 섹스와 관련된 우리 몸의 시스템에 약간의 충격이 가해질 수 있어요. 당신만 긴장되는 게 아니라 당신의 질도 긴장하거든요! 한 여성이 이런 이야기를 해주더군요.

"2년 동안 섹스를 거의 하지 않았는데 연애를 하게 됐어요. 처음 관계를 맺은 날 둘 다 흥분해서 뜨겁게 섹스를 했죠. 그런데 다음 날 일어나서 깜짝 놀랐어요. '맙소사! 이게 무슨 일이야?' 침대 시트에 피가 잔뜩 묻었고 아랫부분이 무척 쓰라렸어요. 오랜만에 하는 건데 괜찮을 거라고 생각하다니. 물론 윤활제와 페서리, 연습으로 문제가 쉽게 해결되었지만요."

**자위를 하세요.** 오랜만의 섹스를 위해 처음 준비할 일은 바로 자위를 시작하는 겁니다. 그것도 많이 하세요. 바이브레이터를 충전해두거나 없으면 하나 사서 오르가즘을 가능한 한 많이 느끼세요. 오르가즘을 규칙적으로 경험하지 않으면 혈관의 상태가 나빠져 있어서 오르가즘을 느끼기가 어려워져요. 특히 섹스할 때 오르가즘을 중요하게 생각하는 사람이라면 앞으로 평생 적어도 일주일에 한 번씩은 느끼세요. (전혀 힘든 일이 아니에요)

**질근육의 이완운동을 하세요.** 폐경 이후에는 골반 기저부의 이완이 힘들어져서 운동이 필요합니다. 지금부터 시작하세요. 케겔 운동도 좋지만(물론 이것도 하세요) 의식적으로 질 주변의 근육을 이완시키는 노력이 필요합니다. 서두르지 말고 천천히 숨을 쉽니다. 케겔 운동을 할 때 힘주는 것 말고 이완시키는 것에도 집중하세요.

**매일 마사지를 하세요.** 매일 음부의 안쪽과 바깥쪽을 마사지하세요. 섹스를 준비하는 데 엄청나게 큰 도움이 됩니다. 윤활제를 사용해 손가락으로 살을 힘껏 미세요. 아래쪽 부분을 마사지하는 것이니 꾹꾹 힘주어 누르고 원을 그리며 움직이세요. 클리토리스와 질 입구를 포함해 전체를 마사지합니다. 이렇게 5분 정도 마사지한 뒤에 안쪽 마사지로 넘어갑니다.

**소형 바이브레이터를 이용해보세요.** 소형 바이브레이터에 윤활제를 바르고 질에 넣습니다. 안쪽에 긴장을 푸세요. 바이브레이터를 무턱대고 쑥 집어넣었다 빼지 말고 동그라미를 그리듯 돌리면서 넣으세요. 목표는 흥분하는 게 아니라 질벽을 자극하는 것입니다. 전원을 켜고 그 상태로 5분 정도 가만히 있어도 됩니다. 괜찮다면 바이브레이터에 손가락 하나를 덧대 함께 넣어보세요. 며칠 동안 계속해줍니다. 규칙적으로 삽입 섹스를 하지 않는 사람이라면 이렇게 매일 성기를 마사지해주면 여러모로 좋습니다.

**에스트로겐을 사용하세요.** 질이 건조하다면 의사와 상담해 에스트로겐 링을 삽입합니다. 질 벽의 유연성과 두께를 개선해 섹스에 준비될 수 있게 해줍니다.

손가락 세 개가 안에 무리 없이 들어간다면 삽입 섹스 준비가 된 겁니다. 실리콘 베이스의 윤활제를 충분히 사용하세요. 전희를 오래 하고 서두르지 마세요.

### 성교통을 즉각 없애주는 두 가지 신세계

**1. 그가 움직이는 방식을 바꿉니다.**

나이든 여성들에게 이것은 섹스리스의 해결책이고 섹스를 더 즐기는 열쇠가 됩니다. 그가 푹 깊숙이 삽입하는 걸 피하세요. 페니스를 거의 뺐다가 다시 깊숙이 집어넣는 방식 말이에요. (지금 '깊숙이 넣는다'라는 말만 듣고도 움찔했죠?) 이제 그더러 아주 천천히 삽입하라고 하세요. 계속 멈추면서 조금씩 밀어 넣으면 당신의 질에도 긴장이 풀립니다. 완전히 삽입된 후에는 서로 골반을 맞댄 상태로 동그라미를 그리듯 함께 움직입니다. 그가 당신의 엉덩이를 들어올려 가까이 당길 수도 있습니다. 천천히 규칙적으로 함께 움직이세요.

만약 그가 깊숙이 삽입하는 방식을 바꾸고 싶어 하지 않는다면 결국엔 삽입 섹스를 중단해야 할 수밖에 없을 겁니다. 부드럽게 삽입하는 스타일로 바꾸면 앞으로 삽입 섹스를 계속할 수 있을 거고요. 그가 불평하고 고집을 부린다면 이 얘기를 꼭 해주세요. (여성과 여성 커플일 때는 이 문제를 굳이 언급할 필요도 없어요. 여성들은 삽입의 고통을 잘 알아서 이런 문제가 생길 일은 거의 없답니다)

## 2. 그가 너무 깊숙이 들어오지 않도록 '완충장치'를 사용하세요.

그의 페니스 기저부에 끼우는 말랑거리는 링을 끼우면 섹스 도중에 너무 깊이 들어오지 못합니다. 이렇게 완충장치를 끼우면 그는 너무 깊이 들어갈까 봐 신경 쓰이지도 않고 당신도 그가 흥분해서 자기도 모르게 깊숙이 찔러 아플까 봐 걱정 없이 안심할 수 있죠.

그런 링 제품 브랜드로 오넛(ohnut)이 있습니다. 섹스의 통증을 줄여주는 신축성 좋은 링 제품이죠. 아주 효과가 좋아요. '미니 스트로커'나 '미니 헤드 스트로커', '블로우 잡 스트로커'도 한 번 검색해 보세요. 너무 노골적이긴 하지만 여러 다양한 제품이 나올 겁니다. 이 제품들은 일반적인 남성용 자위 슬리브(스트로커) 같은 건데, 크기가 절반 정도에요. (현재 우리 부부가 사용하는 제품은 '에지 굳 헤드 미니 스트로커'라는 제품인데 효과가 좋아요)

## 수술이나 질병 이후의 섹스

이건 정말 큰 문제라서 중년의 섹스 지침서 한 권으로 제대로 다룰 수 있을지 모르겠군요. 그만큼 다룰 것이 너무 많고 복잡하기도 해요. 질병이나 치료의 신체적 부작용을 극복하는 게 전부가 아니라, 육체가 우리에게 쾌락뿐 아니라 생명력을 준다는 사실을 다시 받아들이는 문제이기도 해요. 몸이 예전 같지 않으면 당연히 거절의 두려움도 느끼겠죠. 특히 유방암에 걸렸다면 더 그렇고요.

먼저 3장을 읽으세요. 신체 이미지에 대한 자신감을 찾는 데 도움이 될 겁니다. 암에 걸린 적 있다면 앤 캐츠(Anne Katz)의 《여성 암 섹스》를 강력하게 추천합니다. (그녀는 《남성 암 섹스》라는 책도 썼습니다) 거의 모든 병이나 수술에 관한 책과 웹사이트, 커뮤니티를 찾을 수 있다는 게 인터넷의 묘미죠.

다음은 투병이나 수술 이후에 다시 성생활을 시작할 때를 위한 일반적인 조언입니다.

---

## 치료법의 성기능 부작용을 두루 알아두세요.

사실 말은 쉽지만 그렇게 간단하지는 않습니다. 먼저 성문제를 꺼내는 전문의나 외과의는 드물거든요. 의사는 환자에게 치료가 우선이니 섹스는 뒷전일 거라고 생각하겠죠. (당연히 치료를 앞두었을 때는 당연히 그렇고요) 환자의 사생활이라고 생각해서 침해하고 싶어 하지 않는 의사들도 있을 거고요. 만약 의사가 성문제에 대한 논의를 불편해한다면 그렇지 않은 의사를 추천해 달라고 하세요. 답을 얻을 때까지 계속 물어보세요.

언제 섹스를 시작해도 괜찮은지, 섹스를 어떻게 준비해야 하는지, 약물이나 수술이 섹스에 일으키는 부작용은 무엇인지 꼭 알아야 합니다.

섹스와 관련된 부작용은 거의 항상 삽입 시 통증, 윤활 문제, 오르가즘의 어려움, 남성의 경우 발기 문제와 관련 있습니다. 그리고 남녀 모두 예전보다 쉽게 피곤해지고 활력이 부족해질 겁니다. 당연히 성욕도 줄어들죠.

따라서 섹스에 대해 생각하고 계획을 세울 필요가 있습니다. 필요한 경우 진통제를 처방받고 섹스하기 전에 효과가 나타나도록 시간을 잘 맞춰서 복용하세요. 섹스 계획을 세우고 앞으로의 일을 예측하는 것을 하나의 재미로 함께 즐겨보세요.

## 당신의 느낌에 대해 그에게 솔직하게 말하세요.

섹스와 관련된 부작용에 대해 의사와 상담할 때 그도 함께 있는 게 좋아요. 그렇지 않다면 나중에 꼭 전달하도록 하세요. 현재 섹스에 대한 당신의 생각을 솔직하게 말하고 언제쯤 다시 준비될지 알려주세요. 아마 상대방은 너무 재촉하고 몰아세우는 것 같아서 먼저 섹스 이야기를 꺼내려 하지 않을 테니까요. 당신이 많이 아팠으니까 몸을 쓰는 일은 하고 싶지 않을 거라고 걱정할 수도 있고요. 두려움을 솔직하게 털어놓으세요. 그래야 그가 당신을 안심시킬 수 있죠. 다시 섹스를 시작하게 되면 그에게 가능한 피드백을 많이 주세요.

## 실용적인 해결책

- **하면 안 되는 생각:** 이제 X를 못 하게 되었으니까 섹스도 끝이야.
- **해야 하는 생각:** 이 문제를 해결하는 가장 좋은 방법은 무엇일까? 대안이 뭐가 있을까?

---

- **피로가 문제라면** 당신은 별로 힘을 쓰지 않아도 되는 방법을 쓰세요. 그가 주도하고 당신은 누워서 즐기면 됩니다. 그리고 가장 에너지가 넘치는 시간에 맞춰 섹스를 하세요.
- **삽입이 고통스럽다면** 삽입하지 마세요. 섹스할 때 삽입을 꼭 해야 하는 건 아닙니다. 오럴 섹스도 그만큼 즐거워요. 쓰다듬고 만지고 클리토리스를 바이브레이터로 겉에만 자극을 주세요.
- **질이 건조하면** 윤활제를 사용하고 의사와 상담해 에스트로겐 링이나 테스토스테론 패치로 질의 탄력을 회복합니다.
- **질이 너무 조여 있으면** 확장기 치료가 도움이 될 수 있습니다. 먼저 작은 사이즈의 딜도를 질에 삽입하고 익숙해질수록 더 큰 사이즈를 사용합니다.
- **흥분하기까지 시간이 오래 걸리면** 전희에 더 많은 시간을 쏟으세요. 미리 흥분할 준비를 하도록 섹스 시간을 미리 정해놓습니다.
- **섹스 토이는 남녀 모두의 수고를 덜어줍니다.** 적극적으로 사용하세요. 바이브레이터의 진동이 상처 조직을 파괴해 혈액의 흐름을 개선해줍니다.
- 효과 있는 방법과 그렇지 않은 방법을 **다시 살펴봅니다.** 예전에는 효과적이었지만 지금은 아닐 수도 있어요. 성감 초점 프로그램(Sensate Focus Program, 278쪽 참고)을 통해 서로의 몸을 만지며 성감대를 다시 찾아보세요.
- **불안하다면** 섹스하기 전에 혼자 자위로 오르가즘을 느껴보세요.
- **섹스가 아니라 관능을 중요시하세요.** 알몸으로 자거나 서로 마사지를 해주고 같이 목욕을 합니다.

## 해피 엔딩

여러 가지 수술을 받은(난소 제거로 인한 폐경, 난소 종양 제거 등) 51세의 여성이 들려준 질병 이후의 섹스에 대한 희망적인 이야기를 소개합니다.

"수술이 끝난 후 육체적으로나 정신적으로나 황폐해진 느낌이었어요. 배에 꿰맨 자국이 잔뜩 있어서 프랑켄슈타인 같았죠. 남편하고는 결혼한 지 오래되었고 섹스를 자주 했어요. 제가 수술을 받으면서 6개월 동안 섹스를 하지 못했죠. 제가 섹스를 다시 할 수 있는 상태가 되었을 때 우린 처음부터 완전히 새롭게 시작하기로 했어요. 상황을 긍정적으로 생각하기로 하고 섹스를 아직 하지 않은 사이처럼 첫 데이트 먼저 시작했죠."

"주말여행을 떠나 마침내 섹스를 하게 되는구나 했는데 첫날에는 하지 않았어요. 둘 다 압박감이 너무 심했거든요. 다음 날 아침에 일어나 섹스를 했죠. 예전에 늘 그랬거든요. 항상 저를 예뻐해 주던 남편이 수술 흉터 자국으로 망가진 몸을 보면 실망할까 봐 너무 두려웠어요. 하지만 결과적으로 너무 좋았어요. 지금은 아무런 문제가 없어요. 오히려 예전보다 훨씬 더 좋아졌어요."

# 5장,
## 그를 사랑하지만 더 이상 섹스는 하고 싶지 않아

사실 저와 결혼한 남자는
그리 편하지 않을 거예요.

제가 TV를 보면서 항상 이렇게 소리 치니까 말이죠. "저 사람들 왜
저래? 누가 대체 저런 프로를 만드는 거야? 저게 얼마나 큰 피해를 주
는지도 모르고. 결혼한 지 10년이 넘어도 꼭 저런 것처럼 말하잖아! 저
러니까 사람들이 정말로 저런 줄 알고 자기 성생활에 짜증을 내지!"

남편은 이렇게 소리치는 나를 조심스럽게 쳐다보지만 내가 왜 그
러는지 남편도 이해합니다.

저는 TV 화면에서 10년, 20년 된 부부가 욕망에 불타오르는 걸 보
면 화가 치밀어요. 일요일 아침에 난데없이 욕망에 불타올라 서로 옷
을 찢으며 뜨겁고 야성적인 섹스를 하죠. 아니, 도대체 무슨 계기로?

욕망을 다시 불러일으킬 만한 무슨 일이 있었나? 아뇨! 실제로 누가 저래요? 도대체 오래 같이 산 어떤 부부가 온종일 힘들게 일하다 퇴근해서 배우자를 보자마자 욕망에 불타올라 벽으로 밀치고 서로 잡아먹기라도 하듯이 키스하죠?

우리가 보는 TV 드라마와 영화는 현실이 아닙니다. 그런 데서 나오는 섹스는 정상이 아닙니다. (그건 법칙의 예외에 속하는 것도 아니에요) 그걸 곧이곧대로 믿으면 위험합니다. 애정을 담아 머리를 헝클어뜨리거나 뺨에 키스하는 게 오래된 커플의 좀 더 정상적인 인사법이죠. 대부분의 오래된 부부는 그 정도의 스킨십을 원합니다. 오래 지속된 관계의 남녀는 대부분 배우자를 무척 사랑하지만 그들과 섹스를 하는 것에는 큰 관심이 없어요. 솔직히 이유도 잘 모르고요.

이해할 수도 없고('서로 비밀도 없고 모든 것을 함께하는 사람인데 왜 섹스에 관한 생각만큼은 솔직하게 할 수 없는 걸까?') 속상하기도 하죠. ('남들은 다 화끈하게 섹스를 즐기는 것 같은데 왜 우리만 이럴까?') 시간이 지남에 따라 사랑은 깊어지는데 섹스는 줄어드는 이유는 여러 가지가 있습니다. 그 이유를 알고 받아들이는 것이 중요합니다. 그러면 상황이 아주 달라질 수도 있어요. 먼저 오래된 부부의 섹스에 대한 기대치를 조정하는 것이 좋은 출발점이 됩니다.

### 잘 맞지 않는 부부라서가 아니다

영화나 드라마에 나오는 말도 안 되는 모습을 아예 무시하진 마세요. '우리가 뜨겁지 않게 된 건 서로 잘 맞지 않아서 그런 게 아닐까?'

라는 의심은 잘못된 것이니 버리세요. 어쩌면 정말 서로 안 맞을 수도 있긴 해요.

하지만 그와 함께한 지 오래되었고 열정적으로 섹스를 자주 하지 않는다는 이유만으로 그런 생각이 드는 거라면 단언컨대 잘 맞지 않는 사람이라서 그런 게 아닙니다. 멀쩡한 부부인데도 더 이상 뜨겁지 않다는 이유만으로 헤어지는 부부가 얼마나 많은가요? 그런 사람들은 처음에는 새로운 사람과 뜨겁게 즐기다가 식어버리고 또 똑같은 상황으로 돌아갑니다. 그리고 대부분 과거의 그 사람과 헤어진 걸 후회하죠.

남녀관계는 세 단계를 거칩니다. 바로 욕망과 심취, 로맨틱한 사랑, 애착입니다. 우리의 뇌와 몸이 이 모델을 따르는 데는 다 이유가 있어요. 세 번째 단계에서는 안정적이고 침착해져서 출산이 이루어질 수 있죠. (결국 이게 섹스의 목적이기도 하고요)

남녀는 이 애착 단계에서 뜨거운 섹스가 지속되지 않을 수도 있다는 사실을 처음 깨닫습니다. 처음 그런 일이 일어나면 대부분은 진정한 사랑이 아니라 그런 거라고 생각하면서 서둘러 상대방과 헤어지고 새로운 사람을 찾습니다. 하지만 결과는 똑같죠. '안 돼! 이번에는 안 그럴 줄 알았는데. 달랐단 말이야. 왜 이런 일이!' 하지만 현실이죠. 계속 그런 상황이 되풀이됩니다. 뜨거움은 계속 식고 그럴 때마다 혼비백산하면서 이별이나 외도를 선택하거나 허무감으로 섹스를 멀리하게 되죠.

냉혹한 현실은 인간이 장기적으로 열정적인 섹스를 계속 즐기도록 프로그램되어 있지는 않다는 것입니다. 욕망과 사랑은 단짝 친구가 아니라 어쩔 수 없이 연결된 불편한 사이와도 같지요. 섹스와 사랑 호르몬은 우리의 뇌에서 행복하게 공존하는 게 아니라 서로 싸웁니다. 장기적인 관계에서 상대방에 대한 성욕을 잃는 것은 계속 섹스를 원하는 것보다 더 '자연스러운' 일입니다.

이게 이성애 커플만의 문제일까요? 아뇨, 동성애자, 양성애자, 트랜스젠더 등 성적 지향성과 관계없이 모두가 영향을 받습니다.

# 욕망을 잃는 이유

"내가 섹스를 하고 싶어 하지 않아서 남편이 서운해해요." 62세의 여성이 말했습니다. "하지만 나는 남편을 그 어느 때보다 사랑해요. 남편이 거절당한 기분을 느끼지 않았으면 좋겠어요. 그냥 내가 예전처럼 흥분되지 않아서 그런 건데." 25세 이하의 사람에게 섹스를 원하지 않으면 상대를 사랑하지 않는다는 뜻인지 한 번 물어보세요. 분명 그렇다고 할 겁니다. 하지만 사실은 그 반대에요. 너무 사랑해서 섹스가 죽는 겁니다.

〈결혼과 가족 저널〉에 따르면 섹스를 계속 거부당하는 배우자의 74퍼센트가 사랑 때문에 가정을 지킵니다. 부부 대부분은 섹스가 죽었다고 헤어지지 않죠. 한 사람은 계속 섹스를 원하더라도 말이에요. 섹스를 아예 하지 않거나 아주 가끔 하더라도 서로를 소울메이트라고 생각하는 부부가 많습니다. 부부가 서로 똑같아지는 거죠. 근본적으로는 바로 이게 문제에요.

## 과도한 친근감과 '형제 효과'

뜨거운 섹스와 사이좋은 부부 중 하나를 선택하고 싶은 사람은 없겠지만 이 문제를 한마디로 요약하자면 그렇습니다. 꼭 하나만 선택하라고 한다면 사랑보다 섹스를 택하는 사람은 거의 없을 겁니다.

안정감, 일상, 누군가가 나를 욕망하고 보호해준다는 느낌 등 우리가 사랑을 통해 원하는 것은 욕망의 연료와는 정반대입니다. 위험, 분리, 불확실성, 새로운, 불안감, 질투심 같은 것 말이죠. 전자와 후자 중에서 매일 같이 살아가기에 뭐가 더 나을까요?

《왜 다른 사람과의 섹스를 꿈꾸는가?》에서 에스더 페렐Esther Perel은 우리가 '짝짓기'를 '어울림'과 혼동하는 실수를 저지른다고 말합니다. 그녀는 '가정에서의' 섹스가 더 기분 좋고 안전하게 느껴진다고 말합니다. 전혀 위험이 없죠. 배우자를 성적인 존재로 바라보려면 그들이 다른 사람에게 매력적으로 보일 수 있다는 사실을 인정해야 합니다. 질투는 우리를 불편하게 만듭니다. 배우자가 나를 원한다는 것은 나도 노력을 해야 한다는 것을 의미하기도 합니다.

서로 가장 친한 친구이고 서로에 대해 모든 것을 알고 모든 것을 함께하는 부부일수록 서로에게 성적인 매력을 계속 느끼기가 어렵습니다. 페렐은 이렇게 말합니다. "사랑과 욕망은 상호 배타적입니다. 둘 다 가질 수는 있습니다. 그 둘이 항상 동시 발생적일 수는 없을 뿐이죠."

이것이 문제 해결의 핵심입니다. 섹스와 사랑을 분리하면 둘 다 살려둘 수 있을 겁니다. 또 다른 방법은 남자와 여자의 흥분이 다르다는 걸 인식하는 것입니다. 잘 들으세요. 중요한 거니까.

---

## 여자의 흥분은 남자와 다르다

로즈마리 베이슨Rosemary Basson 박사는 여자와 남자가 다른 방식으로 흥분한다는 이론을 처음 내놓았죠. 남자는 욕구가 아예 없거나 낮은 상태에서 절정으로 갈수록 점점 커집니다. 여성의 경우에는 성욕이 흥분 이후에 나타나죠. 네, 맞아요. 흥분 다음에요.

베이슨 박사는 섹스할 기분이 들 때까지 기다리지 않고 파트너와 섹스를 시작함으로써 스스로 섹스할 기분이 들도록 만드는 환자들을 보았죠. 일단 몸이 흥분하면 머리도 뒤따라왔습니다(여자가 기꺼이 흥분할 의지가 있을 때). 이것을 반응적 욕구라고 하는데, 우리가 대부분 생각하는 욕구의 원리인 자발적 욕구와는 크게 다르죠.

대부분의 사람들은 욕구가 그냥 생긴다고 생각합니다. 섹시한 사람을 보면 '섹스하고 싶어'라는 생각이 들면서 곧바로 흥분한다고 말이에요. '섹스하고 싶으니까 해야겠어'라는 자발적 욕구 모델은 대부분 젊고 성욕이 왕성한 연애 초기에 나타나죠. 남성이면 늘 그렇고요.

성 교육자 에밀리 나고스키는 자발적 욕구 스타일은 남성의 경우 약 3분의 2이고 여성은 약 15퍼센트뿐이라고 추정합니다. 여성의 30퍼센트는 반응적 욕구에 해당하죠. 이미 에로틱한 일이 일어난 후라야 섹스를 원합니다. 나머지인 전체 여성의 절반은 이 두 가지가 합쳐져 나타납니다.

만약 섹시한 일들이 이미 벌어지고 난 후에야 섹스를 원한다면 당신은 반응적 욕구 스타일입니다. 당신의 몸이 그런 식으로 움직인다고 문제가 있는 건 아닙니다. 지극히 정상적이고 건강한 흥분법이에요. "그

것은 당신의 몸이 섹스를 원하려면 단지 '매력적인 사람이 눈앞에 있는 것'보다 더 많은 게 필요하다는 것을 의미할 뿐입니다"라고 나고스키는 말합니다. 그런데 세상은 자발적인 욕구는 '진짜'이고, 반응적인 욕구는 '틀리고' '강제적'으로 만들어진 욕구로 치부하죠. 다 헛소리에요! 이건 단순히 섹스가 하고 싶어지는 기분이 드는 방법이 다른 것뿐입니다. 이 사실을 빨리 알수록 성생활이 더 행복해질 수 있어요. 이 사실을 아는 것만으로 많은 여자들에게 중요한 돌파구가 됩니다.

흥분은 복잡해요. 특히 여성이 나이들어갈수록 더더욱요. 나이들수록 흥분하려면 많은 준비 과정이 필요합니다. 50세를 앞둔 친구는 이렇게 말합니다. "남편도 있고 자식도 있는데 왜 섹스를 해야 하는 거야? 이젠 그냥 편하게 지내도 되잖아? 왜 계속 섹시하게 보이거나 섹스를 해야 하지? 생물학적 동기가 없어졌는데? 여자들은 가게 문을 닫을지 아니면 욕망을 계속 키울지 결정할 이유가 필요해. 내가 왜 섹시함을 느껴야 하지? 무슨 목적으로?"

좋은 질문입니다.


# 성적인 존재가 되고 싶은가?


이 장을 읽고 있다면 당신은 기꺼이 다시는 섹스를 하지 않아도 되는 단계에 놓여 있겠죠. 일 년에 한두 번 정도 하거나요. 제가 하고 싶은 질문은 이거예요. 당신은 다시 섹스를 하고 싶은 마음이 있나요?

---

아니면 섹스를 하지 않거나 규칙적으로 섹스하고 싶은 욕구가 들지 않는 현재 상황에 부부 둘 다 만족하나요?

모든 부부가 열정적인 섹스를 원하는 것은 아닙니다. 내 경험상, 사이좋은 중년 부부의 절반 정도가 조용한 길을 선택하는 것 같아요. 뜨거운 섹스보다 우정과 동지애를 맞바꾼 거죠. 그들은 에로티시즘이 요구하는 분리성보다 친밀한 관계를 선택합니다. (성관계 없는 부부에 관한 내용은 9장에서 살펴볼게요)

섹스를 계속할지 그만둘지 정답은 없습니다. 두 사람에게 맞는 방법이 있는 거니까요. 하지만 솔직히 이런 생각도 있죠? 섹스에 대한 흥미가 아주 조금이라도 남아 있다면 선택권을 열어두어도 손해 볼 것 같다고 말이에요. 책을 다 읽고 나서 결정해도 늦지 않잖아요. 끝까지 마음이 바뀌지 않아도 괜찮아요. 그래도 본전이니까요.

아직 자위를 하나요? 자위할 때 흥분이 되나요? 남편 말고 다른 남자를 생각할 때 아주 조금이라도 욕구가 생기기도 하나요? 만약 그렇다면 당신에게 욕망이 생기지 않을 육체적인 이유는 없는 거예요.

성치료사 빅토리아 레만은 섹스를 완전히 그만두려고 마음먹은 사람들에게 이런 조언을 해줍니다. "마지막으로 딱 한 번 자신에게 반박해보세요. 그럴 가치가 있거든요. 성적인 친밀감을 영영 포기하겠다고 결정하기 전에 가슴에 손을 얹고 '모든 걸 바쳤어. 후회 없어'라고 말할 수 있어야 합니다. 생각보다 훨씬 더 그리워질 수 있거든요."

만약 그렇지 않을 거라고 확신한다면, 성관계 없는 부부생활을 다루는 9장을 읽어보면 유익한 정보가 나와요. 하지만 가능하면 끝까지 읽어주었으면 좋겠어요.


# 섹스를 바라보는 다른 시선


지금까지 이야기한 욕망의 기본적인 내용을 다시 짚어볼게요. 만약 앞에서 건너뛰고 읽었다면 이번에는 놓치지 말고 읽어주세요. 요점만 읽지 말고 천천히 정말로 새겨가며 읽어보세요. 당신이 생각하는 섹스와 어떻게 다른지 알게 될 거예요.

**섹스를 하고 싶은 기분이 드는 것만이 섹스의 유일한 동기는 아닙니다.** 파트너를 행복하게 해주고 유대감을 느낄 수 있고 건강에도 여러모로 좋고 쾌락도 주죠. 섹스를 해야 할 이유는 이것 말고도 아주 많아요. 욕망이 유일한 동기라는 생각에서 벗어날 필요가 있습니다.

**욕망은 노화보다 감정과 관점에 더 큰 영향을 받습니다.** 우리는 성욕을 신체적인 관점에서 나이가 들수록 줄어든다고 생각합니다. 그러나 실제로 성욕은 감정과 관점의 영향을 더 많이 받습니다. 낮은 테스토스테론 수치는 다른 호르몬과 마찬가지로 영향을 끼치지만 가장 큰 영향을 미치는 것은 바로 우리의 사고방식이지요.

**욕망은 단지 성기에 관한 것이 아닙니다.** 스티븐 스나이더는《가치 있

는 섹스: 오래된 연인과의 멋진 섹스》에서 '진정한 흥분'을 섹스에 얼마나 몰입하는지로 정의합니다. 다른 것은 전혀 생각하지 않고 오로지 온 정신이 섹스에만 쏠려있는 상태를 말하죠.

**섹스는 꼭 강렬할 필요가 없습니다.** 그냥 괜찮은 정도의 섹스는 너무 과소평가돼 있습니다. 사람들은 온몸의 힘을 빼버리는 거친 광란의 섹스만 중요하게 생각합니다.

레만은 말합니다. "대부분 여성은 나이가 들면서 환상적인 섹스가 아니어도 개의치 않게 됩니다. 그래도 여자들은 괜찮아요. 그런데 아내가 떠나갈 듯 소리를 치며 좋아하지 않으면 남자들은 못 견딥니다. 하지만 그럭저럭 괜찮은 섹스도 좋아요. 격렬한 섹스가 우리 인생에서 차지하는 자리가 있는 것처럼 이런 섹스도 마찬가지입니다."

나이가 들면 호르몬 수치가 떨어집니다. 높은 호르몬 수치는 높은 오르가즘 강도를 뜻하죠. 호르몬 수치가 낮으면 오르가즘의 강렬함도 약해져요. 다시 말하지만 이 나이엔 그렇게 되는 거예요. 걱정하지 말고 차이를 즐기세요.

## 그렇다면 해결책은 무엇인가?

이제 알았을 겁니다. 누군가에게 성적 매력을 몇 년씩 느끼는 건 힘들어요. 하물며 몇 십 년은 더더욱 그렇죠. 예전의 사고방식을 버려야 합니다. 알겠으니까 빨리 해결책이나 내놓으라고요?

"여러분, 간단한 해결책이 있습니다. 이렇게만 하면 문제가 해결됩니다"라고 말할 수 있다면 얼마나 좋겠어요? 하늘에 맹세코 저도 그런 방법을 찾으려고 애써봤습니다. 욕망을 지속시키는 방법은 성치료사와 연구자, 부부들을 가장 애먹이는 문제일 겁니다. 저 역시 해답을 찾으려고 지금까지 30년 넘게 애썼고요. 새로운 연구결과가 항상 나오지만 저는 매번 똑같은 결과에 도달합니다. 단 한 가지 해결책은 존재하지 않는다는 것이죠. 다음처럼 여러 가지 작은 것들이 쌓여서 커다란 변화가 나타나게 됩니다.

## 타인의 눈으로 그를 바라보기

부부가 가슴 아픈 배신을 경험한 뒤에 인생 최고의 섹스를 하게 되는 이유는 배우자를 훔쳐 간 사람의 눈으로 바라보기 때문이죠. 왜 저 사람의 매력을 보지 못했지? 저렇게 예쁜 걸 왜 몰랐지? 만약 남이 내 것을 탐내면 당연히 더 좋아 보이겠죠.

제가 준 옷이 너무 잘 어울리는 친구를 보면 괜히 줬다고 후회될 때가 많아요. 이혼한 남편이 다른 여자를 만나 한층 멋있어진 외모로 행복하게 지내는 걸 보고 후회하는 친구들도 많이 봤어요. 왜 같이 살 땐 저렇지 않았을까? (정답 : 처음엔 그랬을 겁니다)

우리의 머릿속에는 배우자에 대한 무의식적인 이미지가 있습니다. 우리가 가장 자주 보는 모습을 바탕으로 만들어지는 이미지죠. 안타깝게도 대개는 다 늘어진 옷을 입고 TV 앞에 앉아 반쯤 졸린 얼굴로 핸드폰을 보거나 방귀를 뀌거나 손톱을 후비는 그런 모습이죠. 하지만 다른 사람들이 보는 그의 모습은 다릅니다. 말끔하게 차려입고 출근하는 모습, '신경 써서 행동하는' 모습이죠.

사람들은 좋아하는 일을 할 때 가장 매력적입니다. 직장에서 일할 때, 운동할 때, 취미 활동에 온 정신을 쏟을 때 등. (넷플릭스를 볼 때일 수도 있지만 대개는 뭔가 활동적인 걸 할 때일 겁니다)

그의 가장 멋진 모습을 볼 기회를 만드세요. 소파에만 널브러져 있지 말고 집 밖으로 나가세요. 데이트할 때도 집에서 같이 나가지 마세요. 밖에서 만나세요. 레스토랑이나 공원, 술집 등 약속 장소로 따로 가세요. 남편 마일스와 결혼한 지 3년이 되었을 때 레스토랑에서 만난 일이 떠오르네요. 웬 잘생긴 남자가 들어왔는데 글쎄 제 남편인 거예요. 그가 테이블 사이를 지나가는데 한 여자가 쳐다보더군요. 고개를 뒤로 돌려가면서 까지요. '후후, 내 남자야!' 하지만 이내 불안해졌죠. '너무 매력적인데? 만약 내가 여기 없었더라면 다른 여자들이 작업 걸었겠지?'

질투심과 불안감? 그런 감정을 느끼고 싶은 사람이 누가 있겠어요? 하지만 어느 정도는 필요하답니다. 나는 섹스고 뭐고 다 '귀찮아질' 때마다 어느 모임에서 내 남자를 (너무 노골적으로) 쳐다보던 예쁜 여자를 떠올립니다. 그녀는 "혹시 저 남자랑 헤어지면 나한테 꼭 연락 좀 줘요"라고 했죠. 그 일을 떠올리면서 '귀찮아도 신경 써야지'라고 생각하죠.

그에게 계속 매력을 느낀다는 것은 그를 '타인'으로 인식한다는 뜻입니다. 그가 남이었을 때 모습 말이에요. 그래요, 약간 불안감이 느껴질 거예요. 저는 "내 남편은 절대 날 두고 바람피울 사람이 아니야"라는 말을 들으면 파멸을 자초한단 생각이 들어요. 첫째, 그건 정말 바보 같은 생각입니다. (당신이나 그가 바람을 피울지 어떻게 알까요?) 둘째, 그 말이 정말 사실이라면 계속 그의 관심을 끌기 위해 노력할 필요가 없지 않을까요? 그건 자신을 너무 과대평가하는 것이자('내가 이렇게 매력적인데 그 사람이 절대로 한눈팔 리 없지') 그를 모욕하는 것입니다. 정말로 그에게 매력을 느낄 여자가 세상에 당신 말고 없을 거라고 생각해요?

## 당연한 사실은 넘겨라

방금 외모에 관해 이야기했는데 꼭 외모가 멋져야 섹시한 건 아니랍니다. 그의 외모가 별로 멋지지 않을 수도 있겠죠. 하지만 매력은 여러 가지가 합쳐진 것이고 육체적인 매력은 그중 한 가지일 뿐입니다.

얼마 전에 참석한 결혼식에서 하객 중 가장 예뻤던 여자가 옆자리에 앉은 아주 평범한 남자와 적극적으로 시시덕거리는 걸 봤어요. 그녀의 남편이 내 옆자리였는데 처음에는 걱정하지 않는다고 우쭐대듯 말하더군요. 마치 저 남자한테 아내를 빼앗길 일은 없다는 듯이요! 하지만 제가 지켜보니 재미있게도 그녀는 처음에는 예의를 차리면서 그 남자와 대화했지만 점점 더 노골적으로 시시덕거리는 쪽으로 바뀌더군요. 평균 이하의 외모를 가진 그 남자는 저녁 식사를 하는 동안 완전히 변해버렸습니다. 키 작고 약간 통통한 몸매에 희끗희끗한 머리카락에 전혀 눈에 띄지 않는 남자였지만 뛰어난 지성과 유머, 그녀를 보는 눈빛과 관심의 표현이 그녀를 완전히 사로잡아버린 것이죠.

나중에 저는 그녀에게 말을 걸었어요. 좀 뻔뻔하지만 내가 제대로 읽은 건지 확인해보고 싶었거든요. 결혼식에서 지루한 사람들 옆에 앉아있으려면 너무 힘들지 않냐는 말로 미끼를 던져보았죠. 그랬더니 그녀가 이렇게 말하더군요. "내 옆자리에 앉았던 남자는 전혀 지루하지 않던데. 똑똑하고 재미있고 흥미로웠어요. 내가 결혼만 하지 않았어도 어떻게 해봤을 텐데."

### 따로 시간을 보내라

남편 혼자 밖에 나가 시간을 보내도록 내버려 두세요! 옆에서 지켜볼 수 없으니 불안하겠지만 그가 밖에서 혼자 보내는 시간이 있어야 해요. 계속 붙어 있으려고 하지 마세요.

그가 밖에서 뭘 하고 있을지 불안하겠지만 그 불안감은 섹스에 도움이 됩니다. 서로 따로 보내는 시간은 두 사람 사이에 대화거리를 만들어주죠. 그게 둘의 관계에 활력제가 되어줍니다. 그와 하나가 되려고 하지 말고 거리를 두세요. 어떤 TV 프로그램을 볼지, 침대에서 무엇을 할 것인지 그의 선택에만 맡기지 마세요. 무조건 당신이 선택하지도 말고요. 둘의 차이를 두세요.

### 최대한 멋진 모습을 보여라

스스로 외모에 자신감이 커져야 알몸을 보여주고 싶은 마음도 생깁니다. 모든 사람은 파트너를 위해 자기 관리를 해야 할 의무가 있어요. 파트너가 건강을 챙기고 열심히 외모를 관리하는데 나는 손 놓고 가만있어서는 안 되잖아요?

평소 술을 너무 많이 마시지 말고 운동하고 건강하게 먹고 담배도 끊으라는 얘기에요. 두 사람 모두 다 관리를 해야 합니다. (나중에 더 자세히 얘기하죠) 잠도 충분히 자고 스트레스도 관리하고 많이 웃으세요.

'사랑하지만 섹스하고 싶진 않다'는 감정은 쌍방향이에요. 파트너도 같은 생각일지 어떻게 알아요? 사실은 섹스가 싫은데 좋아하는 척 감쪽같이 연기하는 사람들이 많거든요. 당신이 그를 사랑하지만 섹스는 원치 않는다면 그도 비슷할지 모릅니다. 외모는 확실히 중요해요. 자신을 속이지 마세요.

## '섹시'를 재정의하라

같은 맥락에서 어떤 여성들은 '섹시하다'는 것 자체에 큰 거부감을 보입니다. 특히 50대 이후에는 섹시함에 대한 세상의 정의를 따르기 싫어지는 거죠. 그러면 섹시함을 새롭게 정의해 보세요.

"난 화려하게 꾸민 섹시함보다는 자연스런 섹시함이 좋더라." 56세의 친구는 말합니다. "50세 이후의 섹시함은 운동이나 요가, 건강한 식단을 통해 빛나는 피부처럼 자기 관리를 열심히 하는 모습에서 나오는 것 같아. 짙은 화장과 억지로 끼워 넣은 스키니진이 아니라."

흥분과 기대로 가득 찰수록 인생 전반의 활력도 커지는 법이죠. 뭔가 새로운 시도를 해보세요. 그러면 서로에게 계속 흥미로운 존재가 될 수 있습니다. 책을 읽고 토론을 하고 팟캐스트를 들으세요. 젊었을 때 좋아했던 노래만 듣지 말고 요즘 유행하는 노래도 듣고요. 새로운 피트니스 수업도 받아보세요. 이렇듯 삶의 어떤 영역에서든 새로움을 추구하면 연쇄 효과가 일어나 삶 전반에 활기가 넘치게 됩니다. 일상이 자동 모드로 반복되면 삶도 섹스도 지루해져요.

### 이 방법을 써보세요: "꼭 해야 해?"를 "왜 안돼?"로 바꾸기

이건 섹스에 대한 자신의 사고방식에 도전할 수 있는 유용한 방법입니다. 하지만 시도해보기 전에 그에게도 말하세요. 사전에 서로 동의가 있어야만 효과적이거든요. 흥분할 수 있을 거라는 생각에 섹스를 하기로 했지만 도저히 안 될 것 같다면 중간에 그만둬도 됩니다.

하지만 에로틱한 순간을 그대로 즐기는 방법도 있어요. 그가 절정에 이르도록 도와주거나(그가 원하고 당신도 괜찮다면 손이나 입으로 해주거나 당신이 보는 앞에서 그가 자위를 하도록 합니다) 그가 혼자 알아서 욕실에서 하게 해도 됩니다.

중간에 그만둬도 되니까 섹스를 무조건 시도해보는 게 핵심이에요. 일단 시도해보면 신체적으로 동기부여가 되지 않더라도 섹스를 하게 될 가능성이 커지거든요. 그 원리는 다음과 같습니다.

---

**1단계: 다음 질문에 답하세요. 섹스를 꼭 해야만 한다면 언제, 어떻게 하는 게 그나마 나은가요?**

주말에? 밤에 잠들기 전보다는 아침에? 술이 몇 잔 들어간 상태로? 둘이 데이트하고 들어와서 하는 섹스? 그와 좋은 대화를 나누고 유대감이 느껴진 상태에서? 섹스를 좋아했던 시절이 생각나게 해주는 음악을 들었을 때? 이렇게 자신에게 도움되는 조건을 파악하고 재현한다면 좀 더 섹스할 마음이 들지도 몰라요.

**2단계: 내키지 않더라도 섹스를 해야 하는 이유를 세 가지만 떠올려 보세요**

섹스를 꼭 해야만 하는 이유를 떠올려 보라고 하면 대부분 긍정적인 동기보다는 부정적인 동기를 떠올릴 겁니다. 그래도 괜찮아요. 어떤 이유이든 상관없습니다.

- "나중에는 흥분하기가 더 힘들어질 거야. 그러니까 지금 하는 게 낫지."
- "빨리 해치워 버리고 남은 주말 동안 마음 편하게 쉬자."
- "남편이 섹스를 하고 싶어 하니까. 그가 좋아하는 모습을 보고 싶어."

**3단계: 자신을 흥분시키세요**

남편이 집에 없는 동안 자위할 때 어떤 식으로 하나요? 바이브레이터를 가져와 판타지를 떠올리나요? 아니면 야한 책을 읽거나 포르노를 보나요? 손가락으로 만지면서 예전의 좋았던 섹스를 떠올리나요?

집에 혼자 있다면 평소 하는 방법으로 자위를 하세요. 단 오르가즘까지 느끼진 마세요. 혼자가 아니라면 욕실로 슬쩍 가서 어떤 식으로든 미리 흥분을 좀 하세요.

그러면 '준비운동'을 한 상태로 섹스를 시작할 수 있죠. '젠장, 이렇게까지 해야 해? 그냥 자고/TV나 보고/책이나 읽고 싶은데.' 이런 생각이 들어도 걱정하지 마세요. 생각을 있는 그대로 받아들이고 흘려보낸 뒤 해야 할 일에 계속 열중하면 됩니다.

### 4단계: 먼저 유혹하거나 그가 섹스하고 싶어 하면 동의하세요

기꺼이 달아오르겠다는 마음으로 적극적으로 하세요. 시간제한을 두고 싶으면 그렇게 하세요. 이건 당신의 섹스입니다. 조금씩 탐구해 보세요. 게임처럼 접근하면 긴장감이 좀 풀리기도 합니다. 머릿속 생각에서 벗어나 몸에 집중하는 게 중요해요. 눈에 보이는 것 말고 몸에서 느껴지는 감각에 집중하세요. 그냥 이 순간에 몸을 맡기세요.


# 그가 전혀 관리를 안 해요


섹스가 시들해진 이유가 부부 사이가 형제자매처럼 되어버린 것 때문이 아니라 카레, 맥주, 담배 때문이라면요? 그를 보면서 이런 생각이 드나요? '뭐야, 외모가 결혼했을 때랑 완전히 달라졌어.'

성을 주제로 다루는 미국 작가 잭 모린Jack Morin은 파트너에게 계속 매력을 느끼는 것은 두 가지 과정이라 말합니다. 우선 애초에 당신이 그에게 끌렸던 이유가 계속되어야 합니다. 그의 근육질 가슴, 유머 감각, 큰 키 등. 하지만 둘의 관계가 발전하면서 또 다른 새로운 매력도 발견할 수 있어야 하죠. 아이들을 잘 돌보는 모습, 까다로운 장모님에게 서글서글 잘하는 모습 등. 이 두 가지가 모두 중요합니다.

처음에 느꼈던 매력을 계속 유지하는 것이 항상 가능한 건 아니죠. 처음 만난 20대 때의 근육질 몸매가 70대에도 똑같을 순 없잖아요. 그렇지만 나이가 들면서 신체적인 부분만 달라지는 것은 아닙니다. 활기차고 긍정적이고 유쾌한 성격이었던 그가 마음대로 되지 않는 인생 때문에 부정적이고 신경질적으로 변할 수도 있습니다.

부부로 살면서 나타난 이런저런 습관이 매력을 떨어뜨리기도 하고요. 담배를 너무 피운다거나 잘 씻지 않는다거나 이젠 무조건 편안함만 추구해서 평퍼짐한 옷만 입는다거나 수없이 많습니다. 하지만 남녀 상관없이 가장 '깨는' 모습은 심각하게 불어난 체중일 겁니다. (3장부터 다룬 부정적인 신체 이미지가 아니라 실제로 체중이 불어난 걸 말합니다)

### 사랑은 친절하지만 눈이 없는 건 아니다

파트너를 보면 이런 생각이 드나요? '도저히 창피해서 같이 못 다니겠어.'

먼저 자신을 솔직하게 살펴보세요. 당신은 어떤가요? 좋은 모습을 보이려고 열심히 관리하고 있나요? 그렇다면 파트너를 보고 화가 난다고 죄책감을 느낄 필요가 없어요. 파트너가 게으른 습관과 과식으로 살이 쪘고 오히려 적반하장으로 나온다면 당신은 화낼 자격이 있습니다. 두 남녀가 평생을 함께 보내기로 맹세할 때는 앞으로도 계속 매력적인 모습을 보여주겠다는 무언의 맹세도 포함되는 거예요.

배우자가 살이 많이 쪘어도 변함없이 사랑할 순 있지만 섹스하고 싶은 생각은 없어졌을 겁니다. 사랑은 지성과 정서 지능에 반응하지만 섹스는 육체적입니다. 보는 것에 큰 영향을 받지요. 관리를 전혀 하지 않고 아예 손을 놓아버린 배우자를 보면 모욕감이 드는 게 당연해요. 그가 당신의 존재를 당연시한다는 뜻이니까요.

그럼 그에게 지적해줘도 될까요? 관리 좀 하라고 말해줘도 될까요? 안 돼요. 이젠 누가 봐도 대머리라고 할 수 있을 정도로 벗겨진 머리, 아저씨 몸매 등 변화가 크다면 그도 이미 알고 있을 겁니다. 지금 그 모습을 보고 어느 여자가 매력을 느끼겠냐고 몰아세우면 이미 그가 자기 자신에 대해 느끼는 부정적인 감정을 악화시킬 뿐입니다. 남편이 아내한테 그런다면 몇 배는 더 나쁘고요. 체중 증가는 개인의 신체 이미지와 자존감에 엄청나게 큰 영향을 주죠. 상처 주지 말고 도와주세요.

혹시 게으름 말고 체중이 불어난 다른 이유가 있진 않나요? 일이 바쁘고 스트레스도 심하고 운동할 시간도 없이 인스턴트 음식만 먹고 있나요? 우울증 때문에 폭식하고 있진 않나요? 우울하면 먹게 되고 먹어서 살찌면 우울해져서 또 먹게 되는 악순환이 생깁니다.

### 접근 방법

외모가 아니라 건강에 초점을 맞춰야 합니다. 사랑하는 그의 과체중 혹은 심한 흡연, 음주, 운동 부족, 나쁜 식습관이 걱정된다는 것을 보여주세요. 생활방식이 좋은 쪽으로 바뀌도록 도와주겠다고 하세요.

같이 산책도 하고 같이 '건강한 생활'을 하세요. 그가 중독적인 습관을 끊지 못한다면 전문가의 도움을 받게 합니다. 그의 옷 입는 스타일이 싫으면 같이 쇼핑을 하러 가거나 옷을 사주세요. 비판하거나 잔소리보다 보상과 긍정적인 모습이 훨씬 효과적입니다.

이것저것 다 해봤는데 아무 소용이 없다면? 미라 커센바움Mira Kirshenbaum은 《뜨겁게 사랑하거나 쿨하게 떠나거나》에서 흔들리는 부부나 연인이 확실하게 머무를지 떠날지 선택하는 방법을 알려줍니다. 그녀는 더 이상 파트너에게 육체적으로 끌리지 않아도 아무런 문제없이 행복할 수 있다는 견해를 보여줍니다. 아직 둘 사이에 특별한 뭔가가 있는 한, 계속 함께할 가치가 충분하다는 것이죠.

헤어져야 한다는 확실한 위험 신호는 바로 파트너에게 닿기조차 싫어진다는 것입니다. 섹스 얘기가 아니에요. 몸에 닿기조차 싫어진 걸 말하는 겁니다. 그가 날 만지는 것도, 내가 만지는 것도 상상만 해도 몸서리치게 싫다면 헤어져야 합니다.


# 아직 성생활을 하는 부부라면


남편과 섹스하기가 싫어진 여자 중에는 앞으로도 절대 하지 않을 사람들이 있습니다. (섹스리스 부부에 대해서는 9장에서 자세히 다룰 거예요) 그런가 하면 싫어도 그냥 하는 여자들도 있죠. 후자에 속하는 사람들에게 더 좋은 성생활을 즐길 수 있는 조언을 해주겠습니다.

**좋고 나쁜 것에 대해 솔직한 대화를 나누세요.** 섹스가 지금의 당신에게 잘 맞아야 합니다. 우리의 몸은 나이가 들면서 변합니다. 저도 바이브레이터를 써도 예전보다 오르가즘까지 엄청나게 오래 걸려요. 그것도 부드럽게, 세게, 엄청 세게, 다시 부드럽게 진동을 조절해줘야만 하죠. 오르가즘을 느끼려면 어떤 자극이 필요한지 나조차 모를 때도 많은데 말을 해주지 않는다면 파트너가 무슨 수로 알겠어요?

예전에는 잘 통했던 기술이 중년 이후로는 통하지 않을 수도 있어요. 남편에게 말하세요. "예전에는 삽입하는 게 좋았는데 지금은 오럴섹스가 더 좋아. 내 몸이 달라졌어." 그는 "예전엔 너무 일찍 사정할까봐 당신이 만지는 게 꺼려졌는데 이젠 그 반대야"라고 할 수도 있죠.

**섹스 로봇은 그만.** 섹스가 식은 이유는 파트너에게 문제가 있어서가 아니라 기계적으로 섹스를 하는 당신의 태도 때문일 수 있습니다. 그는 당신이 어떻게 해야 오르가즘을 느끼는지 잘 알고 있을 겁니다. 물론 좋은 일이죠. 하지만 똑같은 게 반복되면 매일 반복되는 출퇴근길처럼 아무런 주의를 기울이지 않게 되는 법이죠. 이미 다 아는 거니까 그냥 기계적으로 받아들이는 거죠. 그러지 말라는 얘기에요.

**내용과 주인공은 상관없이 섹스 판타지를 품으세요.** 남편이 아니라 직장 상사가 나오는 판타지를 품고 있나요? 남편은 당신의 마음을 읽지 못하니 마음껏 아찔한 섹스 판타지를 품으세요. 남편이 아니라 다른 남자도 상관없어요. 결국은 남편에게도 좋은 일이니까요. 섹스 판타지 덕분에 남편과의 섹스에 활력이 생긴다면 뇌는 '기분 좋은 섹스' 하면 남편을 떠올리게 됩니다. 앞으로 섹스를 더 자주 하게 되겠죠.

**배려심을 가지세요.** 늙어간다는 사실에 불안한 건 당신만이 아닙니다. 섹스가 내키지 않지만 그의 자존감을 지켜주는 것이 허락의 이유가 될 수도 있습니다. 그는 예전보다 성기능이 떨어진 차에 당신이 거절한다면 자신의 떨어진 정력이 문제라고 생각할 겁니다. (발기부전이 남자들에게 얼마나 큰 불안감을 주는지 7장에서 살펴보죠)

그를 사랑한다면 꼭 기억하세요. 섹스를 하는 이유에는 꼭 성욕 말고 많은 이유가 있을 수 있다는 것을요.

**거래하지 마세요.** '이번엔' 내가 하고 싶은 대로 하고 '다음엔' 파트너가 원하는 대로 하는 게 좋은 해결책인 것 같지만 그렇지 않습니다. 내가 하고 싶은 대로 하는 차례가 아니면 상대방에게 앙심이 들고 두려워지기까지 할 수 있어요. 대신 한 번에 서로의 방식을 섞으세요. 두 사람 모두가 마음에 드는 새로운 방식을 생각해낸다면 더 좋겠죠.

**섹스를 배우자와 함께하는 일로 보지 마세요.** 섹스를 배우자와 따로 분리해 '섹스'라는 개별적인 범주에 넣으세요. 배우자와 해보고 싶은 것이라고 국한해서 생각하지 마세요. 그런 사고방식은 막다른 골목과도 같습니다. 남몰래 성적 판타지를 품고 있는 대상과 뭘 해보고 싶은

지를 생각해보세요. 환상의 인물을 만들어내도 됩니다.

실제로 섹스를 할 때는 눈을 감으세요. 상대를 보지 말고 섹스 판타지 속의 대상을 떠올리세요. 육체적인 감각에 집중하세요. 머리로 생각하지 말고 몸으로 느끼세요. 한 번도 시도해 보지 않은 것이기 때문에 관심이 지속될 거고 평소보다 더 흥분될 겁니다. 도미노 효과도 있어요. 성적 판타지를 떠올리며 흥분하는 당신을 보면서 그도 흥분합니다. 당신을 향한 그의 욕망이 느껴져서 그가 섹시한 남자로 보입니다.

그와 섹스하면서 환상 속의 다른 남자를 떠올리다니 그를 '기만하는' 것 같아서 죄책감이 느껴질지도 모릅니다. 하지만 좋은 거예요! 뭔가 '잘못'을 저지르는 것 같은 불편함은 섹스를 에로틱하게 만들죠. 그러니까 거부하지 말고 받아들이세요. 이런 감정이 당신에게 필요합니다. 머릿속으로 환상을 품는 것과 실제로 바람을 피우는 건 천지 차이예요.

**외부 자극을 추가하세요.** 야한 영화나 포르노를 같이 보거나 섹스토이를 이용하세요. 매일 똑같이 반복되는 섹스가 지겨워진 오래된 부부에게는 별다른 노력 없이도 욕구를 일으키는 좋은 방법이죠.

**현실에 안주하지 마세요.** 보통 사람들은 별다른 노력도 하지 않으면서 성생활에 활력이 넘치기를 바랍니다. 유지보수를 전혀 하지 않으면 단독주택이 어떻게 될까요? 페인트가 벗겨지고 충전재가 빠지고 경첩이 망가져 문이 덜렁거리고 카펫은 낡아서 올이 다 드러나겠죠. 그런 지경까지 놔두는 사람은 거의 없을 겁니다. 그런데 우리는 유지보수 노력도 하지 않으면서 왜 성생활이 계속 활기차게 유지되기를 바라는 걸까요?

**섹스에 관해선 이기적이 되세요.** 어느 쪽이 나을까요? 오로지 당신을 만족시켜주는 데만 집중하는 남자. 당신과의 섹스에 너무 흥분해서 당신의 몸을 이용해 자신의 욕망을 충족하는 남자.

이건 흥미로운 문제입니다. 섹스에 관한 자기개발서를 읽어본 사람이라면 이렇게 배웠을 거예요. 만족스러운 섹스를 위해서는 어떤 테크닉이 좋은지 상대방에게 분명하게 알려주라고 말이에요. 그것도 맞는 말이긴 해요. 전 바람직한 이기심을 말하는 거예요.

물론 파트너가 무엇을 좋아하고 싫어하는지 알고 기억하는 것은 중요합니다. 하지만 그걸 아는 것만으로는 충분하지 않아요. 불꽃, 감정, 욕망이 있어야 시동이 걸리죠. 스나이더는 말합니다. "열정은 이기적입니다. 다만 적당하게 이기적이죠. 열정에 몸을 맡기세요. 상대방을 위해서가 아니라 자신을 위해서 상대방을 애무하세요. 그러면 상대방은 당신이 좋아하는지, 너무 오래 걸리진 않는지 걱정할 필요가 없습니다. 남자가 여자에게 오럴을 해주는 것이 전형적인 보기죠. 만약 그가 그녀를 만족시켜주기 위해 해주는 거라면 그녀는 무척 부담스러울 겁니다. '그가 지루하진 않을까?' 하지만 그가 스스로 흥분하기 위해서 하는 거라면 그녀는 부담도 없고 마음껏 즐길 수 있죠."

자신감은 섹시합니다. 우리는 두려워하지 않고 자기가 원하는 걸 쟁취하는 자신감 있는 연인을 원하죠. 반면 우유부단하고 상대방이 원하는 대로만 하고 상대가 싫어할까 봐 걱정스러워 뭔가를 시도하지 못하는 연인은 우리를 불안하게 만들죠. 짜증도 나고요. "젠장, 잠자리에서 하나부터 열까지 꼭 나한테 물어봐야 하냐고!" 저에게 상담하러 온 여성 내담자가 남편에 대해 분통을 터뜨렸죠. 그런데 남편은 그걸 배려심 많은 거라고 착각한대요.

"제발 하고 싶은 대로 다 해요." 제 생각에 이 표현은 그가 옷을 거칠게 찢고 거칠게 침대에 눕히고 뒤로 해줬으면 하는 여자가 생각해낸 말일 겁니다. 사이가 너무 좋은 부부들에게 이런 문제가 자주 나타납니다. 상대방의 감정을 배려하는 데 익숙하기 때문이죠. 그렇지 않으면 무례한 거니까요. 하지만 이건 사랑이 아니라 섹스잖아요. 둘을 꼭 분리하세요.

사랑은 서로를 배려하는 마음으로 자라나지만 섹스는 본능적입니다. 몸이 원하는 대로 따라가는 거죠. 부부의 섹스가 꼭 형제자매와 섹스하는 것 같다고요? 그건 두 사람의 평소 관계에 효과적인 방법들을 침대에서까지 써먹기 때문입니다.

그러면 성욕이 무력화되어버립니다. 변화를 주세요. 생각지도 못한 일을 해보세요. 이기적이 되어보세요. 그의 쾌락을 생각하지 말고 나자신의 쾌락을 생각하세요. 주지 말고 취하세요. 상대방은 좋든 말든 내 쾌락을 먼저 챙기세요. 내가 충족되면 그다음에 배우자를 챙기세요. 그러니까 섹스에 대한 접근법 자체를 바꾸는 겁니다. 너무 효과적이어서 깜짝 놀랄걸요?

### 당신의 섹스를 바꿔줄 무언가

역할극 이야기입니다. 하지만 사람들이 보통 생각하는 그런 것과는 다릅니다. 그러니 역할극에 취미 없다고 건너뛰지 마세요.

보통 역할극 하면 미치도록 당혹스러운 상황극 '연기'가 떠오르죠. 오글거리는 포르노 영화처럼요. 너무 창피한 데다가 진지하게 몰입하기도 어려워 결국은 둘 다 웃음을 터뜨리고 맙니다. 하지만 프랑스 가정부가 주인을 유혹하는 연기를 하라는 게 아니에요. (웩) 당신이나 파트너가 다른 사람으로 변신해 그 사람으로서 섹스를 하는 게 핵심이죠.

세계적으로 유명한 성치료사 에스더 페렐은 그녀의 팟캐스트 '어디에서 시작해야 할까?' 에서 다루었던 내용입니다. 둘 다 신앙심이 깊은 가정에서 자란 부부가 그녀에게 상담을 받으러 왔습니다. 그들은 혼전 순결을 지키고 결혼하고 나서야 섹스를 하게 되었는데 반응이 180도 달랐습니다. 남자는 계속 섹스에 대해 신중하고 소심한 태도를 보였고 여자는 섹스가 너무 좋았던 거죠. 그녀는 마침내 결혼으로 섹스를 할 수 있게 되었으니 자신의 '음탕한' 면을 마음껏 탐구해보고 싶었죠. 당연히 남편은 부담스러워했고 그녀는 거부감과 좌절감을 느꼈습니다. "이 이는 날 감당할 수 없어요." 그녀가 한숨을 쉬며 말했죠.

에스더가 그 부부에게 제시한 해결책은 남편더러 섹스할 때 평소의 소심한 자신이 아니라 잠자리에서 능숙한 프랑스 남자 장 클로드라는 캐릭터가 되라는 것이었습니다. '장 클로드라면 어떻게 할까?', '장 클로드라면 지금 아내를 어떤 식으로 만질까?'라는 식으로 생각해보라고 에스더는 조언했죠. 장 클로드는 자신이 원하는 것을 허락 없이 취하는 자신만만하고 대담한 남자 캐릭터였습니다. 남편은 그 캐릭터를 연기하는 걸 좋아했고 아내는 그와의 섹스가 좋았죠.

역할극은 정말로 효과적입니다. 파트너를 다른 사람이라고 생각하게 되죠. 평소와 완전히 다른 사람처럼 행동할 수 있는 허락이 떨어진 거예요. 내가 아닌 다른 사람이 되어 자기 안의 '나쁜' 면을 표출할 수 있죠. 너무 익숙한 관계 때문에 성생활도 시들해진 부부에게 이런 변화가 큰 도움이 될 수 있습니다.

파트너에게 침대에서 누가 되고 싶은지 물어보세요. 당신도 누가 되고 싶은지 생각해보세요. 서로에게 원하는 사람이 누군지도 이야기해 보고요. 원할 때마다 캐릭터를 바꿔도 됩니다.

# 6장,
## 여성들은
### 성욕이 없는 게 아니라
### 섹스가 재미없어진 거야

여성과 섹스에 관하여
사실이라고 믿는 잘못된 고정관념
세 가지가 있습니다.

첫 번째는 남성이 여성보다 성욕이 많다는 것. 두 번째는 일부일처제가 여자보다 남자에게 더 어렵다는 것. 세 번째는 남자가 여자보다 일상적인 섹스에 더 빨리 싫증을 느낀다는 것. 이 세 가지는 전부 다 틀렸습니다.

최근 연구에 따르면 여성의 성욕은 지금까지 알려진 내용과 완전히 다릅니다. 여자는 길들여지는 것을 좋아하지 않고 위험을 좋아합니다. 그리고 여자는 로맨스가 아니라 욕정을 원하죠. 그리고 여자의 성욕은 본능적입니다. 세상이 생각하는 것보다 훨씬, 훨씬 더요.

———

물론 여자들이 남자들보다 섹스를 더 많이 거부하는 건 사실이지만 성욕이 낮아서 그런 건 아닙니다. 남자들처럼 자신의 '음탕한' 면을 탐색해도 된다고 허락되지 않았기 때문이죠. 만약 문화적 구속이 사라진다면 여자들도 미친 듯 섹스에 달려들걸요. 단, 한 가지 조건이 붙죠. 에로틱하고 흥분되는 섹스여야 한다는 것. 솔직히 아직도 그런 섹스를 즐기고 있다고 자신 있게 말할 수 있는 오래된 커플이 얼마나 될까요?

시대에 뒤떨어지는 인식에 도전하는 신세대 성 연구자들 덕분에 거대한 생각의 변화가 일어났습니다. 이 분야를 따로 공부한 적도 없는 한 여자의 공도 크지요. 바로 E. L. 제임스E. L. James입니다.

## 그레이의 50가지 그림자의 돌풍

여자가 더 짜릿한 섹스를 원한다는 증거가 필요하다면 얼마나 많은 중년 여성들이 《그레이의 50가지 그림자》 시리즈에 푹 빠졌는지 한번 생각해 보세요. 관심과 인기가 정말 엄청났지요. 얼핏 보면 '돈 많은 남자가 순수한 여자를 유혹하는' 이야기지만 이 소설에 나오는 섹스는 정치적 올바름에 어긋나고 야성적이며 아슬아슬합니다.

그 시리즈가 전 세계에서 1억 2,500만 부 이상 팔린(계속 팔리고 있는) 이유가 바로 그겁니다. 물론 BDSM(편집자 주: Bondage(구속)―Discipline(훈육)/Dominance(지배)―Submission(굴복)/Sadism(가학)―Masochism(피학)의 세 가지 성적 지향) 섹스 장면을 자세히 묘사한 책은 《그레이의 50가지 그림자》 말고도 아주 오래전부터 있었죠. 하지만 수많은 사람이 그 책을 읽은 이유는 너도나도 다 읽으니 혼자만 뒤처지고 싶지 않아서였어요. 오히려 잘된 일이라고 생각합니다.

그 책이 좋을 수도, 싫을 수도 있고, 그렇게 쓰레기 같은 책은 처음 본다고 생각할 수도 있어요. 그 책을 읽던 친구의 문학적 소양과 개인적 취향이 의심스러울 수도 있습니다. 하지만 《그레이의 50가지 그림자》는 여자들에게 섹스라는 주제의 대화를 열어줬어요. 그 대화에서 여자들은 그의 성욕이 자신보다 강하다고 불평한 게 아니라 그가 야성적이지 않다고 불평했죠.

그 책은 여자들을 섹스를 '간청'하는 위치에 놓았습니다. 섹스를 '귀찮아하던' 여자들이 '제발 해줘!'라고 외치게 된 거예요. 60세 여성은 이런 말을 했어요. "《그레이의 50가지 그림자》 1권을 완전히 몰입해서 읽었어요. 새벽 2시에 옆에서 자는 남편을 깨워 섹스하자고 할까 고민했어요. 오랫동안 먼저 하자고 한 적이 한 번도 없고 귀찮은 의무쯤으로 생각했는데 그가 내 안에 들어와 주기를 간절히 바라게 된 거예요. 그 책이 끼친 영향은 정말 굉장했습니다."

(상처로 삐뚤어졌지만 잘생긴) 주인공 크리스천 그레이는 모든 여자의 섹스 판타지가 되었죠. 섹시하고 돈이 많아서만은 아니었어요. 자기가 원하는 건 허락을 구하지 않고 쟁취하는 모습 때문이었죠. 저는 "제발 남편이 날 침대로 밀치고 마구 탐해줬으면 좋겠어요"라고 말하는 여자를 정말 많이 봤어요.

"제 남편은 너무…… 다정해요. 뭘 할 때마다 항상 허락을 구하죠. 그럴 때마다 하나도 섹시하지 않아서 소리 지르고 싶다니까요." 너무 다정하고 배려심 많은 남자와 결혼한 57세의 여성이 말했죠.

미국의 성치료사 스티븐 스나이더는 말합니다. "침대에서 파트너보다 일관적으로 더 큰 강한 존재처럼 느끼는 걸 즐기는 여자들은 소수에 불과합니다." 하지만 이건 남자가 '가장'으로서 밖에 나가 돈을 벌어오고 여자는 집에서 살림하던 과거로 돌아가는 것과는 다릅니다.

성치료사 에스더 페렐은 이렇게 말하죠. "여자들이 낮에 반대 시위를 하는 주제가 밤에는 여자들을 흥분시킨다"고. 여자들은 남자들에게 존중받기 위해 열심히 투쟁했고 성공도 거두었습니다. 물론 좋은 일이죠. 하지만 그게 성생활에는 별로 도움이 안 돼요.

## 마침내 바로잡힌 잘못된 고정관념

인간의 성에 관한 연구는 전통적으로 남성이 했죠. 역사적으로 숫자가 무척 적긴 하지만 여성 성과학자들이 등장한 후로 확실히 변화가 생겼습니다.

대표적으로 남편 윌리엄 H. 마스터즈William H. Masters와 선구적인 성의학 연구를 진행한 버지니아 존슨Virginia Johnson이 있죠. (앞에서 소개한) 여성의 욕망에 관한 새로운 모델을 만든 로즈메리 베이슨과 하이트 보고서를 쓴 셰어 하이트Shere Hite도 변화의 물결을 일으켰습니다. 특히 하이트는 삽입 섹스 도중에 절정에 이르지 못하는 건 기능 장애가 아니라고 주장했죠.

좀 더 근래에는 에스더 페렐이 《왜 다른 사람과의 섹스를 꿈꾸는가》에서 일부일처제가 자연적 상태라는 인식에 반박했습니다. 남성 연구자들도 여성의 성욕에 대해 깊이 파고들었죠. 《에로틱 마인드》을 쓴 잭 모린은 남녀 모두 사랑만큼이나 욕망이 필요하다고 강력하게 주장했습니다. 그런가 하면 대니얼 버그너는《욕망하는 여자》에서 광범위한 연구와 유명 행동과학자, 성학자, 심리학자, 평범한 여성들과의 인터뷰를 통해 남자들은 방황을 원하고 여자들은 친밀감과 헌신을 갈구한다는 고정관념을 뒤집었죠. 웬즈데이 마틴Wednesday Martin은《나는 침대 위에서 이따금 우울해진다》에서 여자들은 "전적으로 쾌락 추구를 위한 신체 기관을 가지고 있어서" 생물학적으로 쾌락을 추구하도록 만들어졌다고 말합니다. 바로 클리토리스를 말하는 거죠.

## 일부일처제는 남자보다 여자에게 더 힘들다

상대방과의 관계가 오래 이어질수록 여자의 성욕은 줄어듭니다. 독일의 연구에서는 여성의 60퍼센트가 처음에는 섹스를 자주 하기를 원하지만 4년 후에는 그 수치가 50퍼센트 이하로 떨어지고 20년 후에는 약 20퍼센트로 줄어든다는 결과가 나왔습니다. 반면 남성의 성욕은 관계 내내 전반적으로 비슷하게 나타납니다.

웬즈데이 마틴은 여성들이 장기적인 관계에서 성에 관심을 잃는 것이 사실이라고 말합니다. 하지만 그것은 남자보다 성욕이 약해서가 아닙니다. 여자가 남자보다 파트너에게 더 빨리 싫증을 느끼기 때문이죠. 사실 새로움을 갈망하는 것인데 여자에 대한 학습된 고정관념 때문에 섹스에 싫증이 난 거라고 생각하게 됩니다. 보통 남자들은 똑같은 섹스가 계속 되풀이돼도 만족합니다. 하지만 여자는 아니에요. 여자들은 더 관능적인 분위기를 갈망합니다. 그래서 포르노와 섹스 판타지 같은 성의 강력하고 본능적인 측면이 여자들에게 효과적으로 작용하는 거죠.

남자들이 일부일처제에 따분함을 느낀다면 여자들은 더더욱 아무런 자극을 느끼지 못합니다. 한 50대 여성이 말합니다. "예전엔 동시에 섹스 파트너가 두세 명 있었죠. 물론 남자들은 그 사실을 몰랐고요. 그렇게 몰래 여러 남자와 섹스를 한다는 게 정말 짜릿했어요. 여러 남자가 동시에 날 원한다는 것이나 여자는 그러면 안 된다는 사회적 인식을 생각하면 큰 힘을 얻은 것 같고 무척 흥분되었죠. 그 후로 그만큼 흥분되는 경험은 못 해봤어요. 결혼하면서부터는 남편에게만 충실하기로 맹세했어요. 하지만 우리의 섹스는 너무 단조로워요. 남편은 모험심이 강하지 않거든요. 예전에 그런 짜릿함을 맛봤는데 죽을 때까지 어떻게 한 남자로 만족할 수 있을까요?"

## 지루함은 심각한 문제

미국의 성치료사 이언 커너Ian Kerner는 한 사람에게만 충실한 341명의 응답자를 연구했습니다. 그중 절반이 지루함을 느끼거나 그럴 위험에 처한 것으로 나타났죠. 여자들은 관계의 첫해와 3년째에 지루함을 느끼는 확률이 두 배나 높았습니다. 또 커너는 성적 모험심에 관한 연구에서 여자들이 다양한 성적 행위를 해본 경험이 남자보다 훨씬 많다는 사실을 발견했습니다. 이것은 '여성이 사회적 인식보다 훨씬 더 성에 개방적이라는 사실'을 보여주었죠. 또한, 커너는 섹스하는 동안 음담패설을 해보았거나 성적 판타지를 입 밖으로 꺼낸 적도 여자가 훨씬 더 많다는 사실을 발견했습니다.

웬즈데이 마틴은 여자들이 열정을 억제하는 대신 장기적으로 모험적이고 흥미로운 성생활을 즐기는 것이 열쇠가 될 수 있다고 말합니다. 소리 내어 말하기만 하면 되죠. 하지만 거기엔 문제가 있습니다.

**여자들은 왜 짜릿한 섹스를 원한다고 말하지 않을까?**

일단은 남들의 시선이 두려워서입니다. '밝히는 여자' 혹은 '신붓감으로 피해야 하는 여자'로 보일까 봐 걱정하는 거죠. 제가 성이라는 주제로 글을 써온 35년 동안 파트너에게 나쁜 인상을 주지 않고 더 모험적인 섹스를 원한다는 말을 어떻게 꺼내는지 알려달라는 여자들이 정말 많았습니다. 보통 남자는 새롭게 도전하고 여자는 꽁무니 뺀다고 생각하죠. 하지만 그건 사실이 아니에요.

여자들이 섹스가 지루하다고 사실대로 말하지 않는 또 다른 이유는 그보다 더 성욕이 왕성한 것처럼 보이면 그가 거부감을 느낄까 봐 두렵기 때문입니다. 캐나다에 사는 성학자이자 심리치료사인 프랑수아 레너드Francois Renaud는 말합니다. "여자들이 대개 사실대로 말하지 않기 때문에 커플의 편안하고 예측 가능하고 지루한 성생활이 계속되죠. 가끔 커플들에게 서로 보는 앞에서 자위하느냐고 물으면 주로 여자들은 '당연하죠'라고 합니다." 오래전부터 여자는 남자보다 섹스에 '관심'이 없다는 인식이 자리잡았지만 사실 실제로 여자의 성은 억압된 것뿐입니다. 레너드는 여자가 성에 좀 관심이 있는 것 같으면 모욕을 주고 비하하는 이른바 '슬럿 셰이밍Slut shaming'이 좋은 예라고 말합니다.

여자가 섹스에 싫증이 난 건 남자보다 성욕이 없어서가 아니라 지금의 성생활 때문입니다. 여자가 침대에 눕자마자 벽을 보고 돌아눕는 건 성적인 모험을 거부한다는 게 아니라 똑같은 섹스를 거부한다는 뜻입니다. 우린 흥분되는 무언가가 있다면 곧바로 달려들 겁니다.

이는 50세 이상뿐만 아니라 모든 연령대의 여자들에게 다 해당하는 이야기입니다. 하지만 당연히 중년 여자들이 20대나 30대 여자들보다 지루하고 반복적인 섹스를 더 많이 했죠. 이건 중년 여성들에게 매우 중요한 사실입니다. 뭔가 해결책을 마련할 가능성이 크니까요. 더 젊은 여자들보다 남들 시선도 덜 의식하고 성의 잘 드러나지 않은 측면을 파헤쳐볼 용기도 있죠. 그러니 한 번 해봅시다.

### 중년의 뱅뱅빅

나이 들면 여자들의 성욕이 사라진다는 건 결코 기정사실이 아닙니다. "여자들은 많은 이유로 중년에 성욕이 폭발할 수 있습니다." 영국의 심리치료사 크리스털 우드브릿지(Krystal Woodbridge)는 말합니다.

〈타임스〉 기사를 위해 인터뷰한 49세의 카린 존스(Karin Jones)가 증명해줄 수 있습니다.

"갑자기 어떤 감각에 사로잡혔어요. 머나먼 기억 속의 어렴풋이 익숙한 감각, 바로 욕망이었죠. 마치 욕망의 안개 속으로 걸어 들어간 느낌이었어요." 그때 존스는 시골길을 걷고 있었습니다. 뚜렷한 계기도 없었는데 갑자기 '강렬한 성욕'이 느껴졌죠. 그런 일이 몇 년 동안 계속되었습니다.

출산 후 성욕이 아무런 이유도 없이 강력해지는 것을 얼마나 많은 여성이 경험하는지에 관한 데이터는 절대적으로 부족합니다. (대부분의 연구는 옳은 것이 아니라 잘못된 것에 초점을 맞추는 경향이 있죠) 아무튼 전례가 없는 일은 아닙니다. "여성의 성적 반응은 생각에 큰 자극을 받는데, 만약 이 나이에 삶의 큰 변화를 경험한다면 당연히 생각에도 변화가 일어날 것입니다"라고 우드브리지는 말합니다.

제가 인터뷰한 많은 여성들도 공감하는 모습을 보였죠. 18세에 결혼한 48세 여성은 이혼 1년 후에 생전 처음 오르가즘을 경험했습니다. "남편이 바람피워서 이혼했는데 잠자리에서 아무런 쓸모도 없는 인간이었어요. 제가 성적으로 무지했고 오르가즘을 느껴본 적이 한 번도 없었죠. 이혼 후에 성욕이 아주 왕성한 남자와 사귀게 되었는데 제 나이 49세 처음 오르가즘을 느꼈어요. 남자친구와 뭘 했는지 제가 해준 얘기를 듣고 딸아이가 놀라더라고요. (제가 굳이 딸아이에게 얘길했어요. 감탄해야 할지 경악해야 할지 갈피를 못 잡더군요) 우린 서로의 몸에 음식을 올려놓고 먹거나 온갖 다양한 장소에서 온갖 다양한 섹스 토이를 썼고 솔직히 민망해서 말 못 할 일도 정말 많이 했거든요. 정말 좋았어요. 친구들은 성생활이 끝난 눈치인데 나는 인생 최고의 섹스를 하고 있으니 말이에요."

빈둥지 증후군이 불안을 일으킬 수도 있지만 중년에 대부분의 부부는 시간이 많아 자유를 즐기죠. 자신을 돌아보고 사람들과 어울리고 운동도 하고 창의성도 발휘해보세요. 자신감이 커지면 성적 자존감과 성욕도 긍정적인 영향을 받습니다. 우드브리지는 말합니다. "삶의 모든 측면에 욕망을 가진 사람일수록 성욕도 강한 경우가 많습니다. 의욕적이고 에너지 넘치고 긍정적인 태도로 살아간다면 나이에 상관없이 성욕도 커집니다."

# 내 안의 변태성 끌어내기

진심으로 사랑하지도 않는 사람과 가장 뜨거운 섹스를 할 가능성이 크다는 것은 우울한 현실이죠. 파트너가 어떻게 생각할지 크게 신경 쓰이지 않으면 덜 '여성적인' 면을 보여주는 게 걱정되지 않겠죠. 그를 사랑하지 않는다면 섹스에 대하여 그를 비판하거나 불쾌하게 하거나 상처 주는 것도 별로 개의치 않을 겁니다. 감정이 개입되지 않은 섹스는 이기적이 됩니다. 오로지 자신이 절정에 도달하는 것만 중요하게 여기고 그 목적으로만 섹스를 하게 되죠. 오래된 부부는 섹스가 애정과 배려가 넘쳐야 한다고 생각해서 미혼일 때 즐겼던(혹은 그랬어야 했을) '음탕하고' '더티한' 섹스를 원한다는 사실에 죄책감을 느낍니다. 하지만 파트너도 같은 걸 원하지 않는다고 어떻게 확신하죠?

비난받을지도 모른다는 두려움을 이겨내고 원하는 것을 요구할 수 있는 용기는 행복한 성생활에 매우 중요합니다. 특히 여자들한테요. 파트너의 말이나 행동이 전부 다 마음에 들지 않을 수도 있어요. 함께 잠자리에서 시도해보는 모든 게 다 좋을 수만도 없고요. 그래도 괜찮습니다. 하지만 비난당하지 않고 자기 생각을 드러낼 성적 자유는 두 사람 모두에게 꼭 필요합니다.

### 용기 내어 말하기

이 장에서 다루는 내용이 자신과 동떨어진 얘기처럼 느껴질 수도 있습니다. '흠, 흥미롭긴 한데 나하고는 전혀 상관없는 것 같네'라고 생각하면서 건너뛸 수도 있고 단숨에 읽어치우면서 '다행이야. 내가 변태라서 그런 게 아니었어! 언제 시도해보면 좋을까?'라고 생각할 수도 있겠죠.

만약 전자이고 현재 상황에 전적으로 만족한다면 정말 잘된 일입니다! 하지만 성생활에 변화를 좀 주고 싶다면 조금만 더 과감해져 보세요. 파트너가 생각보다 훨씬 적극적인 반응을 보일 수도 있어요.

그 전에 우선 몇 가지를 참고해 보세요.

———

- 섹스에 관한 대화를 나누는 방법은 30쪽에 많이 제시되어 있습니다. 그 부분을 먼저 읽으세요.

- 대화를 통해 얻고자 하는 바를 정확히 파악하세요. 예를 들어 "이번 주말에 이걸 해보는 것" 또는 "평소에는 그가 날 존중해주는 게 좋지만, 침대에서만큼은 지배적으로 다뤄줬으면 좋겠어" 같은 게 될 수 있겠죠.

- 당신이 흥분을 느끼는 것과 파트너가 흥분을 느끼는 게 서로 다를 수 있습니다. 당연한 말이지만 회유나 속임수로 파트너가 원하지 않는 것을 시키면 안 되겠죠.

- 해보고 싶은 걸 제안할 때는 자신감 있고 긍정적인 태도를 보이세요. 분위기를 심각하게 유도하지 말고, 가볍고 여유롭게요. 당신이 불안한 듯 안절부절못하는 태도를 보인다면 파트너는 뭔가 정상적이지 않다고 여길 겁니다.

- 원하는 걸 분명하게 말하세요. 그냥 한 번만 해보자는 건지 성생활에 일관된 요소로 여기는지. 좀 특이한 섹스라도 가끔은 괜찮지만 매번 하고 싶어 하는 사람은 드물죠. 새롭고 흥미로운 시도의 습관으로 성생활에 활력을 주는 게 핵심이지 아예 빠져드는 건 곤란합니다.

이제부터 실험해보면 좋을 만한 몇 가지 아이디어를 소개하겠습니다. 누군가에는 변태적인 게 다른 사람에게는 정상일 수도 있어요. 두 사람에게 맞는 선까지 가면 됩니다. (하지만 안전지대를 약간 벗어나는 게 포인트입니다)

———

## 작은 활력소 더하기

### 섹스 판타지

상상력은 성적 욕구를 자극하는 가장 강력한 엔진입니다. 그걸 이용하면 최고의 자연 최음제 효과가 나타납니다.

판타지는 서로 몸매도 망가지고 시들해져버린 섹스에 짜릿함을 불어 넣어줍니다. 전에 수없이 같이 잤던 사람과의 섹스를 설레게 해주죠. 무엇보다 판타지는 가장 빨리 흥분하는 방법이기도 합니다. 머릿속에 있으니 언제, 어디서든 즉각 활용 가능한 전희라고 할 수 있어요.

파트너가 아닌 다른 사람에 대한 환상을 품는 것에 엄청난 죄책감을 느끼는 사람들이 많습니다. 하지만 죄책감은 버리세요. 사랑하는 사람이 있다고 다른 사람에게 매력을 느끼지 못하는 건 아니니까요. 풍성한 판타지는 두 사람 모두에게 이롭습니다. 판타지가 성적인 욕구를 얼마나 시원하게 충족해주는지 알면 놀랄걸요. 머릿속의 바이브레이터라고 생각하세요.

판타지의 내용을 걱정할 필요가 없습니다. 판타지의 핵심은 나중에 죄책감을 느끼지 않고도 흥분할 수 있는 자유가 생긴다는 거예요. 원래 로맨틱하고 '착한' 판타지 같은 건 없어요.

그럼 파트너에게 판타지를 공유해야 할까요? 이건 당신이 어떤 성격이고 공유의 목적에 무언지에 따라 다를 겁니다. 저는 남편이 어떤 판타지를 품든 상관없지만 그게 무슨 내용이고 누가 나오는지 알고 싶은 마음은 조금도 없습니다. 하지만 한 명이 디테한 섹스 판타지를 자세히 털어놓고 둘이 함께 행동으로 옮기면서 최고의 섹스를 즐기는 커플들도 있죠.

판타지를 행동으로 옮겨야 할까요? 현실과 환상은 밤낮과 같습니다. 서로 완전히 다르다는 이야기에요. 행동으로 옮겼을 때의 부정적인 면을 먼저 생각해보세요. 그 다음에 긍정적인 면을 생각합니다. 긍정적이고 행복한 경험이 되는 경우가 훨씬 더 많아요. 실행에 따르는 위험한 결과에 대해 절대 가볍게 생각하면 안 됩니다. 일반적으로 다른 사람들이 개입될 때는 위험합니다.

### 야외 섹스

말 그대로 성생활에 신선한 공기를 불어 넣으라는 거예요. 밖에서의 섹스는 특별한 상상력을 발휘하지 않고도 평범하기 짝이 없는 섹스를 아슬아슬하게 만드는 좋은 방법이죠.

침대에 누워있을 때 허벅지를 쓰다듬는 손길도 기분이 좋을 수 있습니다. 하지만 다른 사람들이 있는 곳에서 허벅지 안쪽을 쓰다듬는 손길은 대담하죠. 누가 볼까 봐 두려워서 아드레날린이 솟구칩니다. 평범한 성적 행위가 위험천만하고 짜릿한 일로 변신합니다.

하지만 문제가 있죠. 공공장소에서 성행위는 불법입니다. 하지만 동네 술집이나 기차 안에서 옷을 벗을 건 아니잖아요. 상황을 신중하게 파악하고 옷은 되도록 많이 입고 있도록 하고 소품을 이용해 가리세요. 담요, 가운, 전략적으로

배치된 파라솔이나 비치백, 텐트, 나무, 자동차 등 발칙한 죄를 감춰주는 것들이 많죠.

섹스하기 편리한 옷차림은 하늘거리는 치마에 노팬티입니다. 둘 이외에 누군가의 접근신호를 미리 정해놓고 빠져나갈 방법도 미리 생각해두세요. 뭐라고 변명할 지도요. 만약 걸릴 때 완전한 굴욕이거나 악몽이 된다면 애초에 하지 마세요. 삽입 섹스까지 다 하는 게 가장 위험해요. 너무 위험하다면 전희를 즐기고 나중에 둘만 있을 때 섹스까지 끝내세요. 그나마 덜 위험한 공공장소는 집 마당, 발코니, 자동차 안, 옥상, 보트, 호텔 발코니, 수영장, 사람이 잘 지나다니지 않는 계단, 이용하는 사람이 별로 없는 잠금장치 달린 공중화장실 등입니다.

### 온도 놀이

영국 남녀의 41퍼센트가 온도 놀이temperature play에 빠져 있다고 합니다. 성질이 다른 무언가일수록 더욱더 강렬하게 느껴진다는 법칙을 이용하는 놀이죠.

성적인 측면에서는 아니지만 뜨거운 사우나에서 곧바로 얼음물에 뛰어든 적이 있다면 온도 놀이의 효과를 경험해본 것입니다. 온도 놀이는 아주 오래된 방식이지만(80년대 영화 〈나인 하프 위크〉에서도 미키 루크가 킴 베이싱어의 몸을 얼음으로 문지르는 장면이 나오죠?) 여자들에게 인기가 많답니다.

왜냐고요? 쉬우면서도 에로틱하니까요. 특히 젖꼭지가 가장 인기 있는 표적 부위에요. 유리 소재의 섹스 토이(특히 딜도) 매출이 올라가는 것도 또 다른 이유죠. 이 섹스 토이는 예뻐서 여성들이 좋아합니다.

유리는 열을 가하거나 차갑게 해서 성감대를 문지르기에 좋은 소재이기도 하고요. 온도 놀이는 힘의 관계가 작용하는 놀이기도 하죠. 뜻밖의 즐거움을 위해 한 사람은 눈을 가리고 또 한 사람이 놀이를 주도할 수 있으니까요.

### 전기자극

만약 기분을 좋게 해준다거나 골반기저근을 조이는 데 도움이 된다면 성기에 전류를 흘려보낼 수 있겠어요? 많은 여자가 하고 있습니다. 전기 섹스 장난감으로 실험해보는 거죠. 미국의 대표적인 섹스 토이 업체에 따르면 2017년 상반기에 전기 섹스 토이 판매량이 100퍼센트 이상 증가했습니다.

'전기 섹스'는 안전한 양의 전기 에너지로 성기와 성감대를 자극하는 방법입니다. (우리 몸은 대부분 물로 이루어져 있어서 훌륭한 전도체입니다) 섹스 토이 혹은 열전도 패드를 (성기 등) 신체 부위에 놓고 신경 세포를 통해 전기가 흐르도록 합니다. 이렇게 하면 촉감에 대단히 민감해져서 따끔거리거나 찌릿한 느낌부터 근육 수축을 일으키는 강력한 자극까지 다양한 감각이 발생하죠.

이런 걸 왜 하냐고요? 기분을 좋게 해주고 파트너와 새로운 시도를 할 수 있으니까요. 게다가 전기자극은 최소한의 노력으로 골반기저근을 강화하는 탁월한 효과가 있다고 알려져 있습니다. (점점 늘어나는 열성적인 이용자들에 의하면 아주 커다란 쾌락을 느끼게 해준다고 하네요)

# 한 단계 더 높이기

### 신체 결박과 파워 게임

처음 섹스를 시작할 때 몸을 묶는 실험을 해보는 커플들이 많죠. 대부분은 좋아합니다. 하지만 나이가 들수록, 오랜 관계를 이어온 커플일수록 그런 시도를 하지 않게 되죠. 그냥 불을 끄고 정상 체위로 섹스를 하는 것보다 훨씬 더 큰 노력이 필요하기 때문이죠.

신체 결박은 귀찮아도 시도해볼 가치가 충분히 있습니다. 당신은 그게 얼마나 재미있는지 잊고 있었던 것뿐이에요! 몸이 묶인 상태에서는 긴장감이 커진다는 점이 좋죠. 상대가 언제 만지고 애태우고 핥고 삽입하고 '강제로' 굴복하게 만들지 전혀 통제할 수 없으니까요. (편하게 누워서 받기만 하는 죄책감도 자연스럽게 피할 수 있죠) 주도하는 쪽에서는 누군가를 성적으로 완전히 지배한다는 사실에서 엄청난 흥분감을 느낍니다. 솔직히 나쁠 게 없잖아요?

관심 있는 사람들을 위해 몇 가지 팁을 소개합니다.

**상대가 신체 결박에 주저한다면 먼저 이렇게 해보세요.** 섹스 도중에 상대의 손목을 잡고 머리 위로 올리거나 스스로 양손을 뒤에 대고 있으라고 합니다. 상대가 많이 긴장한다면 손을 롤 화장지로 묶으세요. 인질로 붙잡힌 느낌을 아무런 위협감 없이 경험할 수 있습니다.

일상적인 물건을 사용하세요. 양말, 스카프, 낡은 스타킹 등. 수갑 같은 것보다 훨씬 덜 위협적으로 보입니다. 처음에 해보고 좋았다면 너무 과감하지 않은 결박 소품 세트를 구매합니다. 보통 찍찍이 스타일이라 쉽고 빠르게 착용하고 벗을 수 있습니다. (저도 이런 스타일을 사용합니다)

**매듭이 움직일수록 꽉 조여지면 안 됩니다.** 손목이나 발목을 묶을 때 상대방이 불편하지 않도록 손가락이 들어갈 만큼 여유를 두고 매듭을 묶어야 합니다. 당신이나 상대방이 갑자기 공황 상태에 빠져서 "당장 풀어줘!"라고 할 수도 있으니 그럴 때를 대비해서 옆에 가위를 준비해 두세요.

**묶은 다음에는 어떻게 하냐고요?** 상대방을 애태우는 행위라면 뭐든 상관없어요. 앞에서 옷을 벗거나 진하게 키스하다가 갑자기 멈춥니다. 오럴 섹스를 해주고 절정에 이르기 직전에 멈추거나 온몸을 애무합니다. 살짝 얕게 삽입해 몇 번 왔다 갔다 합니다. 섹스 토이를 사용하다가 절정에 이르기 전에 그만둡니다.

**눈가리개도 해보세요.** 주변의 적당한 걸 사용하면 됩니다.

**니플 클램프(nipple clamp)를 써보세요.** 상대방이 젖꼭지를 꼬집어주는 걸 좋아한다면 효과적입니다.

## 스팽킹

《그레이의 50가지 그림자》시리즈의 팬인가요? 그렇다면 따로 설명하지 않아도 되겠군요. 다른 사람들을 위해 설명하자면, 적당한 강도와 올바른 타이밍에 엉덩이를 때려주는 게 기분 좋은 이유는 바로 고통과 쾌락의 연관성 때문입니다. 고통은 우리가 느낄 수 있는 가장 강력한 감각 중 하나입니다. 익숙해진다고 해서 줄어들지 않죠.

파트너의 엉덩이를 때리는 것이 모욕적이라고 생각하는 사람들도 있습니다. 아무런 말도 없이 갑자기 그런다면 당연하겠죠! 하지만 당사자가 원해서 때리는 것은 전혀 별개의 문제입니다. 파트너에게 힘을 넘겨주고 굴복한다거나 스스로 힘을 가진 사람이 될 수 있다는 것이 매력이죠. 그리고 서로 역할을 바꾸면 마법 같은 일이 일어납니다. 평소 두 사람의 관계에서 지배적이었던 사람이 굴복하고 반대로 굴복하는 쪽이었던 사람이 지배하게 되는 거죠.

어디서부터 시작할까요?

**상대가 흥분할 때까지 기다리세요.** 흥분한 상태일수록 에로틱한 고통을 시도하고 받아들일 가능성이 커집니다.

**가까운 쪽 엉덩이부터 시작하세요.** 가볍게 상대의 엉덩이를 쓰다듬으면서 간지럽게 합니다. 그다음에 한 손은 엉덩이에, 다른 한 손은 성기에 놓습니다. (손을 성기에 계속 두어도 되지만 한 번에 두 가지를 하는 게 신경 쓰인다면 성기는 가끔 만져도 됩니다)

**손목에 힘을 빼고 손을 살짝 모아 쥐세요.** 손가락을 붙이고 약간 위로 향하는 동작으로 엉덩이를 때립니다. 아래쪽으로 내리치는 것보다 더 기분이 좋습니다.

**시작은 부드럽게.** 처음에는 엉덩이를 때린다기보다는 애무에 가까워야 합니다. 때린 후 그 부위를 몇 초간 문질러주고 성기도 애무하세요.

**3~5초 정도 간격으로 하세요.** 양쪽 엉덩이가 모두 닿도록 때리세요. 살이 많은 아래쪽으로 조준하고 조금씩 강도를 늘립니다. 힘과 횟수, 위치를 조금씩 바꿔주세요.

**엉덩이를 때린 후 손을 잠깐 그대로 두세요.** 그 부위를 문지르거나 쓰다듬거나 핥아준 다음에 다시 때립니다.

**때린 후 얼음으로 식혀줍니다.** 그다음에 핥거나 문질러 뜨거움과 차가움의 대조적인 감각을 제공합니다.

### 프리 섹스

성에 관한 고정관념을 없앨 필요가 있지만 남자가 여자에게 프리 섹스를 강요한다는 고정관념도 버리세요. 레밀러는 성적 환상 연구에서 남성의 79퍼센트와 여성의 62퍼센트가 한 사람 혹은 두 사람 모두가 파트너의 동의하에 서로 정한 규칙에 따라 다른 사람과 섹스를 해도 되는 개방형 관계open relationship를 꿈꾸었다는 사실을 발견했습니다.

또한, 남성의 66퍼센트와 여성의 45퍼센트는 프리 섹스에 대한 환상이 있었죠.

프리 섹스는 전혀 새로운 게 아닙니다. 결혼만큼이나 오래되었죠. 하지만 요즘은 레드 와인을 두 잔 마신 뒤 이웃집 여자에 손만 살짝 가져가도 철창행이죠. 상상과는 전혀 다르죠. 그래서 요즘 프리 섹스를 즐기는 사람들은 거의 클럽이나 인터넷을 통해 만납니다.

당연하지만 프리 섹스에는 '사전 위험 경고'가 따릅니다. '특별한' 사람이 아니면 프리 섹스를 감당하기 어렵죠. 질투에 사로잡혀서 결국 헤어지게 되는 사람들이 대부분이니까요. 반면, 영국에서만 적어도 100만 명이 프리 섹스를 즐기는데 오히려 커플 사이를 더 돈독하게 해준다는 사람들이 많습니다.

말했듯이 프리 섹스를 좋아하는 건 남자들만이 아니에요. 먼저 제안하는 건 남자일 수 있지만 일단 경험한 뒤로 여자가 더 즐기게 되는 경우도 많습니다. 이야기가 나왔으니 짚고 넘어갑시다.

억지로 프리 섹스에 찬성하지 마세요. 싫으면 싫은 겁니다. 만약 싫다는데 파트너가 고집을 꺾지 않는다면 관계를 다시 생각해 보세요. 프리 섹스는 혼자 하는 게 아니라 둘이 하는 겁니다. 이 개념과 상황 자체에 둘 다 만족하고 거부감이 없어야만 합니다.

허용 가능한 것과 허용되지 않는 것에 대한 규칙을 정하세요. 서로가 보는 앞에서 혹은 같은 파티에서 혹은 따로 다른 사람과 섹스를 할 것인가, 두 사람 모두 다른 사람과 섹스까지 할 것인가, 전희만 하고 멈출 것인가? 동성애는 허용되는가? 그룹 섹스는? 같은 것들 말이죠.

**개방형 결혼 또는 다자간 연애**

대다수는 일부일처제에 문제가 있다는 걸 알면서도 따르죠. 하지만 다른 사람과 자유롭게 연애하는 커플들도 있습니다. 폴리아모리(다자간 연애)는 한 사람이 아닌 여러 사람과 로맨틱한 사랑을 나누는 걸 말합니다.

커플 중 한 명 혹은 둘 다 서로의 관계를 계속 이어가면서도 다른 사람과 단기 또는 장기적으로 관계를 맺는 것이죠. 서로가 전적으로 동의하고 인지하는 상태로 말이에요.

개방형 결혼은 여러 가지를 뜻할 수 있는데, 보통은 서로 정해놓은 규칙에 따라 다른 사람과 섹스해도 된다고 허락하는 부부 관계를 말합니다. 파트너가 신체적으로 불가능하거나 어떤 이유에서 섹스를 하고 싶어 하지 않아서 당신의 성적 욕구를 충족해주지 못할 경우, 다른 곳에서 충족하고 와도 된다고 찬성한다면 이것도 하나의 해결책이 될 수 있죠.

# 7 장 ,
## 발기 없이도 뜨거운
## 섹스를 즐기는 방법

지금까지 몇 장에 걸쳐서
중년 이후 여성의 뇌와 신체에
어떤 변화가 일어나는지를 살펴보았습니다.

하지만 그에게는 어떤 일이 일어나고 있을까요? 당신이 안면홍조
와 질건조증으로 고생하는 동안 그는 발기가 힘들어졌다는 사실을 받
아들이려고 애씁니다. 여기에 남녀의 큰 차이가 존재합니다.

여자들은 나이가 들면서 나타나는 무수히 많은 신체적 변화를 그
냥 묵묵히 받아들입니다. 여자들이 보기에 남자들의 발기부전은 '젖지
않는 것'과 똑같지 않습니다. 젊었을 때는 내가 '젖고' 그는 '단단해'지
는 게 흥분했다는 걸 보여주는 척도로 생각했죠. 하지만 50세가 넘으
면 여자들은 이제는 그 둘을 동일시하지 않습니다. 엄청나게 흥분했을

때도 질이 젖지 않을 수 있다는 걸 알기 때문이죠. 그냥 나이가 들어서 그런 거고 별일 아니라고 생각하죠. 윤활제를 쓰면 (적어도) 그 문제는 어느 정도 보완이 되니까요.

하지만 남자들은 그렇게 생각하지 않습니다. 별일 아닌 문제가 아니죠. 남자의 페니스가 발기되지 않는 건 단지 노화의 징후만이 아니라 심리적 대재앙이라고 뉴욕의 성치료사 스티븐 스나이더는 말합니다. 정신적으로 엄청난 좌절이 될 일이라는 거죠.

남자들이 더 이상 '서지' 않을 때 느끼는 감정을 표현할 때 이런 단어들이 사용됩니다. 고장, 굴욕, 수치심, 편집증, 고립, 우울, 무력함, 자살 충동. 매달 5만 명이 넘는 남자들이 온라인 익명 커뮤니티 프랭크 토크Frank Talk를 찾아 '세상이 무너진 것 같은' 대재앙(물렁물렁한 페니스로 삽입하려고 애쓰는 애처로움)에 대해 이야기합니다.

남자들은 늙은 페니스가 가져온 '대참사'를 마주하기보다는 섹스를 아예 하지 않는 편을 선택합니다. 수십 년 동안 발기부전ED 남성들을 치료해온 영국의 성치료사 빅토리아 레만은 말합니다. "어떤 남성들에게 발기는 '전부'입니다. 발기가 되지 않은 남성에게 손이나 입으로 하는 것이든 키스든 그 어떤 형태의 섹스든 하라고 설득하려면 시간이 정말로 오래 걸리지요. 남자들에게 섹스는 무언가에 페니스를 삽입하는 것이거든요. 하지만 현실적으로 나이가 들면 발기가 가능할지 예측할 수가 없어집니다. 그 문제를 처리하지 않는 한 성생활이 아예 끝나버리는 거죠. 부부 둘 다 포르노를 보며 자위를 하거나 아예 섹스를 하지 않게 됩니다."

---

## 왜 발기에 집착하는가?

보통 제가 섹스를 주제로 인터뷰를 할 때는 인터뷰 대상자와 꼭 무슨 이야기를 하면서 킥킥거리게 되거든요. 그런데 발기부전에 관한 농담은 절대 해서는 안 된다는 사실을 일찍 깨달았습니다.

저는 이 책을 쓰기 위해 많은 남자들에게 섹스와 노화에 대한 인터뷰를 했는데 65세 이하의 남자 중에서 '예전 같지 않아진' 페니스의 상태를 조금이라도 받아들인 사람은 단 한 명도 없었습니다. 발기 없이도 섹스가 좋을 수 있다는 사실에 모두가 강력하게 저항했죠.

"발기 없이는 절대로 섹스가 즐겁지 않을 거야." 발기가 약해지기 시작해 비아그라를 복용하기 시작한 53세의 친구 제임스가 말합니다.

"하지만 발기되지 않아도 침대에서 즐거운 시간을 보낼 수 있어." 제가 지금까지 5,000번 정도는 반복한 것 같은 대사를 읊으며 반박합니다.

"여자의 관점에서나 그렇겠지. 남자가 발기되지 않아도 여자는 오럴 섹스 같은 걸로 느낄 수 있잖아. 하지만 남자는 여자한테 오럴을 해주는 동안에도 발기가 되어야 흥분할 수 있다고. 삽입하지 않더라도 발기는 필수야. 이건 남성 우월주의적인 게 아니라 육체적인 거야. 남자는 피가 페니스로 쏠려야 흥분이 된다고."

나이가 들수록 발기 능력이 점점 약해지고 불확실해지니 50대가 넘은 남자들은 진퇴양난에 빠지는 것이나 다름없습니다.

"발기가 되지 않아도 침대에서 할 수 있는 게 많습니다. 하지만 남자들은 그렇게 생각하지 않죠." 스나이더가 《가치 있는 섹스: 오래된 연인과의 멋진 섹스》에서 말합니다.

　발기되어도 풀릴까봐 두려운 마음이 섹스를 망치는 경우도 많습니다. 스나이더는 또 이렇게 적었습니다. "발기가 유지되지 않을지도 모른다고 걱정하면서 사랑을 나누는 것은 영사기가 제대로 작동할지 걱정하면서 영화를 재미없게 보는 것과 같다. 결국은 그 극장에 다시 가고 싶지 않아진다. 발기에 대한 걱정은 남자들이 섹스를 피하는 가장 흔한 이유일 것이다. 발기한다고 섹스를 즐길 수 있다는 보장은 없다. 하지만 발기가 안 된다면 그가 그 경험을 좋게 기억할 가능성은 거의 없다."

　예전 같지 않은 페니스가 남자들에게 얼마나 절망적인지 이해하는 것은 50대 이후에 성생활을 계속하고 또 즐기기 위해서 무척 중요합니다. 이 사실을 마음 깊이 새기세요. 제대로 작동하지 않는 페니스는 남자들을 공포에 떨게 합니다.

## 왜 남자는 섹스를 두려워하는가?

남자들의 불안감이 커지는 이유는 포르노가 보내는 메시지와도 분명 연관이 있습니다. 포르노에 나오는 남자들은 뭔가 섹시한 걸 보자마자 곧바로 발기되고 페니스도 손목만큼이나 두껍고 단단하죠. 하지만 "포르노와 비아그라가 이중으로 던지는 메시지는 설득력 있고 위험하다"라고 미국의 성치료사 이안 커너는 《그 여자의 섹스》에서 말합니다.

커너는 남성들의 불안감이 증가하는 이유는 제약 산업이 (비아그라 같은) 발기 자극제로 남성을(젊거나 늙거나 모두) 겨냥하고 "페니스와 삽입 중심의 섹스를 강조하는 메시지가 담긴 마케팅을 마구 쏟아내 성적 불안을 이용하고 방관자화를 초래하기 때문"이라고 봅니다. 방관자화는 섹스하는 도중에 자신의 행위를 계속 평가하는 것을 말합니다. 이것이 남성의 성 기능 장애의 주요 원인이라고 보는 치료사들도 있죠.

### "또 안 되면..." 불안이 발기부전을 키워요

특별한 신체적 결함이 없는데 발기부전에 빠지기도 합니다. 많은 경우 수행불안(performance anxiety) 때문이죠. 특정한 일을 수행할 때 실패가 두려워 긴장 상태에 빠지면 불안감에 가슴이 뛰고 경직되는 등 신체기능을 뜻대로 조절할 수 없게 됩니다. 그러다 보니 평소 실력을 발휘 못하고 일을 망치게 되죠. 조루나 발기부전 등 성기능장애 환자 중에는 이러한 수행불안을 겪는 경우가 많아요.

수행불안은 누가 지켜본다고 생각하면 더 심해지는데 성행위가 그렇게 느껴질 수 있어요. 침대는 자신의 능력을 보여줘야 할 부담스러운 무대이고, 상대 여성은 자신을 평가하는 관객인 셈이죠. 즐거워야 할 성행위를 두고 여성을 만족시켜야 하는 임무라고 느끼면 성기능은 더 저하되고요. 50대 이후 남성 중에는 어떤 신체적 원인으로 처음 발기에 실패한 뒤 수행불안으로 인한 심인성 발기부전이 겹치기도 합니다. 이런 경우 발기부전이 더 악화될 수 있죠.

수행불안은 단순히 격려와 용기를 가지란 말로 바뀌지 않습니다. 심리치료나 항불안제를 쓰기도 하지만, 자율신경계 등 신체화 기전을 개선시켜야 실제 발기가 안정적이 될 수 있어요. 심지어 발기약을 먹으면 자신감이 생길 거라 생각하기도 하는데 발기약은 불안을 줄이는 심리치료제가 아닙니다. 발기약 자체가 발기부전의 원인을 고칠 수 없는 거죠.

제대로 개선하려면 수행불안부터 혈관·호르몬·신경 등 갖가지 신체적 원인을 두루 다뤄야 합니다. 성기능 장애를 신체적인지, 심리적인지 이분법적으로만 생각하지 말고 종합적으로 바라봐야 하는 거죠.

커너는 비아그라 같은 약물이 나오기 전에는 커플들이 친밀감 형성 기법, 에로틱한 창의성과 소통을 통해 발기부전 문제를 다루었다고 설명합니다. "과거에 남성들은 발기부전을 전체론적으로 다루었다. 하지만 지금은 작은 파란 알약이 문제를 해결한다. 하지만 어떻게 보면 순전히 생리적인 방법이다. 전에 남자들은 페니스에만 집중하지 않고 페니스 이상의 것으로 사랑을 나누도록 장려되었다. 그런 욕망을 쌓는 기법들이 항상 일관적으로 발기되는 결과를 가져다주진 못했지만, 대개 남녀의 친밀감이 커지고 관계가 더욱더 돈독해지고 욕망이 강해지고 여성의 오르가즘도 늘어나는 결과를 가져다주었다."

## 비아그라는 남자들의 생각처럼 '구원자'가 아닐 수도 있다

성의학 전문가들은 비아그라의 사용이 나쁜 습관을 강화하고 나쁜 성을 장려한다는 사실을 잘 알고 있습니다. 우선, 딱딱한 발기가 꼭 여성들이 원하는 것은 아닙니다. "제약회사들은 남성들에게만 초점을 맞춘다. 발기한 남성과 같이 있는 3,000만 여성들의 의견은 알아보지 않는다"라고 커너는 설명합니다.

발기부전을 치료하는 PDE5 억제제를 사용하는 것은 자연을 거스르는 일이기도 합니다. 여성의 질 내벽이 얇아지고 점점 예민해지는 것처럼 남성의 발기도 약해집니다. 궁합이 잘 맞지요. 하지만 나이든 질에 강철처럼 단단하게 발기한 페니스는 맞지 않습니다. 비아그라를 먹고 갑자기 젊은이처럼 단단하게 발기된 그는 당연히 너무 기쁘겠죠. 하지만 그의 아내는 그렇지 않을 겁니다. 아플 테니까요. 어떤 남자들은 다시 단단해진 페니스를 꼭 써봐야 한다는 결심이 확고해서 아내가 거부하면 밖에서라도 써보고 옵니다.

빅토리아 레만은 비아그라가 유용하다고 믿습니다. "물렁물렁한 페니스를 끼워 넣는 것보다 단단한 페니스로 미끄러지듯 한 번에 삽입하는 게 더 쉬울 수도 있다." 그녀가 실용성의 측면에서 말합니다. "하지만 반드시 윤활제를 사용하고 질에 시험을 해봐야 한다. 안쪽을 먼저 마사지해 그녀가 준비되었는지 확인해야 한다."

비아그라 같은 PDE5 억제제에 대한 스나이더의 견해는 그것을 복용하는 것이 남자들에게 '자비 행위'가 될 수 있다는 겁니다. "비아그라는 항상 효과가 있는 것이 아니다. 특히 발기 문제나 정서적 문제가 심각한 상태일수록 그렇다." 하지만 발기부전 치료제는 많은 커플이 에로 틱한 방향으로 나아가는 것을 더 쉽게 해줍니다. "어쩌면 미래에는 중년 남자가 발기 걱정 없이 섹스를 즐길 수 있게 기술이 발달할지도 모르지만 그럴 가능성은 커 보이지 않는다."

아, 알아두어야 할 게 또 있습니다. 발기가 그녀를 원한다는 '증거'이고 발기하지 않으면 그녀에 대한 모욕이라고 굳게 믿는 남자들이 많다는 겁니다. 두 사람의 성생활뿐 아니라 관계 자체가 위태롭다고 생각하는 거죠. 불쌍한 남자들! 물렁물렁하고 힘없는 페니스가 왜 남자들을 공포에 떨게 하는지 이제 잘 알겠죠?

## 발기약이 게으름병을 만들면 안 돼요

요즘 남성들은 게을러요. 발기유발제라는 문명의 혜택을 믿고 건강관리를 등한시합니다. '뭐, 좀 안 되면 약 먹고 하면 되지'란 생각인 거죠. 출처불명의 발기유발제를 선물로 주고받기도 하죠. 발기부전은 엄연히 심리적이거나 신체적으로 뭔가 문제가 있고 이를 돌봐달라는 몸의 적신호입니다. 이런 적신호의 원인은 무시하고, 무작정 발기유발제에만 의존하는 것은 한마디로 '게으름병'입니다.

약에 의존한 기간 동안 치료되지 못한 원인 문제는 점점 나빠질 수 있어요. 발기유발제를 먹고 성기능이 개선됐다고 발기부전이 치료됐다고 생각하면 안 되는 거죠. 자연발기는 점점 더 어려워지고 마는 겁니다.

높은 치료성과를 위해선 성기능에 관련된 정신과·비뇨기과·산부인과·내분비내과·부부치료 등 여러 임상 분야를 통합한 성의학 지식을 갖춰야 합니다. 안타깝게도 일부 의료진도 '게으름병'에 빠져 이런 지식을 배우고 치료법을 실행하길 귀찮아하죠. 전문가라면 "우선 발기약부터 처방해 주겠다"고 하기보단 "원인을 찾아 고쳐보고 부족하면 약이나 주사의 도움을 받자"고 해야겠지요. 질병의 치료원칙은 원인치료며, 발기부전도 마찬가지입니다. 원인치료에 게을러지면 더 큰 대가를 치러야 해요.

## 발기한 페니스는 정말 욕망의 '증거'일까?

그가 발기되지 않아서 기분이 나빴는지 물어보니 여자들의 답은 다음과 같았습니다.

- "그이가 이제 거의 60세인데 문제가 생기는 게 당연하죠. 내가 문제가 아니라."
- "조금 실망한 적은 있어도 불쾌했던 적은 없어요."
- "오히려 너무 기쁘죠. 요즘은 삽입하지 않는 섹스가 더 좋거든요. 아프지도 않고 요로감염 걸릴 일도 없고요."
- "전혀 불안하지 않아요. 내 매력을 그의 발기 문제와 연관 짓지 않으니까."

더 젊은 여성이라면 그가 자신의 알몸을 보는 순간 발딱 서지 않으면 자신의 '섹시함'에 의문을 가질 수도 있겠죠. 하지만 나이든 여성들은 지극히 현실적이라 그런 걱정에 빠지지 않습니다. 아까 말한 친구 제임스와의 인터뷰에서 와인 두 잔이 들어간 후 이 얘기를 해줬죠. 남자가 발기하지 않으면 자신을 원하지 않는다고 생각하느냐는 질문에 여자들의 반응이 어떤지 말이에요. 놀라서 눈이 휘둥그레지더군요. 믿기지 않는 눈치였어요.

"만약 와이프가 견디기 힘들어서 삽입 섹스를 할 수 없다면 그래도 발기가 중요할까?" 제가 물었죠.

"이번에는 이해하겠지?"

"발기가 꼭 삽입을 위해 필요한 게 아니라니까 그러네."

그는 그렇게 이해가 안 되냐는 듯 노여운 말투였죠.

"발기는 여자에 대한 남자의 욕망이 육체적으로 표현되는 거야. 그걸 보고 여자는 남자가 자길 원한다는 걸 느낄 수 있어. 남자가 자신에게 성적 매력을 느낀다는 걸 아는 게 여자들한테 정말 중요하거든."

여자들이 자신이 욕망의 대상이라는 걸 느낄 필요가 있다는 말은 맞아요. 하지만 여자는 남자가 자신을 욕망하는지 아닌지를 알기 위해 꼭 발기된 페니스가 '증거'로 필요하지 않다는 사실을 제임스는 이해하지 못하고 있습니다. 나를 바라보는 그의 눈빛, 부푼 입술, 나를 만지고 핥는 모습에서 다 느껴지죠.

동성애자 남녀를 비롯한 성 소수자들은 이성애자들만큼 발기에 집착하지 않는 것 같습니다. 스나이더는 말합니다. "대부분의 이성애자 커플은 삽입 섹스야말로 유일한 '어른의' 섹스라고 생각하기 때문에 어떤 이유에서든 삽입 섹스를 제대로 하지 못하게 되면 패배자가 된 것처럼 느낀다." 이성애자가 아닌 커플에게 삽입은 가장 중요한 핵심이 아니라 '없으면 말고' 식의 것인 듯합니다. 참 분별 있는 태도죠.

# 발기 문제의 원인

경이롭고 인상적이긴 하지만 발기란 사실 음경에 피가 잔뜩 쏠린 상태일 뿐입니다. 혈류가 음경 안에 있는 두 개의 방으로 들어가 단단해져서 발기가 일어나는 것이죠. 발기에 문제가 있다는 건 대부분 혈류 때문입니다.

안타깝게도 발기에 영향을 끼칠 수 있는 요인은 무척 많습니다. 당뇨나, 심장질환, 고혈압 같은 여러 질환도 문제가 되고 비만도 그렇고요.

낮은 테스토스테론 수치도 성욕과 발기에 영향을 주죠. 흡연과 음주를 즐기고 운동을 하지 않고 포화 지방을 많이 섭취하고 수면을 제대로 취하지 않는 등 생활방식이 건강하지 못한 남자는 50세가 넘으면 100퍼센트 발기에 문제가 생깁니다.

거기에 불안과 스트레스까지 더해지면 상황이 더 악화되죠. 심한 스트레스, 부부 불화, 업무 걱정, 피로, 우울증, 트라우마 등도 전부 그의 페니스의 기능에 영향을 미칩니다. 싸우거나 도망가거나 본능을 자극하는 불안이 다 그렇습니다. 자기방어나 탈출을 위해 혈류가 페니스에서 팔다리로 몰리기 때문이죠.

발기 문제는 페니스가 발기 도중에 혈류를 가두지 못해서 생기기도 합니다. 나이와 상관없이 생길 수 있는 일이죠. 골반 부위의 질환이나 부상, 수술도 페니스의 신경에 손상을 일으키고 골반 근처에서 발생하는 암의 치료가 성기능에 영향을 줄 수 있습니다. 전립선암, 직장암, 방광암은 대개 발기부전증을 수반하죠. 발기 시 페니스가 휘는 페이로니병도 발기에 영향을 미칠 수 있습니다. 전립선이 비대해지는 전립선비대증BPH도 배뇨와 발기에 문제를 일으킵니다.

발기 이상은 더 심각한 질환의 증상일 수도 있으므로 갑자기 변화가 나타났다면 반드시 병원에 가봐야 합니다.

## 노화로 인한 발기 변화와 발기부전의 차이

발기부전은 50~70세 남성의 절반 이상에 영향을 미치는 것으로 추정됩니다. 그러나 중년의 발기 변화는 대부분 발기부전이 아니라 '발기 불만족'이지요. 발기되기까지 더 오래 걸리고 예전만큼 단단하지도 않고 불확실해진다는 뜻입니다. 손이나 입으로 자극을 해줘야만 발기가 되기도 하고요. 이건 기능 장애가 아니라 노화에 따른 정상적이고 필연적인 결과입니다.

발기부전의 '제대로 된' 정의는 실제 성행위에서 어떤 이유로든 실패하는 현상을 말합니다. 술이나 발기를 억제하는 약물(기분전환약제나 항우울제, 아편 같은 처방 약들)을 복용하지도 않았는데 말이죠. 발기 실패율이 50퍼센트 이상이라면 임상적으로 발기부전이라고 진단할 수 있을 겁니다. 여기에서는 그냥 간단하게 발기 불만족까지 발기부전에 포함하겠지만 이 둘이 엄연히 다르다는 사실이 남자들에게 좀 위안이 될지 모르겠네요.

발기부전의 가장 큰 문제는 나이에 상관없이 남자들의 생각이 바로 발기부전을 일으킨다는 겁니다. 어쩌다 한 번 발기가 잘 안 되면 다음에 또 그러면 어쩌나 불안해지죠. 머지않아 몇 번 '실패'하고 나면 발기부전이 계속 반복되는 사이클이 만들어집니다. 걱정하면 할수록 다음에도 또 그럴 가능성이 커지죠. 앞에서 언급한 수행불안입니다.

그렇다면 원인이 신체적인지 심리적인지 어떻게 알 수 있을까요? 이를 확인하는 간단한 방법은 자는 도중에(특별한 걱정에 시달리고 있지 않을 때) 발기가 되는지 확인하는 겁니다.

전통적인 발기 검사법은 여러 장이 연결된 우표를 페니스 기저부에 빙 둘러 붙인 상태로 자고 일어나는 거예요. 일어났을 때 우표가 찢어져 있으면 수면 발기가 정상적으로 일어난 것이니 신체적인 원인이 아니겠죠. 하지만 이 방법에는 여러모로 문제가 많았죠. 끝부분을 붙인 우표가 떨어질 수도 있고 깜빡하고 그 상태로 밤중에 소변을 볼 수도 있고……. 게다가 요즘 우표를 가지고 있는 사람이 어디 있나요?

더 간단한 방법은 아침에 일어났을 때 발기가 되어 있는지 혹은 자위할 때 발기가 되는지를 보는 것입니다. 이때 발기가 된다면 신체적인 원인이 주는 아닐 수 있습니다. 그리고 그가 혼자 있을 땐 발기가 잘 되어도 기분 나쁘게 생각하지 마세요. 단순히 불안감이 적어서 그런 거니까요.

발기 이상의 원인이 무엇인지 단서를 많이 찾을수록 좋습니다. 정말로 문제라고 생각된다면 해결 방법을 결정하는 데 도움이 될 테니까요. 하지만 사실 발기하지 않아도 절정에 이를 수 있습니다. 발기와 오르가즘을 담당하는 신경이 여러 부분에 있습니다. 단단하지 않거나 축 처진 페니스도 돌처럼 단단한 페니스만큼 강렬한 오르가즘을 만들어 낼 수 있어요.

### 그와 발기 문제에 관해 이야기하는 방법

성에 관한 대화는 충분히 두려울 수 있습니다. 하지만 처음 몇 분 동안의 어색한 시간만 잘 넘기면 생각보다 훨씬 쉽다는 걸 깨달을 겁니다. 드디어 털어놓을 수 있어서 속이 시원하기도 할 거고요.

- **두 사람 모두에게 편안한 시간과 장소를 선택하세요.** 밤에 술 한잔하거나 함께 저녁 식사를 준비할 때가 될 수 있겠죠. 방해물이 없는지 꼭 미리 확인하세요. 간단히 이런 식으로 이야기를 꺼내 보세요. "우리 요즘 예전처럼 자주 안 하는 거 알지? 그때가 그립다. 이유가 뭐라고 생각해? 얘기 좀 할까?"

- **그의 관점에서 생각하세요.** 만약 그가 평소 감정 표현을 잘 하지 않는 편이라면 섹스는 아마도 그가 당신에게 사랑을 표현하는 방법이었을 거예요. 그런데 섹스

를 하고 있지 않다면 그도 걱정이 될 겁니다. 당신이 자신을 사랑하지 않거나 바람을 피우거나 뒤에서 비웃진 않을까 걱정할지 몰라요. 그의 불안감이 커질수록 발기 문제도 악화됩니다. 섹스를 피하고 혼자 해결하고 있을 수도 있어요. 그렇다고 당신을 원하지 않거나 사랑하지 않는다는 뜻은 아닙니다. 너무 부끄러워서 상황을 사실대로 알리지 못할 뿐이죠.

- **제대로 말할 수 있도록 할 말을 미리 적어보세요.** '2인칭'이 아닌 '1인칭'으로 말합니다. '당신 때문에 매력 없는 여자가 된 것 같아. 당신이 섹스를 원하지 않으니까'가 아니라 '난 걱정돼. 당신이 섹스를 원하지 않으니까 나한테 매력을 느끼지 못하는 건 아닌지'라고 말하세요. 혼자 있을 때 말하는 연습을 해보세요. 그가 듣고 어떻게 반응할까요? 배려를 담아 요령 있게 표현되었나요?

- **사랑한다고 말하고 그와의 섹스가 그립고 섹스를 하지 않게 된 이유에 대해 이야기해보고 싶다고 하세요.** 그가 화를 내거나 방어적인 태도를 보일 수 있지만 침착하세요. 항상 하고 싶은 건 아니고 그도 그렇지 않으냐고 물어보세요. 40세 이상 남자의 절반이 발기 문제를 겪는다더라고 말하면서 그도 그래서 섹스를 피하는 것인지 물어보세요.

- **모든 남자가 겪는 정상적인 현상이라고 안심시켜주세요.** 그가 발기하지 않더라도 섹스를 즐길 수 있다는 말로 압박감을 풀어주세요. 하지만 건강에 이상이 있을 수도 있으니 병원에 꼭 가봐야 한다고 격려해주세요. 같이 가주겠다고 하세요.

- **문제가 아니라 해결책에 집중하세요.** 이 장을 함께 읽으면서 화두를 찾아보세요.

- **그가 말하기를 거부한다면 곧바로 그만두고 "나중에 내키면 언제든지 말해줘"라고 합니다.** 며칠 후에 다시 이야기를 꺼내 보세요. 그가 아주 조금이라도 마음을 열 수 있게 격려해주세요. 거의 모든 남자가 파트너와의 대화 이후 마음이 훨씬 편해지고 해결책을 찾을 준비가 되었다고 말합니다.

# 발기부전 치료

대부분의 남자는 발기부전 치료를 받는 걸 수치스럽게 여깁니다. 남자는 항상 성욕이 넘치고 언제든 섹스할 준비가 되어야 한다고 생각하죠. 그게 불가능해지면 남자는 무력해집니다. 하지만 발기부전 치료법이 많이 있고 발기 능력을 크게 개선해주는 것들도 많습니다. 바로 다음과 같은 것들이에요.

**생활방식의 변화.** 운동은 혈류를 유지해주고 동맥에서 혈류의 건강에 중요한 산화질소가 생성되도록 합니다. 혈류량이 증가함에 따라 혈관 내 내피세포에서 산화질소가 많이 생성되어 발기를 돕고 신경 말단이 페니스를 자극하죠.

건강한 식단으로 바꾸는 것이 도움이 됩니다. 건강하지 못한 식단은 심장질환과 동맥경화 위험을 높이고 콜레스테롤 수치도 올라갑니다. 모두 페니스에 혈류가 제대로 모이지 못하게 하죠. 담배를 끊고 살을 빼고 술을 줄이면 발기가 개선될 겁니다. 스트레스도 줄여야 하고요. 불안은 성욕을 떨어뜨릴 수 있죠. 그리고 항우울제를 복용하면 더 심해지죠.

**테스토스테론 보충제.** 테스토스테론 수치 검사를 꼭 받아보라고 하세요. 수치가 낮으면 보통 테스토스테론 젤(혹은 비슷한 제품)을 추천할 겁니다. 몇 주 안에 성욕이 많이 늘어날 겁니다. 발기의 질에도 영향을 줄 수 있습니다.

**상담.** 발기부전의 원인이 스트레스, 우울증, 불안 같은 심리적이라면 '상담' 치료가 매우 효과적일 수 있습니다. 개인 혹은 부부 상담을 다른 치료법과 병행하면 훨씬 효과가 좋습니다.

**경구용 치료제(PDE5 억제제가 들어 있는 비아그라, 레비트라, 시알리스, 스텐드라 또는 스패드라(아바나필)).** 비아그라 같은 경구용 치료제는 페니스에 혈액을 공급하는 혈관을 이완시켜 혈액이 자유롭게 흘러 들어가 발기가 되게 해줍니다. 남성의 3분의 2에 효과적이지만 (가장 인기 있는) 비아그라의 경우 48퍼센트가 적어도 한 가지 부작용을 겪는다고 알려졌습니다.

비아그라는 복용 후 30분~1시간 정도 후에 효과가 나타나고 공복에 복용할 때 가장 효과가 좋습니다. 효과는 4~6시간 정도 지속됩니다. 레비트라도 4~6시간 정도 효과가 있는데 음식이나 술의 영향을 덜 받습니다. 섹스하기 전에 식사를 하거나 술을 마실 때 좋죠. 시알리스는 비아그라나 레비트라보다 효과가 훨씬 더 오래가서(최대 36시간) 즉흥적인 섹스에 더 도움이 되죠. 단점은 부작용도 더 오래 이어질 수 있다는 겁니다. 시알리스는 음식의 영향을 받지 않지만 알코올을 섭취하면 효과가 줄어듭니다. 스텐드라와 스페드라는 가장 최근에 나온 발기부전 치료제인데 15분 안에 효과가 나타납니다. 발기부전 치료제를 이용하기 전에 반드시 현재 복용하고 있는 약과 함께 섭취했을 때 부작용은 없는지 의사에게 상담해야 합니다. 종합 건강 검진도 받고요.

어떤 약이 그에게 잘 맞을까요? 전부 다 사용해보기 전까지는 알 수 없죠. 영국에서는 이 약들을 전부 온라인이나 약국에서 안전하게 살 수 있는데요, 그럴 수 없는 국가에 산다면 병원에서 처방전을 받아야 합니다. 잘 알지도 못하는 사이트에서 인터넷으로 살 생각은 절대 하지도 마세요. 출처가 확실하지 않으면 안에 뭐가 들어 있는지도 믿을 수 없습니다. 안에 위험한 물질을 넣을 수도 있어요.

모든 경구용 치료제의 부작용은 비슷비슷합니다. 두통, 안면홍조(어떤 남성은 얼굴 전체가 빨갛게 되어버려서 보는 사람마다 한마디씩 한다고 하더군요), 졸림, 코막힘과 근육통 등. 다만, 앞서 강박사가 언급한 대로 발기약이나 발기주사는 인공발기를 도와줄 뿐 이런 처방이 자연발기로 원인치료가 되는 것은 아니라는 점을 명심하세요.


**진공 또는 페니스 펌프.** 이건 밀폐된 플라스틱 실린더인데요, 페니스에 끼워 공기를 빼내면 페니스 해면체에 혈액이 차서 발기가 이루어지게 됩니다. 그때 페니스 링을 끼워 혈액을 가둬도 되죠. 비뇨기과 케어 재단Urology Care Foundation은 훈련을 통해 남성 100명 중 75명은 이 방법으로 인공발기에 도움을 받는다고 말합니다. 하지만 번거롭다고 생각하는 부부가 많죠.


**주사제.** 경구용 치료제를 사용할 수 없거나 효과가 없다면 주사제를 시도해볼 수 있습니다. 페니스에 주사를 놓는다니 놀라서 펄쩍 뛰는 남자들이 많지만 직접 해본 남자들의 말에 의하면 거의 아프지 않다고 해요. 비싸긴 하지만요. 이 방식의 인공발기 성공률은 85퍼센트나 됩니다.

**음경 보형물 수술.** 발기부전이 신체적인 이유 때문이라면 효과가 좋은 방법입니다. 보형물을 이식하는 방법에는 두 종류가 있습니다. 반강체semi-rigid 실린더는 삽입이 가능할 만큼 페니스를 단단하게 만들어주는데, 옷을 입고 있을 때 발기를 숨길 수 있을 만큼 유연합니다. 영구적이라 발기 상태가 바뀌지 않습니다. 계속 그 상태지요. 팽창식 임플란트는 (대개 음낭이나 하복부에서) 펌프를 눌러 필요할 때마다 보형물을 채우는 방식입니다. 좀 더 제어할 수 있고 발기가 자연스럽죠.

### 비아그라에 대한 여자들의 생각

남자들은 작은 파란 알약에 완전히 푹 빠졌을지 모르지만 여자들의 반응은 엇갈립니다. "비아그라 때문에 섹스가 더 번거로워졌어요." 59세의 여성은 말합니다. "이제 하루를 꼬박 써야 하죠. 예전에는 밖에서 점심 먹고 술 한 잔 하고 돌아와 섹스를 했지만 이젠 그렇게 못해요. 비아그라는 술을 너무 많이 마시면 효과가 없거든요. 맛있는 것도 못 먹어요. 공복에 효과가 더 나니까. 비아그라를 먹고 섹스하고 나면 그이가 정말 피곤해하고 아무것도 못 해요. 얼굴이 시뻘게져서 밖에 나가는 것도 창피해하고요. 20분 동안 발기하려고 이 수고를 한다니까요! 약 20분 동안 똑바로 서요! 차라리 그냥 발기되지 않은 상태로 편하고 느긋하게 섹스를 즐기고 싶어요."

많은 남자가 비아그라를 유일한 해결책으로 봅니다. 그래서 비아그라가 듣지 않으면 섹스를 완전히 포기해버립니다. 다른 방법은 시도해보려고도 하지 않아요. 한 여성은 말합니다. "제 파트너는 비아그라가 있어야 발기가 되는데 비아그라를 먹으면 나중에 끔찍한 두통에 시달려요. 다른 약은 시도해보려고 하지도 않아요. 의사가 다른 약은 비아그라만큼 효과가 없다고 했거든요.

비아그라가 효과 없으면 방법이 전혀 없는 거라면서 다른 대안을 찾아보려고 하지 않아요. 그나마 일 년에 한두 번이라도 섹스를 했는데 이젠 아예 안 해요. 섹스 분위기로 이어질까 봐 두려운지 이젠 애정 표현도 안 해요. 전 아직 53세이고 아직은 계속 섹스를 즐기고 싶거든요. 한눈파는 일은 절대로 없겠지만 지금 상황이 좀 슬프네요. 차라리 비아그라가 발명되지 않았다면 남편이 이 문제를 좀 더 제대로 해결하려고 했을 텐데."

많은 여성이 비아그라를 먹으면 너무 단단하게 발기된다면서 그렇지 않아도 아픈 삽입 섹스가 더 부담스러워졌다고 말했습니다.

하지만 비아그라가 성생활의 구세주라고 말하는 사람들도 있습니다. 현실적으로 남자들은 발기되지 않은 상태로 하는 섹스를 생각조차 하지 않는데 비아그라는 60~70퍼센트의 남성들이 발기되도록 해줍니다. 한 여성은 말합니다. "그는 발기가 되지 않는 순간 섹스에 대한 태도가 완전히 바뀌었어요. '해서 뭐해?'라는 식으로요. 내가 섹스를 포기하고 싶은지는 관심도 없더군요! 2년째 섹스를 하지 않았는데 어느 날 남편이 열정적으로 키스하는 거예요. 발기된 게 느껴졌죠. 혹시 비아그라 먹었느냐고 물었더니 괜히 분위기 '깨지' 말래요. 그래서 더 안 물었어요. 비아그라 덕분에 남편이 다시 섹스에 관심이 생겨서 기쁠 뿐이에요."

또 이런 의견들이 있었어요. "비아그라 덕분에 그가 편안해졌어요.", "자신감이 커졌어요.", "젊은 시절의 그로 돌아간 것 같아요."

모든 사람이 다르고 모든 커플이 다릅니다. 제 경험상 제일 먼저 비아그라 같은 발기부전 치료제를 시도해보고 다른 방법을 알아보는 커플이 대부분입니다. 알약을 먹는 간단한 방법으로 모든 문제가 해결되기를 바라는 마음이 크기 때문이죠.

# 페니스 위주 이외의 섹스를 즐기는 방법

나이가 들면 많은 남자들이 발기부전을 일으키는데 아이러니하게도 나이든 사람들이 젊은 사람들보다 성생활 만족도가 더 높은 경우가 많습니다.

만약 남자들이 삽입에 집중하지 않는 섹스를 편안하게 받아들인다면 전희를 즐기는 법을 배울 수 있을 겁니다. 흥분하는 데 예전보다 시간이 오래 걸리기 때문에—발기가 될 수도 있고 안 될 수도 있고요—여자들을 즐겁게 해주는 데 더 정성을 쏟게 되죠. 그러면 당연히 섹스 만족도가 높아질 수밖에 없습니다. 두 사람 모두를 위해 좋은 일이지만 특히 여성에게는 더 그렇죠. 왜냐하면, 우리는 삽입이 아니라 클리토리스 자극을 통해 오르가즘을 느끼니까요.

지금쯤 다들 잘 알겠지만 다시 한 번 강조할 필요가 있겠군요. 여성의 70~80퍼센트가 삽입만으로는 오르가즘을 느끼지 못합니다. 여자들에게 삽입은 섹스에서 가장 흥미롭지 않은 부분인 경우가 많아요. 남자들은 발기에 이상이 생기면 기겁하지만 그가 어떻게든 현실을 받아들인다면 여자들에게는 오히려 좋은 일이죠.

다음은 삽입 없이 섹스를 최대한 즐기는 방법입니다.

**그가 상황을 받아들이도록 도와주세요.** 이 부분만 극복하면 나머지는 쉬워요.

---

이 장의 내용을 처음부터 충실하게 읽었다면 발기가 남자들에게 얼마나 중요한지 너무도 분명하게 알았을 겁니다. 이 문제는 정말이지 신중하고 조심스럽게 접근해야만 합니다. 닭이 방금 낳은 달걀을 조심스럽게 들어 올리는 것처럼요. 이 이야기를 어떻게 꺼내면 좋은지 197쪽에서 설명합니다. 그가 편하게 말할 수 있는 분위기가 마련되어 있는 게 가장 좋아요. 어떻게 대처할지 함께 방법을 찾으세요.

당신이 이 과정에 적극적으로 참여할수록 성생활도 영향을 덜 받습니다. 그가 말하고 싶어 하지 않는다고 해도, 당신이 보기에 정상적인 현상인데 너무 과민반응한다는 생각이 들더라도 절대로 화내거나 답답해하는 모습을 보이면 안 됩니다.

많은 남성에게 발기 문제에 관해 이야기하는 것은 인생에서 손꼽을 정도로 힘든 일입니다. 설마 그 정도겠냐 싶을 겁니다. (저도 그래요) 하지만 여자들 눈에 아무리 한심해 보여도 상관없습니다. 오로지 그의 생각이 중요합니다.

**그가 섹스를 피하고 숨도록 놔두지 마세요.** 남자들은 성기능에 문제가 생겼을 때 의사를 찾기까지 보통 2~3년이 걸립니다. 파트너에게 말하지 않는 경우도 대부분입니다. 그냥 말 안 하고 섹스를 피하면 문제가 '저절로' 해결될 거라고 생각하죠. 절대 아닙니다.

**절대 발기부전이라는 말을 하지 마세요.** 미국의 성치료사 에스더 페렐은 그 단어를 싫어합니다. 그녀는 자신이 진행하는 팟캐스트 'Where Should We Begin?'에서 이렇게 말했죠. "보기 싫어요. 저는 이름표가 싫습니다. 남자한테 '넌 발기불능이야'라고 말하면 그 말로 그를 정의하게 되는 겁니다. 그는 정말로 발기불능이 됩니다. 정말 끔찍한 단어니까 절대로 입에 담지 마세요."

**페니스가 섹스의 전부는 아닙니다.** 페렐이 계속 말합니다. "발기부전은 사람을 정의할 수 없습니다. 우리는 성기뿐만 아니라 온몸을 이용해 사랑을 나눕니다. 좋은 일이죠. 성기에만 의존할 순 없으니까요." 다행히 우리에게는 손, 피부, 입, 목소리, 미소, 눈이 있습니다. 이것들은 변하지 않죠. "발기가 섹스의 초점이 되면 중요한 걸 놓쳐요. 페니스가 중요한 게 아닙니다. 감정, 연결, 피부, 만지고 말하고 노는 게 중요하죠."

**오르가즘을 다른 방법으로도 느낄 수 있다는 걸 알려주세요.** 당신이 바이브레이터나 그의 혀, 손가락 등 다른 방법으로도 얼마든지 절정에 이를 수 있다는 걸 알려주면 그도 발기에 대한 압박감이 약해질 겁니다.

**젊어지려고 하지 마세요.** 초점을 바꾸세요. 이제 중요한 건 삽입, 발기, 오르가즘이 아닙니다. 예전의 섹스에 대한 집착을 내려놓으세요. 이제부터는 새롭고 다르고 흥미진진한 섹스입니다.

**사랑이 아니라 '애정'을 나누세요.** 이 말은 마리 드 헤네젤이 《프랑스 여자의 60세 이후 섹스 가이드》에서 같이 산 지 65년이 넘는 89세, 85세 부부와 나눈 대화를 소개한 거예요. 그들은 섹스에 '사랑을 나눈다'

가 아니라 '애정을 나눈다'라는 표현을 사용합니다. 삽입하지 않고 더 느리고 더 친밀한 섹스를 뜻하는 거죠. 멋지지 않나요?

**느릿느릿 게을러지세요.** 서두르지 마세요. 옷을 벗고 진한 키스를 오래 하세요. 함께 누운 상태로 손이나 섹스 토이로 자위하는 모습을 그에게 보여주세요. 그가 하게 해도 좋아요. 기억하세요. 꼭 두 사람 모두 오르가즘을 느끼지 않아도 됩니다. 둘 다 느끼지 않아도 되고요. 압박감을 내려놓으세요.

**삽입은 쉬세요.** 스나이더는 말합니다. "삽입 목표만 내려놓아도 여러 가지 섹스 문제에 큰 도움이 된다."

**칭찬하세요.** 그의 몸 어디가 좋은지, 피부 촉감이 어떤지, 그의 손길에 어떤 기분을 느끼는지, 그가 지금 해주는 게 얼마나 좋은지. 상대가 나를 사랑하고 받아들이고 원한다는 느낌은 남자들의 성적 자존감에 큰 부분을 차지합니다.

**부정적인 면보다 긍정적인 면에 집중하세요.** 컵에 물이 반밖에 없는 게 아니라 반이나 있습니다. 나이가 들어도 섹스를 즐길 방법은 많아요. 불평하지 말고 가진 것을 깊이 음미해보세요.

## 전립선: 그의 P-스팟을 노려라

신경 말단이 가득한 항문은 남녀 모두에게 성감대가 될 수 있지만 특히 남자들이 더 그렇습니다. 전립선이 있는 곳이거든요(전립선은 남자의 G-스팟이라고도 하죠). 동성애자 남성들은 전립선 마사지가 커다란 쾌감을 준다는 사실을 오래전에 발견했죠. 요즘은 전립선을 자극해주는 섹스 토이가 빠르게 인기를 얻고 있습니다. 그의 전립선(prostate gland) 이른바 P-스팟을 자극해보세요. 새로운 시도이기도 하지만 발기를 개선해줄 수도 있습니다. 방법은 이렇습니다.

* **시간을 잘 정하세요.** 머뭇거리며 그곳을 만지던 연인의 손이 다시는 돌아오지 않았답니다. 그가 그곳을 만져주는 걸 싫어해서가 아니에요. 방금 푸짐하게 먹은 저녁 때문에 분위기가 깨질까 봐 걱정됩니다. 그 이유는 잘 생각해 보세요.

* **손가락이나 파트너의 항문에 윤활제를 바르고** 근육이 이완될 때까지 손끝으로 가장자리를 문지르는 것부터 시작하세요. 우선 검지를 살짝 넣고 직장이 그 감각에 익숙해지기를 기다리세요. (손톱은 꼭 짧게 다듬어 주세요)

* **손가락을 조금씩 계속 집어넣고** 다 들어가면 잠깐 그대로 있습니다. 직장은 뭔가가 나오는 것에 익숙하지, 들어오는 것에는 익숙하지 않아요. 환영할 만한 침입자라도 익숙해지기까지는 시간이 걸립니다.

* **안에서 7.5~10cm 정도 크기의 잘 익은 자두 같은 전립선이 느껴질 겁니다.** 나이가 들수록 커지기 때문에 찾기가 쉬울 거예요.

* **손가락을 끼운 채 '이리 와'라고 손짓하듯** 움직이거나 작게 원을 그리세요. 손가락을 질에 넣을 때처럼 뺐다 꼈다 하지 마세요. 손가락을 톡톡 두드려보세요. 안정감 있게 움직이되 너무 세게 힘주진 마세요.

- **항문을 자극하는 도중에 그의 발기가 풀려도 걱정하지 마세요.** 이안 커너는 《그여자의 섹스》에서 말합니다. "심리적인 이유와 생리적인 이유가 합쳐져 삽입 시완전 발기를 유지하지 못하는 남자들도 있다." 당신이 잘못해서가 아니니 안심하세요.

- **효과의 극대화를 위해 입이나 손으로도 해주세요.**

- **그가 좋아했나요?** 전립선 마사지용의 새로운 섹스 토이가 많이 나오니 하나 구입하세요.

# 발기를 위해 시도할 수 있는 방법

그가 발기하지 못해도 괜찮지만 노력해봐도 나쁠 건 없잖아요? 발기 가능성을 높일 몇 가지 방법이 있습니다. 단, 절대로 부담 느끼지 말고 즐기듯 시도해야 한다는 단서가 붙습니다. '제발 효과가 있기를' 절박하게 바란다면 스트레스만 받고 끔찍한 경험이 될 테니까요. 목표 따위는 잊어버리세요. 그저 새로운 시도를 즐기면서 결과가 이끄는 대로 따라가세요.

### 비아그라 같은 약을 사용할 경우

**반드시 빈속에 복용하세요.** 따라서 밤보다는 아침에 섹스하는 것이 낫습니다.

그에게 섹스하기 전에 따뜻한 물로 샤워하고 섹스 도중에는 심호흡하고 몸의 감각에 집중하라고 하세요. 발기에 신경 쓰지 말고. 이렇게 하면 불안감을 줄일 수 있습니다.

불응기는 한번 사정하여 느낀 후 다음 발기반응이 일어날 수 있는 데까지 걸리는 시간을 말하는데요, 나이가 들수록 길어집니다. 섹스하기 전 적어도 하루 동안은 자위하지 않는 게 좋습니다.

언제 섹스를 할지 미리 계획하세요. 그래야 약 먹는 시간을 관리할 수 있습니다. 나이든 남자들의 다수가 섹스하는 시간을 미리 아는 게 훨씬 편하다고 말합니다.

비아그라를 먹는다고 저절로 발기되는 게 아닙니다. 역시나 자극이 있어야만 발기가 됩니다.

자신도 챙기세요! 질에 삽입하기 전에 충분한 '준비운동'이 있어야 아프지 않다는 걸 그가 꼭 알아야 합니다. 분비기능에 문제가 있는 중년 여성이라면 윤활제를 잔뜩 바르고 그에게 천천히 삽입하라고 하세요. 질의 긴장이 풀리도록 조금씩 멈추면서 살살 삽입해야 합니다.

비아그라로 발기한 그와 섹스할 때 너무 아파서 섹스를 즐길 수 없다면 그에게 말하세요. 그가 발기한 상태에서도 삽입하지 않고 둘 다 섹스를 즐길 수 있습니다. 발기한 것만으로 남자들은 쾌락을 느끼죠. 꼭 삽입하지 않아도요.

**마지막으로, 기적을 기대하면 안 됩니다.** 그의 몸이 약에 적응하려면
시간이 걸릴 수 있습니다.

### 비아그라가 필요하지 않을 때

**스트랩 온 딜도를 써보세요.** 그가 비아그라를 먹으면 안 되거나 둘
다 비아그라는 내키지 않나요? 그렇다면 간단하고 확실하게 발기하는
방법이 있습니다. 음부에 속옷처럼 착용해서 쓰는 스트랩 온 딜도를
사보세요. (자세한 내용은 242쪽 참고)

**윤활제를 사용하세요.** 50세가 넘으면 윤활제는 섹스에 필수입니다.
호흡을 위해 산소가 필요한 것이나 마찬가지예요.

**욕망이 점점 쌓이게 하세요.** 곧바로 그의 페니스를 잡고 움직이지 말
고 함께 포르노나 섹시한 영화를 보면서 그를 먼저 흥분시키세요. 아
니면 자위하는 모습을 보여준 다음에 그의 목에 키스하고 고환을 손
으로 쥡니다. 페니스를 잡고 음낭 쪽까지 만져 더 큰 자극을 줍니다.
몇 번 반복하세요. 그의 젖꼭지도 만지고 시선도 맞추세요. 뭘 할 건지,
어떻게 할 건지 얘기도 해주고 당신이 얼마나 흥분했는지도 말하세요.
그가 당신의 손을 잡고 곧바로 손으로 해달라고하면 그의 손목을 묶으
세요. 손으로 페니스를 쓰다듬고 잡아 힘을 주세요. 그다음에 손을 위

아래로 움직입니다.

**이제 더 강한 자극을 사용할 수 있습니다.** 나이든 남자들은 대체로 아주 격렬한 자극을 좋아하죠. 자위할 때 어떻게 하는지 보여달라고 하세요. 함께 그의 페니스를 잡고 움직이면서 잘 보세요. 가장 중요한 건 그가 처음에 페니스의 어디를, 어떻게 잡는지를 잘 보고 그대로 따라 하는 겁니다. 아주 큰 차이가 있을 겁니다. (손으로 잘하는 방법은 61쪽 참고)

**여유를 가지세요.** 남자는 나이가 들수록 발기하거나 흥분하기까지 직접적인 자극이 더 많이, 더 오래 필요합니다. 편안하고 여유 있는 모습을 보여주세요. 아무 걱정 없이 그냥 누워서 당신이 해주는 대로 즐기기만 하면 된다는 믿음을 주세요.

**'스트로커'를 이용하세요.** 이 기발한 발명품에 대해서는 2장에서 이야기했죠. 보통 실리콘 소재의 부드러운 튜브 혹은 슬리브에요. 페니스에 끼우고(먼저 윤활제를 바르세요) 손을 이용해서 위아래로 움직이면 됩니다. 스트로커는 감각을 극대화해 손으로 하는 최고의 경험을 선사합니다.

**페니스 링을 사용해보세요.** 페니스 기저부에 끼우면 혈액을 가둬주어 발기 상태가 더 오래 유지됩니다. 자세한 사용 방법은 239쪽을 참고하세요.

**여러 성감대를 동시에 자극하세요.** 이중 자극은 매우 효과적입니다. 페니스를 만지면서 다른 손으로는 아랫배를 천천히 문질러 페니스 안쪽을 자극합니다. 또는 L자 모양으로 손날을 세워 그의 허벅지 상단 사이에 넣고 위로 단단하게 밀어 올리세요. 이렇게 하면 회음부와 고환 기저부에 강한 압력이 가해집니다.

**항문 자극을 추가합니다.** 손가락에 윤활제를 바르고 그의 항문에 넣거나(208쪽 전립선: 그의 P-스팟 참고) 항문 플러그를 끼운 상태로 다른 곳을 자극하세요. 전립선 마사지기(239페이지 참고) 덕분에 섹스에 다시 관심이 생긴 중년 남자들이 많습니다.

**페니스는 훌륭한 자위 도구입니다.** 그의 위에 두 다리를 벌리고 걸터앉아 윤활제 바른 음순으로 그의 페니스를 '감싸고'—딱딱하든 물렁물렁하든 상관없어요—문지르세요. 이렇게 오르가즘을 느끼는 여성들이 많습니다. 아니면 부드러운 귀두로 클리토리스를 문지르세요.

**페니스에 윤활제를 듬뿍** 바르고 당신의 가슴 사이에 끼운 상태로 그가 움직입니다.

**딜도를 사용하세요.** 딜도나 삽입 가능한 바이브레이터가 있으면(유리 소재 딜도는 예쁘고 실용적이죠) 두 사람의 부담감이 모두 줄어들 수 있어요. 발기에 의존할 필요도 없고 역할극하기도 좋습니다.

---

**발기에 집착하지 말고 재미있게 놀아보세요.** 스팽킹을 해보세요. 오랫동안 에로틱한 오럴 섹스를 즐기면서 서로의 몸을 탐닉합니다. 서로 마사지도 해주고 게임도 합니다.

**삽입 준비가 되었다면 후배위를 해보세요.** 다리를 넓게 벌리세요. 발기가 풀리면 그가 페니스를 빼 쓰다듬고 마치 부목처럼 손가락으로 아래를 받치거나 기저부를 꽉 잡아서 최대한 제어할 수 있습니다.

# 전립선암 후의 섹스

다른 질병과 마찬가지로, 전립선암은 환자에게만 영향을 주는 것이 아닙니다. 부부의 성생활과 관계에 지대한 영향을 미칠 수 있죠. 하지만 상황이 극적으로 개선되었습니다. 예전에 비뇨기과 의사들은 전립선암의 부작용을 설명할 때 성기능만 쏙 빼놓았지만 이제는 달라졌습니다. 확실한 치료법을 결정하기 전에 파트너도 함께한 자리에서 부부가 수술 후에 겪게 될 변화를 설명해주죠. 여기에는 발기부전에 대한 솔직한 논의도 포함됩니다. 일반적으로 재활치료 일부로 성적 심리 상담 치료가 제공되는데요, 도움이 되는 경우가 많습니다. 암 치료가 시작되기 전에 먼저 진행하기도 하고요.

회복 속도를 높이기 위해 할 수 있는 일이 있습니다. 외과의들은 야간에 비아그라(또는 비슷한 약)를 저용량으로 복용해 잠자는 동안 페니스에 산소를 공급하라고 권장하기도 합니다. 부드러운 스트레칭과 마사지도 도움되고 페니스 펌프로 페니스로 피가 몰렸다 빠졌다 하게 하는 방법도 좋습니다. 페니스에 혈류가 모이게 하는 것이 필수적이죠. 소변을 멈출 때 사용하는 것과 똑같은 근육에 힘을 주었다 풀었다 하는 골반기저근 운동도 좋죠. 처방된 PDE5 억제제가 맞지 않으면 다른 종류로 바꿔보면 됩니다. 인내심을 가지세요. 수술하느라 손상된 신경이 회복되기까지 최대 3년이 걸릴 수 있으니까요.

심리적으로 아주 힘들 수도 있습니다. 요실금이 삶의 질을 떨어뜨리고 발기부전도 흔히 나타나고 페니스의 길이가 줄어드는 일도 있어요. 남자들이 전립선 수술 후 당혹감과 수치심에 성생활을 아예 그만두는 것은 드문 일이 아닙니다. 신체 이미지가 크게 흔들리죠. 스스로 매력이 떨어졌다고 느낍니다. 섹스와 함께 애정 표현도 사라질 수 있습니다. 아내를 껴안았다가 아내가 더 많은 걸 기대하기라도 하면 그 기대를 충족해줄 수 없으니까 두렵지 않겠어요? 아내는 아내대로 남편이 준비되지 않았을까 봐 조심스러워서 섹스 이야기를 꺼내지 않습니다. 하지만 남편은 그게 자신이 남자 구실을 제대로 못 하기 때문이라고 오해하죠.

성격과 대처 능력에 따라 경험이 천차만별입니다. 역시나 문제에 대해 서로 솔직하게 대화하는 커플이 시련을 무사히 넘기고 새로운 섹스 방법을 협상할 수 있죠. 삽입 위주가 아닌 좀 더 부드럽지만 사랑과 친밀감이 넘치는 섹스 말이죠. 대화가 중요합니다. 발기부전 같은 민감한 주제를 꺼내는 방법은 197쪽을 참고하세요.

다음은 남편이 전립선암 수술을 받은 아내들이 해준 이야기입니다.

- "남편이 전립선암을 진단받고 수술을 하게 되었죠. 수술하기 전에 의사가 일주일 동안 여행을 가서 섹스를 최대한 많이 하라고 하더군요. 하지만 그땐 너무 충격이 커서 정신도 없고 귀에 들어오지 않더군요. 지금 생각해보면 그 말을 들을 걸 그랬어요!"

- "남편은 자기 성기를 '번데기'라고 부르면서 아주 많이 비참해해요. 이젠 크고 단단한 성기가 없다고 자신을 비웃고 인생이 끝났다고 생각하죠. 남편을 이해하려고 애쓰지만 가끔 짜증나고 한심해요. 여자들은 자궁을 떼어내도 그러지 않는데."

- "처음에 그는 무척 슬퍼했죠. 발기부전이 일시적인 게 아니고 감각이 정말 크게 줄었다는 걸 깨닫고 말이에요. 하지만 몇 년 동안 키스나 오럴 섹스, 애무 같은 것에 더 집중하면서 다시 섹스를 즐기게 되었죠. 지금 우린 괜찮아요."

- "남편은 전이 속도가 빨라서 위험했어요. 현실을 직시하게 되더군요. 남편의 목숨이 성생활보다 훨씬 더 중요했어요. 지금도 마찬가지고요. 그동안 위험했던 걸 생각하면 지금 상태로도 무척 만족해요."

216

- "그가 죽지 않을 거라는 걸 알고 속으로 기뻤어요. 예전부터 섹스할 때마다 너무 아팠는데 좋은 척해왔거든요. 솔직히 너무 무서웠는데 말이에요. 앞으로 삽입할 일이 없어져서 솔직히 저는 슬픈 것보다 행복해요."

- "물론 그의 발기가 예전 같지 않지만 둘 다 불만은 없어요. 하지만 아무래도 남편에겐 섹스가 예전 같지 않겠죠. 그래서 전 슬퍼요. 남편이 느끼는 오르가즘의 강도가 예전보다 훨씬 약해졌거든요. 남편 말로는 진한 키스와 그냥 얼굴을 맞대는 것만큼 천지 차이래요. 남편이 섹스를 별로 좋아하는 것 같지 않아서 가끔 상처받아요. 내가 별로 섹시하지 않아서 그런 거라는 생각도 들고. 수술의 부작용이지 내가 문제가 아니란 걸 아는 데도요."

- "우리 부부가 더 젊었더라면 잘 이겨내지 못했을 것 같네요. 나이도 있고(둘 다 60대에요) 결혼한 지 40년이나 되어서 서로에 대한 사랑과 존중이 확고하죠. 그래서 뭔가가 빠진 것 같은 느낌이 들지 않아요."

8장,
섹스 토이가 대부분의 문제를
해결해줄 수 있다

세상은 섹스 토이를 사용해본 사람과
사용해보지 않은 사람으로 나뉩니다.

열다섯 살 때 벽장 뒤쪽에 숨겨져 있던 언니의 바이브레이터를 처음 보았죠. 언니는 '허리 마사지기'라고 했어요. 그걸로 첫 오르가즘을 느꼈는데 이불을 꽉 움켜쥘 정도로 새로운 세계가 열리는 짜릿한 경험이었죠. (소변을 지린 게 아닌지 확인해봤다니까요. 왜 학교에선 이런 걸 가르쳐주지 않는 걸까요?)

바이브레이터를 한 번 써본 여자들이 대부분 그렇듯 저도 줄곧 이용해왔죠. 나중에 죽어서 천국에 가면 바이브레이터가 있는지부터 확인해볼 거예요. 없으면 다른 곳으로 갈래요. 섹스 토이가 없는 성생활은 상상도 할 수 없거든요.

하지만 바이브레이터 혁명을 놓쳐버린 40대, 50대, 그보다 연상의 여성들이 많습니다. 최근 40세 이상의 여성 2,000명을 대상으로 한 영국의 설문조사에서 바이브레이터를 가지고 있는 경우가 4분의 1밖에 되지 않았고 섹스 토이가 하나도 없는 경우는 68퍼센트가 넘었죠. 오직 30퍼센트만 섹스 토이가 커플의 섹스에 유용하게 쓰인다고 했습니다. 더 젊은 여성들이 적어도 3개는 가지고 있는 것과는 대조적이죠.

제가 50대 이상 여성들을 연구해보니 열정보다는 무관심을 보이더군요. '섹스 토이를 사용합니까?'라는 질문에 이런 대답들이 나왔어요.

- "그런 것엔 관심 없어요."
- "남편이 집에 가져온 적은 있는데 한 번도 쓰진 않았어요. 도대체 얼마나 대단하기에 그 난리인지 모르겠네요."
- "바이브레이터가 왜 필요한지 모르겠어요. 남편이 있는데 그런 게 왜 필요하죠?"

섹스 토이를 사용하느냐는 질문에 '아니오'라고 대답한 여성들은 성생활 만족도도 낮았습니다. 하지만 조금도 놀라운 일은 아니네요. 바이브레이터가 없는 50세 이상의 여성이라면 당장 구매하세요. 장담하는데 지금보다 성적인 만족도가 훨씬 커질 겁니다. 미국 여성의 절반 정도가 바이브레이터를 사용하고 그들은 흥분이나 성욕, 오르가즘의 면에서 더 나은 모습을 보입니다.

평생 오르가즘을 한 번도 느껴본 적 없다면 오르가즘을 느낄 수 있는 가장 성공률 높은 방법이 바로 바이브레이터를 쓰는 겁니다. 삽입으로 오르가즘을 느낀 적 없다면 바이브레이터가 도와줄 거고요. 그와의 섹스에서 느껴본 적 없다면 두 사람이 섹스할 때 함께 바이브레이터를 쓰는 게 가장 좋은 방법입니다. 오르가즘을 더 빨리 느끼고 싶다면 역시 바이브레이터가 최고의 선택이죠. 대부분 여자에게는 바이브레이터보다 더 쉽고 효과적으로 오르가즘을 느끼게 해주는 건 없어요. 미치게 좋은 오럴보다도 말이죠.

### 섹스 토이가 좋은 또 다른 이유

당신의 몸이 변하고 여러 질환이 나타나기 시작하면 섹스에도 여러 문제가 생깁니다. 하지만 모든 문제에는 해결 방법이 있기 마련이죠. 그 해결책이 바로 섹스 토이입니다.

손가락을 이용하는 자위는 손목이 튼튼하지 않거나 관절염에 걸리면 불가능해질 수도 있죠. 요즘 나오는 가벼운 바이브레이터는 단추만 누르면 이 문제가 해결됩니다.

싱글이거나 파트너와 섹스를 하지 않는 사람에게도 바이브레이터는 모든 문제를 해결해주고 성적인 만족감을 줍니다. 규칙적으로 자위를 하면 신체적, 정서적으로 대단히 좋은 효과가 있습니다. 우선, 오르가즘은 불안을 줄여주고 우울증을 막아줍니다. 성치료사(섹스테라피스트) 빅토리아 레만은 말합니다. "성기능은 계속 쓰지 않으면 진짜로 못쓰게 된다는 법칙이 적용된다. 규칙적으로 섹스를 하지 않으면 섹스 토이로 질 벽을 마사지해 성기를 계속 반응하게 해야 한다. 클리토리스에 놓고 오르가즘을 느끼면 골반저근 운동도 된다. 어쩌다 다시 삽입 섹스를 해도 불편하지 않다."

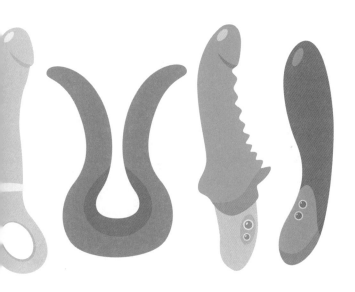

## 이유가 또 있다

파트너와 성생활을 하고 있더라도 섹스 토이는 꼭 필요합니다. 횟수가 적거나 하지 않을 때도 성적 자극을 유지해 혈류가 증가해서 통증을 일으키는 질건조증과 떨어진 탄력에 도움이 되죠. 만약 파트너와 규칙적인 섹스를 하지 않는다면 섹스 토이로 자위를 하세요.

대부분의 여성은 바이브레이터로 빠르고 효과적으로 자위를 합니다. 파트너와의 섹스는 나 이외의 '다른 사람'이 개입되므로 오르가즘에 도달하기가 훨씬 더 힘들죠. 다른 누군가에 대해 생각하고 걱정해야 하니까요. 하지만 바이브레이터는 강도를 높이거나 낮추거나 이쪽 혹은 저쪽으로 움직여도 기분 나빠하지 않습니다.

나 혼자 하는 섹스는 이기적인 최고의 섹스입니다. 나이가 있는 여성들이 파트너와 함께 하는 섹스보다 혼자 하는 섹스를 더 선호하는 이유지요. 오르가즘 여부는 중요하지 않아요. 중요한 건 나이가 들수록 오르가즘을 더 많이 느끼는 것이 더 좋다는 거죠.

섹스 토이는 구체적이고 조절 가능한 자극을 제공합니다. 손가락이나 혀, 페니스와 달리 필요에 따라 강도를 조절할 수 있죠. 오르가즘을 느끼기 어렵다면 무척 유용합니다. 빨리 흥분하게 해주는 효과도 뛰어나죠. 진동이 빠르게 혈류를 이동시켜 흥분하게 해줍니다.

그의 발기가 단단하지 않거나 둘 중 한 명이 오르가즘을 쉽게 느끼지 못한다면 섹스 토이가 확실히 좋은 효과를 보장해줍니다. 그의 페니스가 움직이지 않아도 언제든 오르가즘을 느낄 수 있는 안전한 방법이 있다는 걸 아는 것만으로도 두 사람 모두에게 섹스가 더 즐거워집니다.

또 섹스 토이는 성생활에 새로움을 안겨주죠. 안전하고 저렴하고 편하게 섹스하는 방법입니다. 정말 엄청나게 많은 제품이 나옵니다. 요즘 바이브레이터는 그냥 진동만 하는 것이 아니라 회전도 하고 삽입도 하고 빙글빙글 돌면서 우리 부모님 세대는 몰랐던 부분까지 찾아내죠. 게다가 램프, 손전등, 립스틱, 핸드폰, 아이팟, 고무 오리 같은 걸로 위장한 모습입니다. 입, 엉덩이, 가슴, 젖꼭지, 페니스, 회음부, 질, 클리토리스, 요도 등 다양한 부위를 자극하는 섹스 토이들이 있습니다. 핸드백에 넣으면 잘 보이지도 않을 정도로 작은 바이브레이터도 있고 밀대만큼 큰 것도 있죠.

### 섹스 토이가 좋은 이유는 여자가 디자인한 것이기 때문

저도 그중 한 명입니다. 저는 오랫동안 여러 업체의 자문위원이었고 현재 호주, 미국, 영국 및 유럽 국가에서 운영되는 러브허니Lovehoney라는 회사의 슈퍼섹스Super sex와 에지Edge라는 두 제품을 담당하고 있죠. 지금까지 전부 합쳐서 50개 정도의 제품에 참여했고 거의 모든 제품마다 재미있는 일화가 있답니다. (아쉽지만 그 얘긴 다른 책을 위해 남겨 둬야 할 것 같군요. 이 책에서 다른 할 말이 너무 많으니까요!) 그중에는 특별히 중년 이상의 여자들을 위해 디자인 된 '소프트필Soft Feel'이란 제품이 있는데 제 웹사이트 트레이시콕스 닷컴traceycox.com에서 만날 수 있습니다.

다수의 섹스 토이 업체들이 현재 여성 디자이너들을 채용하고 있습니다. 예전에는 고루한 디자인에 딱딱하고 시커멓고 소리도 시끄러웠지만, 요즘은 세련된 디자인에 벨벳처럼 부드럽죠. 여자들이 만들었다는 걸 딱 봐도 알 수 있어요.


# 올바른 섹스 토이 고르기

### 어디에 쓸 건가요?

어느 부위를 자극하고 싶으세요? 클리토리스, 질, 젖꼭지, G-스팟? 혼자 쓸 건가요, 파트너와 함께 사용할 건가요? 삽입도 할 건가요, 그냥 클리토리스 자극에만 사용할 건가요? 질 조직은 나이가 들수록 약해지기 때문에 예전엔 삽입을 좋아했더라도 지금은 아닐 수 있습니다. 그렇다면 괜히 돈을 더 쓰지 말고 딱 필요한 용도로 나온 걸 사세요. 대부분의 여자들이 세상에서 가장 유명한 바이브레이터인 '삽입형' 래빗 바이브레이터가 최고라고 세뇌당하고 있습니다. 물론 래빗 바이브레이터는 중간에 돌기가 돋아있는 성기 모양이라 삽입하는 동시에 '토끼귀 모양'으로 클리토리스를 자극할 수 있어 좋습니다. 하지만 진동하는 '귀 모양'만 사용할 거라면 굳이 비싼 삽입형 바이브레이터를 살 필요가 없죠.

## 자위하는 방법

자위할 줄 모르는 사람이 있을까요? 놀라지 마세요. 장담컨대, 이 책을 읽고 있는 사람 중에도 지금까지 한 번도 자신의 몸을 탐색해 보지 않은 사람이 꽤 있을 겁니다. 그런 사람들에게는 무척 유용한 정보가 될 텐데요. 바로 여자들이 가장 많이 쓰는 세 가지 자위 방법입니다.

보통은 포르노나 야한 영화를 보거나 야한 책을 읽거나 머릿속으로 성적 판타지나 예전의 경험을 떠올리면서 자위를 합니다. 약을 먹고 있거나 질환을 앓고 있다면 하루 중 언제 컨디션이 가장 좋고 방해받을 가능성이 적은지(당연하겠죠?) 생각해보세요.

보다시피 질 안에 뭘 집어넣지 않습니다. 여성의 80~90퍼센트가 자위할 때 삽입을 하지 않거든요. 물론 원한다면 당연히 해도 됩니다. 삽입을 원한다면 '래빗' 바이브레이터를 구입하는 게 가장 좋을 거예요.

### 바이브레이터로 자위하기

물론 모든 바이브레이터가 다르니까 먼저 설명서를 읽어보세요. 설명서가 들어 있지 않으면 대개 브랜드를 온라인으로 검색하면 나옵니다. 동영상도 있는 경우가 많아요. 바이브레이터를 닫힌 음순에 대고 누르면서 강도를 변화시키며 오르가즘에 이를 때까지 계속하는 것이 가장 기본적인 테크닉입니다. 서서, 앉아서, 다리를 벌리고, 혹은 누워서 해보세요. 다리를 벌리고 서서 바이브레이터를 앞에 대고 앞뒤로 문지르는 방법도 있습니다. 동그라미를 그리듯 움직이거나 바닥에 놓고 그 위에 쭈그리고 앉는 방법도 인기입니다.

진동 부위에 손을 대고 강도를 조절합니다. 더 강한 진동을 원하면 손을 치우세요. 음순을 완충제 삼아 바이브레이터를 클리토리스의 측면에 비스듬하게 세우세요. 부드러운 티셔츠를 대고 해도 됩니다. 가운뎃손가락을 클리토리스 위에 두고 그 위에 바이브레이터를 놓을 수도 있습니다.

### 손가락 사용

섹스 토이를 사용하고 싶지 않고, 갖고 있지도 않으며, 손가락을 선호한다면 침대에 누워 무릎을 세우고 다리를 벌리세요. 침대 헤드나 벽에 기대어 책상다리하고 앉아도 됩니다. 양 발바닥을 맞대고 눌러서 사타구니를 좀 더 팽팽하게 만드세요.

너무 예민해서 속옷을 입고 만져야 하는 여자들도 있습니다. 클리토리스를 직접 자극하는 걸 좋아하는 사람도 있고 간접적인 자극을 좋아하는 사람도 있죠.

손가락이나 음부에 윤활제를 듬뿍 바르고 가운뎃손가락을 위아래로 움직이면서 클리토리스를 만지세요. 너무 민감하게 느껴지면 가장자리에서 천천히 원을 그리세요. 처음에는 살짝 만지는 것부터 시작하세요. 원한다면 나중에 좀 더 힘을 주세요. 좌우로 문질러도 됩니다. 대부분의 여성들은 규칙적인 리듬을 선호합니다. 클리토리스는 쉽게 마르니까 계속 윤활제를 발라주거나 손가락에 침을 묻히세요.

### 무언가에 대고 문지르기

'끝까지' 갈 수 없었던 어린 시절에 파트너의 다리나 엉덩이에 대고 문지르며 자극을 느꼈던 적이 있나요? 이 테크닉이 바로 그런 겁니다.

일반적으로 움직이지 않는 물체에 대고 몸을 문지릅니다. 침대에 배를 대고 누워 다리 사이에 놓인 베개나 쿠션에 성기를 문지르세요. 아니면 등을 대고 누워서 담요나 베개를 다리 사이에 끼우고 손으로 베개의 양쪽을 잡아서 팽팽하게 하세요. 이 상태에서 손가락을 사용해도 되지만, 베개를 사용하거나 양쪽 다리를 꽉 눌러서 힘을 가합니다.

움직임에서 쾌감이 느껴지도록 이리저리 실험해보고 위치를 '조정'해야 할 거예요. 절정에 이를 때까지 강렬한 리듬을 일정하게 유지합니다. 베개에 대고 문지를 때 동그랗게 모아진 손을 성기 전체에 놓고 움직이는 방법도 많이 쓰입니다.

## 언제 쓸 건가요?

마술봉 모양의 완드 바이브레이터wand vibrator는 여행 가방에서 공간을 많이 차지합니다. 총알 모양의 불릿 바이브레이터bullet vibrator는 가방에 쏙 들어가죠. 주변에 누가 있어서 소리가 나면 안 되나요? 시끄러운 아이들과 손주들 때문에 바이브레이터가 '아닌 것처럼' 보여야 하나요? 완드 바이브레이터는 마사지기로 쉽게 속일 수 있습니다.

### 얼마나 강한 진동을 원하나요?

나이가 들수록 신경 민감도도 변하므로 처음에는 생각보다 더 강한 진동으로 시작해 낮은 설정으로 유지해야 합니다. 진동이 너무 과하다면 손을 올려 흡수하면 됩니다.

### 돈을 얼마나 쓰고 싶은가요?

가끔 분위기 전환으로 쓸 섹스 토이보다는 자주 사용할 제품들에 돈을 들이는 게 좋습니다. 바이브레이터나 윤활제 같은 필수품이죠. 꼭 비싸야만 품질이 좋은 건 아닙니다. 중간 정도의 가격 수준에 품질과 디자인이 좋고 신체에 안전한 재료로 만든 제품들이 많이 있습니다. 그리고 요즘은 대부분 충전식이라 건전지를 찾아 헤매지 않아도 되고 몇 년씩 갑니다.

저와 관계있는 러브허니를 포함한 섹스 토이 업체들은 제품이 마음에 들지 않으면 100퍼센트 환불해줍니다. 포장을 뜯고 사용해본 뒤에도 말이죠. (반품된 제품은 재활용되니까 걱정하지 마세요!) 가격이 좀 있는 제품들을 사용해보고 결정할 수 있으니까 편리하죠.

### 섹스 토이 파는 곳

도시에 살면 '여성 친화적 섹스 토이 매장'을 검색해보세요. 전혀 위축감 들지 않는 밝은 분위기의 매장이 몇 군데 있을 겁니다. 성욕과 관련된 대화를 전혀 부담스러워하지 않고 또 잘 알고 있는 여자 직원들이 있죠. 다양한 제품을 최저가에 살 수 있고 프라이버시도 지켜주는 온라인 쇼핑을 이용해도 됩니다. 이름 있는 업체의 온라인 매장을 찾으세요.

### 그 밖에 고려해야 할 점

- 인체에 안전한 무독성 소재인가?
- 딱딱하지 않고 부드럽고 탄력이 있는가?
- 버튼을 누르기가 쉬운가?
- 가벼운가?
- 인체공학적이어서 들고 있기 편한가?
- 사용이 간편한가? 충전식 제품은 컴퓨터가 필요하고 USB 충전기를 사용할 수 있을 정도로 기계를 좀 다룰 줄 알아야 합니다. (간단해요. 컴퓨터에 꽂기만 하면 됩니다)
- 안경 없이 제어 장치가 잘 보이는가?
- 배터리가 얼마나 오래가는가? 결정적 순간에 배터리가 다 되면 안 되니까.

## 안전한 제품 구매하기

존경받는 미국의 성교육 전문가 조앤 프라이스Joan Price는 2005년부터 '노인'의 성에 관해 책을 쓰고 블로그에 글도 올렸습니다. ('어른'의 성에 관한 훌륭한 책을 썼는데 대표적으로 《이 나이의 알몸》이 있죠) 조앤은 섹스 토이의 열렬한 팬입니다. 하지만 반드시 안전한 제품이어야 한다고 말하죠. "섬세한 성기 조직에 유독성 화학성분이 달라붙으면 안 된다." 정말 맞는 말입니다. 섹스 토이를 살 때 모든 여성이 반드시 고려해야 하는 사항입니다.

**냄새를 맡아보세요.** 화학물질이나 플라스틱 냄새가 나는 제품은 피하세요. 좋은 품질의 섹스 토이는 냄새가 나지 않아야 합니다.

**무통기성 소재인지 확인하세요.** 유리, 실리콘, 강철, 의료용 플라스틱 등

**콘돔을 끼우면 괜찮을 거라고 생각하지 마세요.** 많은 성교육 전문가들이 섹스 토이에 콘돔을 씌우면 독성 물질로부터 보호된다고 했죠. 그런데 알고 보니 그렇지 않더군요. 미안해요!

# 당신의 성생활을 바꿔줄 섹스 토이

특히 50세 이후에 알맞은 섹스 토이들을 추천합니다. 하지만 집에 있는 것들도 활용해보세요. 스카프와 스타킹은 눈가리개나 묶는 데 좋고 몸에 잘 맞는 란제리는 신체 이미지에 도움이 되고 기분 전환이 됩니다. 마사지 오일과 양초도 분위기를 살려주죠.

섹스 토이는 워낙 제품 종류도 많고 업체들이 많이 생겼다가 없어졌다 하니까 특정 브랜드를 알려주기보다는 카테고리로 알려주겠어요.

## 필요한 제품

### 좋은 윤활제

윤활제는 무조건 감촉을 더 좋게 해줍니다. 특히 50대부터 모든 종류의 삽입 섹스에는(손가락, 섹스 토이, 페니스) 필수에요. 윤활제는 질 분비물처럼 질 벽에 달라붙어 얇고 건조한 성기 조직 때문에 생기는 반갑지 않은 마찰을 줄여줍니다.

수용성 윤활제는 콘돔이나 섹스 토이가 달라붙지 않지만 지속력은 실리콘 베이스 윤활제가 더 강합니다. 실리콘 베이스 윤활제는 민감한 사람에게 더 좋습니다. 진균 감염 위험도 적고 향도 없죠. 말라도 끈적거리지 않습니다. 지용성 윤활제는 매우 촉촉하고 오래 지속되지만 피부나 옷은 씻어내기가 어려울 수 있습니다.

윤활제는 저렴한 제품일수록 경계해야 합니다. 글리세린, 석유, 파라벤, 노녹시놀-9, 프로필렌 글리콜, 벤조카인, 클로르헥시딘 글루코네이트 같은 매우 자극적인 성분이 들어 있을 가능성이 크죠. 좀 더 투자하세요. 성분표도 잘 확인하고요.

### 케겔 볼 또는 케겔 운동 도구

규칙적인 삽입 섹스를 제외하고 규칙적인 케겔 운동은 성기의 건강을 지키는 가장 효과적인 방법 중 하나입니다. 보너스 효과도 있죠. 골반저근이 단련될수록 오르가즘이 더 강렬하게 느껴집니다.

출산한 적이 있는 사람은 규칙적인 골반저근 운동의 중요성에 대한 강연을 들었을 겁니다. 소변을 멈추듯 힘을 주었다가 푸는 것을 반복하는 방법이죠.

장비 없이도 할 수 있지만, 케겔 운동을 할 때 조일 뭔가가 있으면 운동을 제대로 할 수 있어서 더욱 효과적입니다. 항문과 대퇴부의 근육이 아닌 골반저근을 제대로 수축할 수 있죠.

질에 깊이 삽입하는 케겔 토너 볼의 무게는, 케겔 운동 시에 근긴장을 더 잘 개선시키도록 도와줍니다. 한 개 혹은 두 개를 살 수도 있고 크기와 무게가 다른 세트도 있습니다. 진동 기능이 있어 '운동'하면서 흥분하게 해주는 것도 있고 전기 펄스나 스마트폰 추적이 가능한 첨단 제품도 있죠.

## 섹스 토이 추천

### 오르가즘 젤

오르가즘 젤은 아르기닌과 멘톨과 같은 성분이 들어 있는데 혼자 또는 파트너와 섹스할 때 감각을 강화해 절정에 이르는 확률을 극대화합니다. 클리토리스에 바르면 따뜻해지면서 혈류가 증가하죠.

### 완드 바이브레이터

이 바이브레이터는 가장 필요한 섹스 토이입니다. 당연히 그만한 이유가 있죠. 완드 바이브레이터는 강력합니다. 50대 이후로 여자들은 대부분 예전보다 더 강한 진동이 필요하죠. 표적형 바이브레이터보다 더 넓은 영역을 커버합니다. 신경 말단이 예전만큼 민감하지 않은 사람들에게 좋죠. 외부 자극에 효과적이니 질이 건조하거나 피부가 약해진 사람들에게도 좋습니다.

건전지식, 충전식, 전기식이 있습니다. 코드를 꽂아 사용하는 완드 바이브레이터는 한 번 사면 평생 사용할 수 있습니다. (제 것도 15년째 쓰고 있어요) 진동이 안정적인데다 일정하고 이가 덜덜 떨릴 정도로 강하죠. 정말로 어깨 마사지도 할 수 있습니다! 전기 바이브레터는 다리미와 진공청소기보다 먼저 발명되었는데요, 누군지 몰라도 발명한 사람이 우선순위를 제대로 알고 있었네요! 히타치 매직 완드Hitachi Magic Wand는 지금도 여전히 세계에서 가장 인기 있는 바이브레이터입니다.

전기식 완드 바이브레이터는 보통 충전식이나 건전지식보다 더 무겁고 가격도 비쌉니다. 하지만 당황하지 마세요. 디자인도 좋고 성능도 좋은 전기식 완드 바이브레이터도 많이 나오니까요.

### 불릿 바이브레이터

큰 탐폰처럼 생겼고 작아서 휴대도 편리하지만 클리토리스에 강한 자극을 줍니다. 젖꼭지나 엉덩이 등 진동이 필요한 부위를 애무하는 데에도 안성맞춤이지요.

가격도 저렴하고 쓰임새도 많고 디자인도 전혀 부담스럽지 않죠. (페니스를 떠올리게 하지 않습니다) 섹스 토이를 처음 써보는 사람들에게 완벽한 선택입니다. 섹스하기 전에 달아오르는 용도로도 좋죠. 준비운동이 필요하면 주머니에 쏙 넣어 욕실로 가서 마법을 부려보세요.

### 클리토리스 바이브레이터

모든 바이브레이터는 클리토리스에 쓸 수 있지만 이건 특별히 이 용도를 위해 만들어진 제품입니다. 불릿도 클리토리스 바이브레이터입니다. 손바닥에 들어가는 조약돌 모양의 클리토리얼 바이브레이터도 마찬가지고요. 크기가 작고 타원형에 곡선형이라 음순을 덮습니다. 갈수록 클리토리스가 민감해지는 사람에게 딱 맞습니다. 진동이 더 부드럽거든요. 클리토리스 흡입 바이브레이터는 클리토리스를 만지지 않고 자극합니다. 첨단 공기 기술로 부드러운 흡입과 진동을 발생시켜서 일반적인 바이브레이터와는 전혀 다른 자극을 주죠. 가장 유명한 제품은 우머나이저Womanizer지만 다른 브랜드들도 많이 나오고 있습니다. 많이 예민하다면 새롭게 시도해보기 좋은 방법이죠.

### 래빗 바이브레이터

많은 사람들이 바이브레이터 하면 토끼를 떠올리죠. 50대인데 섹스 토이에 관심 없다면 아마 이런 이유 때문일지도 모릅니다. 빙빙 돌면서 질 안을 자극하는 커다란 페니스 모양의 막대기라니, 삽입이 너무 좋았던 젊은 시절에는 그야말로 환상적이었겠죠. 하지만 나이가 들면 화려한 구슬이 빙빙 돌아가는 모습을 상상만 해도 고통스럽습니다. 본체를 질에 삽입하면 토끼 "귀"가 진동하면서 클리토리스에 자극을 주죠. 제 생각에는 중년 여성에게는 다른 바이브레이터가 더 낫지만(이전 내용 참고) 끌린다면 한 번 도전해보세요!

## 그에게 가장 좋은 섹스 토이

남자들은 나이가 들수록 혈류의 감소로 발기도 유지도 점점 어려워집니다. 여자들과 마찬가지로 흥분하는 데 더 오래 걸리고 더 많은 자극이 필요하죠. 다행히 섹스 토이가 이런 문제들을 해결하는데 도움이 될 수 있습니다.

### 자위 슬리브 또는 '스트로커'

간단하지만 자위와 전희에 혁신을 일으킨 기발한 발명품입니다. 나온 지는 아주 오래되었죠. (플레시라이트Fleshlight라는 브랜드를 들어본 적 있을 거예요. 가짜 질처럼 생긴 스트로커입니다) 요즘은 좀 더 배려 깊은 디자인으로 나옵니다. 기다란 원통형으로 부드럽고 질감이 있어 페니스에 자극을 줍니다.

---

사용법은 간단합니다. 안에 윤활제를 바른 후 페니스에 씌우고 한 손으로 상하 피스톤 운동을 하세요. 슬리브를 사용해 손으로 해주면 누가 해도 환상적입니다.

### 페니스 링

형태는 다양하지만 전부 페니스 기저부에 끼우는 방식입니다. 혈류를 잡아주어 발기를 더 단단하게 해주는 목적인데 효과는 제각각이죠. 하지만 좋아하는 남자들이 많습니다. 성기를 꽉 쥔 느낌이라 기분이 좋고 절정의 순간을 늦춰 강도를 높여주죠.

### 전립선 마사지기

남자들은 나이가 들면 전립선을 걱정할 일이 많아지지만 전립선은 성감대이기도 합니다. 일명 남자의 G-스팟이라고 하죠.

전립선 마사지기는 모양과 디자인이 정말 천차만별인데요, 진동식도 있고 비전동식도 있어요. 나이든 남자들에게 큰 인기를 끌고 있습니다. 오르가즘이 더 강해질 뿐만 아니라 페니스에 혈류가 모여 발기도 단단해지죠.

전립선 마사지기를 사용하기 전에 먼저 그에게 전립선 마사지를 해주는 방법을 읽으세요(208쪽 참고). 어떻게 넣을 준비를 하고 어떤 부분에 신경 써야 하는지 알 수 있어요.

넣은 후에는 (당신이나 그가) 마사지기의 끝부분을 잡고 문지르면서 어디가 가장 좋은지 찾아보세요. 일반적으로 전립선에 큰 압박이 가해질수록 그가 더 흥분할 거예요. 빠르게 또는 느리게 상하로 움직여보기도 하세요. 이때 입이나 손으로 해주면 그에게 잊지 못할 경험이 될 겁니다.

## 함께 사용하면 좋은 것들

### 슬림라인 클래식 바이브레이터

가느다란 원통형에 끝부분이 동그란 구식 디자인의 바이브레이터입니다. 가격도 저렴하고 진동이 잘 전달되는 디자인이라 강력하죠. 무엇보다도 커플 친화적입니다. 그는 이 작은 게 당신이 생각하는 '완벽한' 페니스 사이즈인 것 같아 마음에 들어 할 겁니다. 두 사람이 사용하기에도 간단하고 클리토리스를 자극할 수도 있습니다. 젖꼭지, 엉덩이 같은 성감대에도 쓸 수 있죠. 작아서 부드러운 삽입이 필요할 때 좋습니다.

### 항문 플러그

항문 플러그는 발기를 도와줄 뿐만 아니라 통증으로 질에 삽입하기가 어려울 때 대신 항문을 자극해줍니다. 항문 자극이라면 무조건 부정적인 반응을 보이는 사람들이 많지만 한번 해보면 빠지지 않는 '레퍼토리'가 됩니다.

항문 플러그로 전혀 부담감 없이 항문 자극을 시도해볼 수 있습니다. 엉덩이 플러그는 꼭 너무 많이 먹어 볼록해진 페니스처럼 생겼습니다. 가운데가 볼록하고 끝부분이 나팔 모양이죠. (쑥 들어가 어디론가 사라져버리지 않도록 하기 위한 디자인이죠. 질에는 '끝부분'이 있지만 직장에는

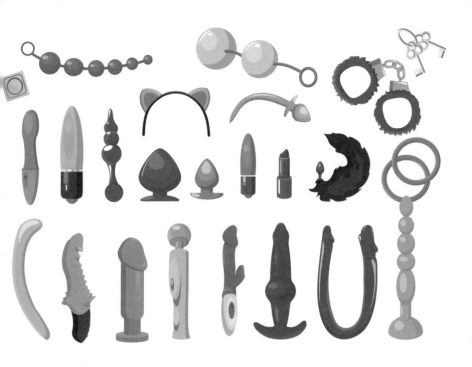

없거든요) 넣어둔 후에(윤활제를 바르고 상대가 매우 흥분할 때까지 기다려야 합니다) 오럴이나 삽입 섹스를 하면서 에로틱한 분위기를 더하세요. 기분 좋은 '충만함'이 느껴지고 다른 모든 곳에도 압력이 가해집니다. (직장은 질과 벽을 공유합니다) 진동식 항문 플러그도 있습니다. 슬림형 바이브레이터를 살짝 넣어 느낌이 마음에 드는지 미리 확인해 볼 수도 있죠. 이때 바이브레이터의 끝부분이 나팔 모양이 아니라면 손에서 놓으면 안 됩니다.

### 딜도와 페깅 키트

이것은 질과 항문에 삽입하는 용도로 디자인되었는데(항문 삽입용은 끝부분이 퍼진 모양) 매우 용도가 다양합니다. 딜도는 소재도 다양하지만 무엇보다 사이즈가 정말 다양하죠. (참고로 딜도와 바이브레이터의 차이는 딜도는 진동하지 않는다는 것입니다)

그가 발기에 이상이 있고 당신은 삽입 섹스를 좋아하나요? 딜도는 준비된 '페니스'로 압박감을 줄여주죠. 삽입을 좋아하지만 이제 그의 페니스가 너무 크게 느껴진다면 좀 더 작은 사이즈로 구입하세요. 스트랩 온 딜도('페깅 키트'라고도 함)를 살 수도 있습니다. 엉덩이와 허벅지 하네스에 딜도가 달린 디자인이죠. 그가 착용할 수도 있고 당신이 차고 '페깅'을 해도 됩니다. (페깅은 여자가 스트랩 온 딜도를 차고 남자의 항문에 삽입하는 행위를 말합니다)

역할극에 안성맞춤이죠. 유리 소재로 된 게 가장 예쁩니다. 열을 가하거나 차갑게 해서 몸에 굴릴 수도 있죠.

### 소프트한 신체 결박 키트

약한 성욕을 되살리려면 정상 체위만으로 안 됩니다. 결박 게임은 일상적인 성생활에 활력을 불어넣어 줍니다. 평소 힘의 관계가 바뀌고 짜릿한 흥분감을 느끼게 해주죠. 분홍색 솜털 수갑이 나이들어서 어울리지 않는다고 느껴질 수도 있지만 철 수갑은 너무 차갑고 위협적입니다. '소프트한' 신체 결박 키트는 부담 없는 소재로 되어 있습니다. 보통 찍찍이 식이라 착용이 간편하죠. 가격도 저렴합니다.

### 진동식 러브 에그

크기가 작고 실리콘 소재에 리모컨이 있는 제품으로 고르세요. 이

러브 에그는 간질간질 애태우는 훌륭한 장난감입니다. 윤활제를 바르고 에그를 질에 넣은 뒤 그에게 리모컨을 넘기세요. 그가 마음대로 조절하면서 당신을 흥분시킵니다.

삽입을 고통스러워하는 여성이라도 러브 에그를 사용할 수 있습니다. 앞뒤로 피스톤 운동을 하는 페니스와 달리 러브 에그는 자리 잡은 곳에서 조용히 윙윙거리는 덕분이죠. (불편함이 느껴지면 너무 아래쪽에 삽입해서일 수 있습니다)

### G-스팟 바이브레이터

성교통 때문에 힘들다면 삽입은 하지 마세요. 대신 완전히 다르고 강렬한 오르가즘을 시도해 보세요.

G-스팟 바이브레이터의 인기가 엄청난 데는 그럴 만한 이유가 있습니다. 손가락이나 페니스로는 너무도 유명한 이 유명한 성감대에 도달하기가 굉장히 힘들기 때문이죠. 이 바이브레이터는 특별히 이 목적을 위하여 곡선 모양으로 디자인되었고 남녀 모두에게 유용합니다. (G-스팟이 정말로 존재하느냐를 두고 여전히 논쟁의 여지가 있는데요, 어쨌든 질의 앞쪽 벽(배 아래쪽)은 확실히 자극에 예민하게 반응합니다. 앞으로 'G-스팟'이라고 하면 이 부분을 말하는 거예요)

G-스팟 바이브레이터는 다른 바이브레이터와 사용법이 다릅니다. 등을 대고 누워 무릎을 세우고 엉덩이에 베개를 받치거나 배를 대고 눕거나 손과 무릎을 받치세요. 윤활제를 듬뿍 바르고 바이브레이터를 약 2.5~7.5cm 정도 집어넣습니다. 질의 위쪽을 겨냥하고(마치 배를 겨냥하듯) 앞뒤로 혹은 원을 그리며 움직입니다. 압박감을 단단하고 반복

적으로 유지합니다. 소변 마려운 느낌이 들어도 당황하지 마세요. 요도 (소변을 운반하는 관)를 누르고 있기 때문이니까요. 느긋하게 그 느낌을 떠나보내면 (바라건대) 절정에 이릅니다.

### 웨지, 램프, 기타 섹스 가구

성기는 건강한 편인데 나머지 신체 부위가 그렇지 못한가요? 무릎이나 허리가 부실하고 허리가 안 좋고 관절이 뻣뻣하거나 관절염이 있다면 '섹스 가구'를 검색해보세요. (가장 잘 알려진 브랜드 리버레이터 Liberator를 검색해도 됩니다) 섹스 가구에는 고급스러운(비싼) 기다란 안락의자, 필요한 부분을 받치는 이상하게 생긴 쿠션 등 다양한 종류가 있습니다. '웨지'와 '램프'는 —케이크 조각을 생각해 보세요—엉덩이나 무릎, 팔꿈치를 받쳐 체위를 좀 더 쉽고 편안하게 해줍니다.

굳이 돈을 투자하고 싶지 않다면 집에 있는 적당한 물건을 섹스 가구로 활용해보세요. 단단한 베개를 받치는 것만으로 허리나 무릎에 무리가 갈까 봐 초조하고 불안했던 시간이 편안하고 즐거운 시간으로 바뀔 수 있습니다.

## 섹스 토이에 대한 잘못된 고정관념

지난 42년간 섹스 토이를 열심히 사용해온 사람으로서 다음의 내용을 자신 있게 말씀드립니다.

- **바이브레이터를 써도 '무감각'해지지 않는다.** 민감함이 약해지지도 않아요. 사실은 정반대입니다. 바이브레이터는 혈액을 성기로 모아 건강을 유지해줍니다. 효과도 아주 빨라요. 많은 여자가 3~5분이면 절정에 이르죠.

---

- **섹스 토이는 '진짜'만큼 좋다.** 네, 여기서 진짜가 남자의 페니스를 뜻한다면 오히려 섹스 토이가 더 나을 수도 있어요. 삽입은 여성들이 오르가즘을 느끼는 가장 확실하지 않은 방법의 하나입니다. 파트너와의 삽입 섹스에서 오르가즘을 느끼는 여성은 30퍼센트밖에 안 되지만 대다수가 바이브레이터로 자위할 때마다 오르가즘을 느낍니다. 63세의 에리카가 말합니다. "57세에 바이브레이터를 사용해 난생 처음으로 오르가즘을 느꼈습니다. 울었어요. 난 여자도 오르가즘을 느낀다는 걸 한참 나이가 들어서야 알았죠. 이젠 몇 년씩 남자친구가 없어도 괜찮아요. 마사지기가 있으니까."

- **그와의 섹스보다 바이브레이터가 더 좋다면?** 솔직히 바이브레이터를 처음 써보면 정말 그런 생각이 들 겁니다. 하지만 바이브레이터는 당신을 웃게 하거나 함께 TV를 보거나 껴안아 줄 수 없죠. 그러니까 당신이 그에게 작별을 고하고 바이브레이터를 껴안고 살 일은 생기지 않을 거예요. 하지만 순전히 섹스 때문에 쓰레기 같은 남자와 끝내지 못하고 있다면 바이브레이터가 차라리 싱글이 되는 게 낫다는 확신을 줄 수 있을 겁니다. 이건 좋은 일이죠.

- **자연스럽지 않다.** 과연 그럴까요? 당신이 퀘이커 교도가 아닌 이상 바이브레이터 말고도 '부자연스러운' 일은 널리고 널렸을 겁니다. 전기를 사용하는 것도 차를 운전하는 것도 음식을 개울가 그늘이 아니라 냉장고에 넣는 것도 전부 다요. 바이브레이터는 세상에서 가장 위대한 발명품 중 하나입니다. 의심하지 말고 감사히 여길지어다!

# 9장,
## 섹스리스 커플이
## 살아남는 방법

## 성생활이 끝나는 이유에는
## 여러 가지가 있습니다.

둘 다 자연스럽게 성욕이 줄어들어 섹스에 관심이 없어집니다. 그렇다면 섹스와의 이별이 조금도 아쉽지 않겠죠. 하지만 한 사람은 섹스를 완전히 정리했는데 다른 사람은 아직 미련을 떨치지 못하는 경우도 있습니다.

아무리 사이좋은 커플이라도 두 사람의 성욕이 일치하지 않으면 ─한 사람이 섹스를 훨씬 더 많이 원할 때─ 큰 문제가 생길 수 있죠. 하지만 섹스를 원하는 파트너에게 다시는 섹스하자고 할 일이 없을 거라고 말하는 것이야말로 진정한 혼돈을 불러오죠. 그러는 사람들이 정말 많습니다.

지금 우리 사회는 그 어느 때보다 성에 관대하고 성에 관한 거의 모든 것에 열려 있지만 전 세계적으로는 성의 침체를 겪고 있습니다. 누구도 그 영향에서 벗어날 수 없습니다. 영국의 성적 태도와 라이프 스타일에 대한 전국 설문조사National Surveys of Sexual Attitudes and Lifestyles에 따르면 지난 한 달 동안 섹스를 하지 않은 영국 성인은 10년 전의 자료와 비교해 더 많습니다. 그런가 하면 지난해에 성적인 활동을 전혀 하지 않은 미국인 성인은 2018년에 최고치를 기록했습니다. 성의 침체는 세계적인 현상인 듯합니다. 호주, 핀란드, 네덜란드에서도 비슷한 감소 현상이 나타났죠. 2015년 일본에서는 18~34세 인구의 43퍼센트가 성 경험이 없는 것으로 나타났습니다.

세상이 섹스를 중단하는 이유는 무수히 많습니다. 커플마다 다르지만 우리 모두에게 영향을 미치는 것들이 있습니다.

## 당신이 섹스를 하지 않게 된 이유

**기술.** 오늘날 가장 큰 원인은 기술입니다. 20년 전, 대부분 커플은 토요일 밤 10시 24분에 섹스를 하고 있었습니다. 그런데 요즘은 소파에 널브러져 넷플릭스를 보죠. 마침내 침대에 누우면 서로를 보는 대신에 소셜미디어나 뉴스를 휙휙 넘기며 세상에 무슨 일이 일어나고 있는지 알아봅니다. 많은 일이 일어나고 있죠. 하지만 침실에서는 아무 일도 일어나지 않습니다.

**바쁜 현대인.** 솔직히 '시간 없다'는 건 진짜가 아니라 핑계에 더 가깝다고 봅니다. 다들 TV나 소셜미디어 볼 시간은 내잖아요? 하지만 둘 다 혹은 한 사람이 고달픈 삶으로 인해 정말로 몸도 마음도 지칠 대로 지친 경우가 있을 수도 있습니다.

**포르노의 홍수.** 혼자만의 섹스는 노력이 거의 필요 없고 유지는 전혀 필요 없습니다. 커플 섹스는 두 가지가 모두 필요하고요. 둘이 섹스를 하기보다는 일주일에 두 번 포르노를 보면서 5분 동안 자위하는 것이 더 쉽습니다.

인간은 게으르니까 포르노는 앞으로도 쭉 인기를 끌 겁니다. 같은 이유로 미래에 커플은 '섹스봇'을 쓰게 되겠지요. 개인의 필요에 맞게 로봇을 설정해놓으면 별다른 수고가 필요하지 않을 겁니다. 귀찮고 까다로운 인간보다 훨씬 덜 번거롭죠.

**평생 별로였던 섹스.** 파트너에게 원하는 것을 사실대로 말하지 못하고 별로 좋지 않은 테크닉을 오랫동안 그냥 견디는 사람들도 많습니다. 또 어떤 사람들은 사랑은 고사하고 좋아하지도 않는 상대에게 괴롭힘 당하고 섹스를 합니다. 이렇게 섹스가 하나도 즐겁지 않고 자책감만 들게 한다면 당연히 그만하고 싶겠죠.

**지루함.** 말 그대로 그동안 할 만큼 했으니까 흥미가 사라진 거죠. 넷플릭스 콘텐츠는 끊임없이 바뀌죠. 반면 보통 커플의 성생활에는 변화가 별로 없습니다.

**성 기능 장애와 건강 문제.** 발기 문제, 성교통, 일반적인 건강 문제 및 유연성 문제 등은 대부분은 치료할 수 있지만 문제를 해결하려고 나서지 않는 사람들이 많습니다.

**낮은 자존감.** 자신감이 부족해서 자신의 외모가 마음에 들지 않고 욕망의 대상이 된 기분도 느끼지 못한다면 섹스가 즐겁지 않겠죠.

**우울증이나 불안감.** 항우울제를 장기적으로 복용하는 사람이 영국에 400만 명, 호주에 300만 명, 미국에 3,500만 명이나 됩니다. 항우울제의 일반적인 부작용은 무엇일까요? 성욕 감퇴죠.

**욕망의 상실.** 여전히 서로를 사랑하고 예전에 성생활이 만족스러웠어도 나이가 들수록 성욕이 줄어듭니다. 자신에게는 절대로 그런 일이 생기지 않을 거라고 생각했다면 큰 충격을 받을 겁니다.

**불화.** 사랑과 성생활이 서로 연결되어 있지 않다고 생각하는 커플들을 보면 놀랍습니다. 한 여성이 말합니다. "어쩌다 우리가 섹스를 하지 않게 됐는지 모르겠어요." 그녀는 두 번 한숨을 내쉬더니 자신과 남편은 끊임없이 서로에게 화가 나 있는 것 같다고 불평했죠. "섹스를 안

하니까 더 심해져요."

부정적인 결과로 이어질 수밖에 없는 시나리오입니다. 사이가 나쁘면 섹스를 하지 않게 되고 섹스를 하지 않으면 사이가 더 나빠지니까요. 오랫동안 불화가 심했다면 성생활도 좋을 수가 없습니다. 바람 또한 성생활이 좋을 수 없는 확실한 이유죠.

**섹스할 대상이 없음.** 제가 싱글 여성들을 대상으로 실시한 설문조사 결과에서는 중년 이후에는 마음도 맞고 신체도 건강한 섹스 상대를 찾기가 어렵다는 사실이 나타났습니다. (11장에서 자세히 알아보죠)

# 시간이 지나면
# 저절로 해결되지 않을까?

당신은 유니콘의 존재를 믿나요? 몇 년 동안 섹스를 하지 않고 있다가 어느 날 갑자기 서로 달아올라 "이럴 수가! 우리 5년 동안 섹스를 깜빡했네! 지금 하자!"라고 할 가능성은 매우 낮습니다.

1,000명을 대상으로 한 미국의 설문조사에서는 '성생활 중단'을 경험했다가 다시 섹스를 시작하는 부부는 소수에 불과하며 대다수는 그렇지 못하다는 사실이 나타났죠. 39퍼센트가 1~5년 동안 섹스를 하지 않았다고 말했습니다.

보통 한 사람이 섹스에 무관심해지면 나머지 사람이 노력하는 모습을 보이다가 그 노력이 별로 환영받지 못하면 그만둡니다. 상대가 섹스에 무관심해진 근본 원인은 덮어둔 채 무작정 접근하면 별로 환영받지 못할 수밖에 없죠. 접근했다가 거절당한 사람은 운동, 취미 활동, 일, 손자 손녀 등 새로운 관심거리를 찾아 열중합니다. 섹스를 하지 않으면 섹스가 얼마나 좋은지 잊어버립니다. 사람의 적응력이 빠르다는 것도 잊어버리죠. 섹스는 점점 더 멀리 사라지고 그 사실조차도 알아차리지 못합니다. 몇 달 동안이나 하지 않았다가 섹스를 하려면 부담스러울 수밖에 없어요. 하물며 몇 년 만에 하려면 겁이 나죠.

섹스리스 부부가 되는 이유는 웨스터마크 효과Westermarck Effect 때문이기도 합니다. 핀란드의 인류학자 웨스터마크는 오랫동안 함께 산 사람들은 너무 친밀하여서 성욕을 잃게 되어 섹스를 하지 않게 된다고 했죠. 친구로 함께 살면 서로 형제자매처럼 느껴지기 시작합니다. 그래서 서로 섹스를 한다는 게 뭔가 '잘못된' 일 같고 엄청나게 어색해서 피하게 되죠.

처음에 섹스하지 않게 된 이유가 뭔지는 중요하지 않습니다. 섹스를 일 년 이상 하지 않으면 앞으로 쭉 섹스리스가 될 가능성이 큽니다. 한 사람이 혹은 둘 다 문제를 정면으로 돌파하지 않는 이상요.

## 섹스를 거의 또는 아예 하지 않는 기분이 어떤가요?

- "친구들에게 우리 부부가 섹스를 하지 않는다고 절대 말하지 않을 거예요. 혹시 그가 게이니? 몰래 바람을 피우고 있니? 이혼할 거니? 왜 섹스에 관심이 없어진 건데? 등등 별말이 다 나오겠죠."

- "전 엄청 여자나 밝히고 바람피우고 몇 시간씩 포르노를 보는 남편보다 아예 섹스를 하지 않는 남편이 더 좋아요."

- "난 60세이고 평생 할 섹스는 이미 다 한 것 같아요. 결혼생활에서 섹스는 제가 그렇게 좋아한 부분이 아니었어요. 40년 동안 섹스를 해서 남편을 행복하게 해줬으면 됐죠. 이젠 내가 하고 싶은 대로 할 거예요. 섹스하자고 괴롭히지만 않는다면 솔직히 남편이 밖에서 해결하고 와도 상관없어요. 그냥 들키지만 않으면요."

- "발기에 문제가 생긴 뒤로 남편이 섹스에 흥미가 떨어지더군요. 발기 문제로 남편이 굉장히 속상해 했지만 비아그라도 효과를 못 봤고요. 원래부터 성욕이 강한 사람은 아니었어요. 테스토스테론 수치가 낮은 것 같아요. 경쟁심이나 추진력이 강하지 않거든요. 섹스 이야기를 꺼낼 때마다 남편이 자꾸만 말도 안 되는 핑계를 대네요. 진짜 이유는 섹스를 하려면 너무 번거롭고 귀찮아서죠. 저도 괜찮지만 가끔은 서운해요. 내가 애정 확인을 위해 섹스를 원할지도 모르는데 남편이 내 생각은 전혀 안 하는 것 같아서요. 난 거의 오럴 섹스로 오르가즘을 느끼는데 지금도 충분히 할 수 있는 거잖아요."

- "처음엔 정말 좋았어요. 한 번 하면 몇 시간씩 했거든요. 와인 한 병을 마시고 몇 시간씩 사랑을 나눴어요. 20년이 지난 지금은 섹스 말고 다른 걸 해요. 영화를 보거나 점심을 먹으러 나가거나. 물론 섹스도 아직 하지만 어쩌다 가끔이고 오래 가지 못해요. 인생의 모든 것들이 그렇듯 섹스도 마찬가지인 것 같아요. 인생에서 섹스가 중요한 시기가 있고 그렇지 않은 시기가 있죠. 우린 둘 다 지금 상황에 만족하고 있어요. 나중에 다시 불붙을지도 모르죠."

- "뜨거운 섹스를 즐기기보다는 행복하게 TV를 보다가 책을 들고 침대로 가는 부부들이 많을걸요? 친구 부부들과도 섹스가 과거의 망령이 되었다는 농담을 자주 해요."

# 나만의 정상 상태를 찾아라

'섹스리스' 부부는 정확히 뭘까요? 아직 하긴 하지만 한 달에 한 번 혹은 일 년에 한 번뿐이라면? 공식적으로 일 년에 섹스 횟수가 10회 이하인 부부를 섹스리스 부부라고 했죠. 하지만 이 정의는 너무 좁아서 이제 '성적인 행위가 거의 없거나 전혀 없는 부부'로 바뀌었습니다.

어떤 사람들은 주 1회가 적다고 생각합니다. 반면 1년에 두 번 즐겁게 섹스하고 성생활이 대단히 만족스럽다고 평가하는 사람들도 있죠. 두 달에 한 번 섹스를 하는데 '섹스리스 부부'라고 하면 분노할 50세 이상 부부들이 많을 겁니다. 두 사람에게 적당한 양의 섹스는 얼마나 자주 하는지와 상관없습니다. 무엇이 두 사람 모두에게 행복을 주느냐와 상관있죠. 이건 정말로 중요한 사실입니다

네, 섹스는 여러 가지 면에서 엄청나게 좋습니다. 섹스의 정서적, 육체적 효과를 벌써 수없이 이야기했죠. 하지만 섹스를 거의 혹은 아예 하지 않고 잘 지내는 커플도 많습니다. 인생에서는 섹스 말고도 중요한 게 많죠. 행복한 결혼생활을 하고 있는 60대 남성은 말합니다. "얼마나 자주 하느냐가 중요한 게 아닙니다. 섹스를 할 수 있다는 것, 파트너도 원한다는 사실을 아는 게 중요해요." 이 부부는 한 달에 한 번 섹스를 하는데 아무런 문제가 없습니다. '정상' 같은 건 존재하지 않습니다. 일주일에 한 번은 해야만 섹스의 좋은 효과를 누릴 수 있다고 하지만 이건 전반적인 수치일 뿐입니다. 커플의 나이나 어떤 단계에 놓여 있는지는 고려하지 않죠. 두 사람이 얼마나 함께했고 삶에서 어

떤 다른 일이 일어나고 있는지, 섹스가 서로에게 어떤 의미인지 등 수많은 변수가 고려되어야 합니다. 사랑, 장난, 애정 같은 것들도 커플의 친밀감을 위해 섹스만큼 중요하죠.

숫자에 집착하는 사람에게 약간 혼란을 줄 몇 가지 통계 수치를 알려드리겠습니다. 50세 이상을 위한 온라인 포럼 그랜스넷Gransnet과 영국의 컨설팅 업체 릴레이트Relate가 진행한 설문조사에서 51~85세 영국인 커플 4쌍 중 1쌍이 섹스리스이고 57퍼센트는 섹스를 하지 않아도 행복하고 만족스럽다고 밝혔습니다. 98퍼센트는 지속적인 관계에서 섹스보다 신뢰가 더 중요하다고 말했습니다.

영국의 잡지가 45~64세 여성 2,000명을 대상으로 벌인 또 다른 설문조사에서 오래된 커플의 여성 절반은 섹스를 하지 않게 되어도 격

정하지 않는다고 했습니다. 70,000명 이상의 미국인을 대상으로 한 연구(노멀 바The Normal Bar의 온라인 설문조사)에는 50세 이상 8,240명이 참여했는데요. 커플의 33퍼센트는 섹스를 거의 혹은 아예 하지 않았습니다. 하지만 그들 중 4분의 1이 '매우 행복하다'고 했죠.

성적 친밀감과 행복감 사이에는 확실한 상관관계가 있습니다. 최근 국제성의학협회International Society for Sexual Medicine가 주로 60대가 대부분을 차지하는 3,000명의 남성과 4,000명의 여성을 연구한 결과, 지난 1년 동안 섹스를 한 적 있는 사람일수록 삶에 대한 만족도가 크게 나타났습니다. 하지만 서로 좋은 친구이고 애정 표현도 잘하고 잘 웃고 취미 생활도 나누고 자녀, 친구, 가족과 즐거운 시간을 보내며 행복하게 살아가는 커플이라면 섹스가 주인공이 아니라 들러리일 뿐이죠. 하지만 한 가지 꼭 주의해야 할 점이 있습니다. 서로의 생각이 똑같아야 한다는 거지요.

또 항상 기억해야 할 것은 그럭저럭 괜찮고 규칙적인 섹스가 관계의 그리 완벽하지 않은 부분들을 매끄럽게 바로잡아준다는 겁니다. 따라서 섹스를 아예 하지 않기로 했다면 두 사람의 관계를 부지런히 '가꿔야' 합니다.

## 여자가 섹스를 더 많이 원하도록 남자가 할 수 있는 일

- "다정함과 배려를 자주 보여주는 게 좋아요. 저는 마사지를 해주면 긴장이 풀리고 편안해져서 섹스하고 싶은 기분이 들거든요. 심리적으로 준비가 되어야만 섹스하고 싶은 마음이 들어요. 단순히 신체적이고 형식적인 문제가 아니에요."

- "중년 여자들은 존재감이 작아진 기분을 종종 느껴요. 이제는 여자가 아닌 것처

럼. 아직 여자라는 걸 느끼는 게 정말 중요해요. 남편들이 더 젊은 여자랑 바람이 나서 이혼한 친구들이 여러 명이나 있어요. 여자들은 쉽게 상처받아요."

- "내 말에 귀 기울여 줬으면 좋겠어요. 여자는 나이가 들수록 머릿속에 생각이 너무 많아지거든요. 폐경이 큰 요인이죠. 늙어간다는 사실도 그렇고요."

- "좀 더 칭찬해주세요. 중년 여자들은 예전만큼 칭찬을 많이 못 받아요. 외모나 감정, 매력에 대한 그 어떤 긍정적인 칭찬이라도 정말 큰 도움이 됩니다."

- "로맨스가 필요해요. 만져주고 애태우고. 곧바로 클리토리스를 향해 직진하는 게 아니라요."

- "평소 사이가 좋으면 섹스도 더 좋을 수밖에 없어요. 물론 나도, 그도 전희가 많이 필요하죠."

## 남자가 섹스를 더 많이 원하도록 여자가 할 수 있는 일

- "테크닉이 전부가 아니라고 그를 안심시켜줘야죠. 삽입뿐만 아니라 모든 측면에서 두 사람이 연결되는 게 중요해요."

- "칭찬해줘야죠. 그가 예전보다 자신감이 많이 줄어들었으니까요."

- "남자들의 욕구에 관심을 기울여야 해요. 남자들도 상대가 자신을 욕망한다는 걸 느낄 필요가 있어요. 남자들도 나이가 들수록, 관계가 깊어질수록 감정적인 교감이 더 필요한 것 같아요."

- "섹스를 원하지 않는 남자는 한 번도 못 봤어요. 침대에서 뭘 해주면 무조건 행복해하는 게 남자들이에요."

- "남자들도 중년이 되면서 찾아오는 육체적 변화와 성 기능의 약화 때문에 힘들어하죠."

- "그가 성기능이 예전 같지 않다는 걸 받아들이도록 도와줘야 합니다. 발기가 안 된다고 세상이 끝난 건 아니라는 걸 알려줘야 해요."

---

# 두 사람 모두가
# 섹스를 원하지 않는다면

아무런 문제 없이 성생활을 끝내는 부부는 원래도 섹스에 별로 관심이 없었던 경우가 많습니다. 그래서 50세가 넘어 일반적인 문제들이 생기면 자연스럽게 성생활을 끝내게 되는 거지요.

나이가 들어서도 열정적으로 섹스를 하는 사람들도 있고 조금씩 시들시들해지고 지치는 사람들도 있습니다. 이제는 다른 것들이 중요해지죠. 젊었을 때는 섹스 대신 시골길을 산책하거나 마당을 가꾸는 게 도저히 이해되지 않습니다. 하지만 60세를 향해 가다 보면 이해되기 시작하죠. 50세가 넘으면 관심사가 젊었을 때와는 달라집니다.

커플이 섹스리스가 되기로 결정한 이유가 무엇이든 이제부터 두 사람의 관계가 어떻게 될 것인가에 영향을 줄 요소가 하나 있습니다. 섹스리스가 미치는 영향을 확실히 알아야 한다는 거예요. 절대적으로 꼭 그래야 합니다. 그렇지 않으면 두 사람의 관계가 큰 위험에 놓이게 됩니다. 섹스를 그만두는 커플은 성과 관련된 모든 것을 그만두는 경우가 많습니다. 키스도 하지 않고 서로 시시덕거리거나 만지지도 않습니다. 섹시한 옷이나 속옷도 입지 않죠. TV에서 섹스하는 장면이나 섹스와 관련된 대화가 나오면 시선을 피합니다. 섹스를 하고 싶지 않으니까 섹스로 이어질 수 있는 모든 걸 피하는 거죠. 그러면 다시 불붙을 가능성이 있었던 조금 남아있던 욕망마저도 죽어버립니다. 두 사람의 관계도 망가지고요. 애정 표현과 신체 접촉이 아예 사라져버리면 한집에서 별거하는 것과 똑같죠.

정말로 헤어지고 싶지만 이혼으로 생활이 바뀌거나 아이들에게 상처를 주는 게 싫어서 그렇게 살아가는 부부도 있습니다. 만약 이런 상황이라면 이 문제를 입 밖으로 내고 허심탄회하게 대화를 나누세요. 그게 두 사람 모두를 위하는 길입니다. 섹스리스 부부가 되었다는 사실을 서로 인정하고 둘 다 불만이 없다면 일부러 서로를 피할 필요 없이 편하게 생활하면 됩니다. 혹시 알아요? 오히려 좋은 친구 사이가 될 수 있을지도요. 문제가 있는데 서로 모르는 척, 다 괜찮은 척하는 건 의미도 없고 둘 다 지치게 할 뿐입니다. 아이들은 바보가 아니에요. 문제가 있다는 걸 다 압니다.

아직 서로를 많이 사랑하고 서로가 없는 삶은 상상조차 할 수 없더라도 섹스리스에 관한 대

화는 나눠야만 합니다. 사이가 정말 좋은 커플은 그 대화가 그리 길지도 않고 충격적이지도 않을 수 있다고 말합니다. "어느 날 밤 침대에서 서로를 바라보며 내가 '우리 이제 섹스 안 하는 거 당신 괜찮아?'라고 물었죠. 남편은 '괜찮아. 껴안는 것만 계속한다면 괜찮아'라고 대답했어요. 아주 간단했어요."

하지만 앞으로 섹스가 없는 관계를 이어나가기로 한 사실을 두 사람이 한 치의 의심도 없이 분명하게 이해하고 넘어가는 순간이 있어야만 합니다. 그렇게만 하면 다음과 같은 것들을 통해 애정을 계속 지켜나갈 수 있습니다.

**애정 표현을 두 배로.** 스킨십이 섹스의 전조가 아니라는 사실을 둘 다 알게 되었으니 편안한 애정 표현이 가능해집니다. 손잡기, 껴안기, 키스를 자주 하세요.

**계속 장난치세요.** 섹스를 안 한다고 해서 알몸으로 껴안고 자지 말라는 법은 없습니다. 즐거운 시간을 보내세요. 섹스를 안 해도 성감대는 살아있습니다. 그의 엉덩이를 찰싹 때리세요. 그가 당신의 엉덩이를 꽉 쥐거나 가슴을 칭찬하면 기뻐하세요. 가끔 그의 페니스를 살짝 당기세요.

**대화를 계속하세요.** 둘 다 섹스리스에 계속 만족하는지 확인하세요. 압박감이 사라져서 오히려 섹스를 다시 하고 싶다는 생각이 들 수도 있으니까요.

**한 사람의 마음이 바뀔 수도 있다는 걸 알아두세요.** 만약 파트너가 성생활을 다시 하고 싶다고 고백해도 당황하지 마세요.

**침대를 따로 쓰는 게 좋을 수도 있습니다.** 전혀 섹시한 개념은 아니지만 부부가 떨어져 자는 이유는 여러 가지가 있습니다. 최근 한 연구에서 호주인 커플 20만 명이 파트너가 코를 골거나 뒤척이거나 이불을 빼앗아가서 따로 잔다는 사실이 나타났습니다. 이런 경우 '떨어져 자기'는 커플의 관계에 오히려 긍정적인 영향을 끼치기도 합니다.


# 나는 원하는데
# 파트너가 섹스를 원하지 않을 때


여기서 중요한 질문은 '왜?'입니다. 그 이유에 따라 대처 방법도 달라지니까요. 파트너가 자신의 잘못이 아닌, 병이나 건강 문제, 어쩔 수 없는 사건으로 인한 우울증이나 스트레스 같은 분명한 이유로 섹스를 원하지 않는 것과 스스로 '이젠 섹스하지 않을 거야'라고 결정하는 것은 다릅니다. 하지만 그런 상황이라도 어느 정도 해결의 여지가 있을 수 있습니다.

예전 같은 섹스는 불가능할지 몰라도 다른 섹스가 가능할 수 있죠. 뜻이 있는 곳에 길이 있다고 했으니까요. 저는 뼈 질환을 앓고 있는 사람들을 대상으로 워크숍을 한 적이 있는데요. 휠체어에만 앉아 있어야 할 정도로 장애가 심각한 분들도 있었고 재채기만 해도 부러질 정도로 뼈가 약한 분들도 있었죠. 보통 사람들은 감기에 걸리거나 오늘은 '뚱뚱한 기분'이 든다고 섹스를 피하잖아요. 제가 만난 사람 중에는 항상 큰 고통 속에서 살아가는 분들도 있었어요. 화장실 가는 것도 힘들 정도로요. 그런 장애가 있지만 성적인 교감을 느낄 방법을 배우려고 워크숍에 온 거죠. 정말 겸허한 마음이 들었습니다. 성적인 존재라는 것이 인간에게 얼마나 중요한지 소중한 교훈을 얻었죠. 보통 사람들이 섹스를 하지 않으려고 온갖 핑계를 대는 게 좀 한심해 보이기도 했고요.

파트너가 삽입 섹스를 할 수 없게 되었더라도 당신을 충분히 만족시켜줄 수 있습니다. 손이나 혀로 당신을 즐겁게 해줄 수는 있나요? 섹스 토이를 들고 당신에게 자극을 줄 수 있나요? 적어도 당신이 자위할 때 옆에서 지켜보며 섹시하다고 말해줄 수 있죠. (정신 질환의 경우는 이야기가 완전히 다릅니다. 오직 당신만이 상황을 알고 결정을 내릴 수 있습니다) 파트너가 직접 성적인 행위를 하는 것은 원하지 않지만 당신에게 성적인 자극을 주는 것에는 거부감이 없나요?

파트너가 이제는 섹스를 원하지 않는 것 같다면 이런 질문도 한번 생각해 보세요. 파트너에게 가능한 선택권을 찾아볼 탐색할 의향이 있는가? 여전히 나를 행복하게 해주고 가능한 선에서 내 욕구를 충족해주려고 하는가? 문제에 대해 이야기하고 해결을 위해 노력하려는 의지를 보이는가? 이 모든 질문에 대한 답이 '그렇다'라면 틀에서 벗어나 창의성을 발휘하는 것이 간단한 해결책이 될 수 있습니다.

## 두 가지 가능한 시나리오

특별한 이유 없이 성생활이 멈추기도 합니다. 횟수가 줄어들기 시작해 (아이들, 일, 나이 드신 부모님 돌보기 등) 일주일에 한 번에서 한 달에 한 번으로 줄어들다가 아예 하지 않게 되는 거죠. 다시 시작하려고 해봤지만 파트너가 항상 핑계를 댑니다. 당신은 "왜 섹스를 안 하려고 하는 거야?"라고 대놓고 묻다가 문제가 커질까 봐 두렵겠죠.

두 사람 사이에는 문제가 없는데 성생활만 죽은 것이라면 아마 당신은 자위로 버티면서 언젠가 다시 예전으로 돌아가기를 바랄 겁니다. '섹스를 하지 않는다'는 사실에 대해 부부가 서로 농담을 할 정도라면 심각한 문제처럼 느껴지지도 않을 거고요.

확실히 이건 다른 시나리오만큼 심각한 문제는 아닙니다. 섹스를 하지 않게 되고 파트너가 벽을 치면서 대화를 거부할 때 진짜 문제가 생기거든요. 당신은 처음에 내가 이제 여자로서 매력이 없어져서라고 생각할 겁니다. 성적으로 거절당하는 기분은 정말이지 비참하죠. 그다음에는 혹시 바람을 피우나, 헤어지고 싶어서 그러나 싶을 겁니다. 사랑받지 못한다는 기분까지 더해져서 더욱더 비참해지죠. 편집증이 심해지면 '혹시 동성애자인가?'라는 생각까지 들기 시작합니다. (레즈비언 커플이면 '혹시 이성애자인가?' 싶겠죠) 물론 정말로 이런 이유일 수도 있습니다.

하지만 예전에 섹스를 좋아했던 50대 남자가 갑자기 섹스를 피하고 대화도 거부한다면 거의 100퍼센트 발기에 이상이 생겼고 인정하기 창피해서입니다.

### 남자가 섹스를 멈추면 어떻게 되는가?

발기부전이 있는 남자들은 대부분 문제를 사실대로 밝히느니 차라리 섹스를 하지 않는 편을 선택합니다. 평소 시시콜콜 뭐든 말하기 좋아하는 성격이라도 마찬가지예요. 이 문제에 관해 대화하고 해결책을 찾는 방법은 7장에서 다루었습니다. 따라서 발기부전이 원인이라고 생각되면 7장을 읽어보세요.

욕망의 상실, 즉 단순히 섹스할 마음이 들지 않게 된 것도 남자들에게는 큰 충격일 수 있습니다. 전통적으로 남자는 나이에 상관없이 성욕이 넘쳐야 한다고들 말하기 때문이죠. 하지만 현실은 좀 다릅니다. "요즘은 아내가 남편을 데리고 치료를 받으러 오는 경우가 많다. 아내가 아니라 남편의 성욕이 없어졌기 때문이다." 성치료사 스티븐 스나이더가 말합니다. 성욕이 없어지면 남자는 무력해집니다.

그가 성욕이 없어서든 당신이 거부하는 것이든 섹스의 부재는 남자들에게 더 큰 영향을 끼칠 때가 많습니다. 섹스는 남성에게 오르가즘만 주는 게 아니라 친밀감을 제공합니다. 여자는 필요할 때 애정과 친밀감을 찾는 것에 남자보다 더 능숙하죠. 여자들은 포옹을 해달라고 하지만 남자들은 속상한 일이 있어도 그렇지 못한 경우가 많습니다.

---

265

'약해 보일까 봐' 두렵기 때문이죠. 대신 그들은 섹스를 시도합니다. '너와 친밀함을 느끼고 싶어'라고 말하는 그들의 방식이죠. 남자들도 여자들만큼 교감과 정서적 친밀감이 필요합니다. 그 주된 근원이었던 섹스가 멈춰버리면 그는 외로움과 고립감을 느낍니다.

### 이제 어떻게 해야 할까?

커플 대부분은 앞서 설명한 두 가지 시나리오 중 하나에 해당될 것입니다. 첫 번째 경우, 성생활이 멈추었지만 어떻게 다시 시작해야 할지 모르겠고 먼저 다가가도 파트너가 관심이 없는 것 같고 섹스만 빼면 부부 사이에 아무런 문제도 없는 듯합니다. 두 번 째 경우, 당신은 왜 섹스가 멈추었는지 전혀 알지 못합니다. 파트너가 이 문제에 대해 대화하는 것도 거부하고 이제 애정 표현도 하지 않습니다. 자신이 사랑스럽거나 매력적이지 않아서 거절당한 기분을 느끼지만 당황스러움과 혼란, 좌절도 큽니다.

그런 상황이라면 두 사람의 관계 자체가 벼랑으로 몰려서 성생활을 회복해야 한다는 생각이 들 리 없겠죠. 이건 정말 위기 상황입니다. 가능한 한 빨리 상담이나 심리치료를 받아보세요. 파트너가 거부한다면 혼자라도 가세요. 아니면 헤어질 수밖에 없습니다.

어떤 상황이든 해결책은 똑같습니다. 좋든 싫든 대화를 해야 합니다. (그런데 하지 않는 사람들이 너무 많죠)

# 방에 있는 코끼리를 다루는 방법

네, 다른 방법은 정말 없습니다. 당신도 할 수 있어요! 다음 내용을 읽은 후 심호흡을 몇 번 하고 솔직한 대화를 시도해 보세요.

### 대화 전에

**섹스를 원한다고 죄책감을 느끼지 마세요.** 일부일처제 관계는 서로의 성욕을 충족해줄 의무가 있습니다. 그게 거래의 조건이에요. 그러니 섹스가 중요한 사람이라면 포기하지 마세요!

또한 파트너가 그런다고 해서 당신 자신의 욕망을 숨기지 마세요. 여자들은 파트너의 관점을 이해하고 배려하고 맞춰주는 걸 잘하죠. 하지만 여자들의 욕구도 남자들의 욕구만큼 중요합니다.

파트너는 이 문제가 얼마나 오래되었는지 알고 있나요? 만약 파트너가 정말로 바쁘거나 스트레스가 심해서 섹스를 하지 않게 된 사실을 알아차리지 못한다면 그저 얼마나 오래됐는지, 얼마나 그리운지 이야기하세요. 그것만으로 문제가 해결될 수도 있습니다. 섹스가 어색해졌다면—규칙적으로 하지 않으면—금방 그렇게 되죠. 둘 다 얼른 다시 시작하고 싶은 생각이 들지 않을 겁니다. 파트너가 평소 감정 표현을 잘 하지 않는 성격이라면 섹스를 간절히 다시 하고 싶은데 어떻게 접근하면 어색한 분위기를 없앨 수 있을지 몰라서 망설이고 있을지 모릅니다. 따라서 당신이 일단 이야기를 꺼내면 나머지는 쉬울 겁니다.

---

**어떤 종류의 섹스를 원하세요?** 이상한 질문처럼 보이지만 그렇지 않습니다. 그래요, 당신은 다시 섹스를 하고 싶습니다. 그런데 얼마나 자주 하고 싶은가요? 어떤 섹스를? 뭐가 제일 그리운가요? 발가벗고 같이 침대에 누워 껴안고 이야기 나누는 친밀감? 아니면 오르가즘? 둘 다일 수도 있겠죠. 섹스에 삽입이 포함되길 원하나요? 아니면 전희로 만족하나요? 새로운 것을 시도하고 싶나요? 섹스토이 같은 거?

당신이 생각하는 이상적인 섹스를 그려보세요. 먼저 대화로 시작하고 싶은가요? 레스토랑에서 로맨틱한 저녁 식사를 하거나 함께 목욕하고 싶은가요? 섹스가 어떤 식으로 시작되고 끝나기를 원하나요?

자세한 시나리오를 떠올려본 뒤에 파트너는 예전에 무엇을 좋아했는지 생각해 보세요. 예전에 당신이 그에게 해주었던 것들을 포함하세요. 그러면 둘 다 좀 더 섹스가 하고 싶어질 수 있습니다. 물론 처음 대화 나눌 때 이렇게까지 자세한 계획을 드러낼 필요는 없어요. 하지만 그가 물을 것을 대비해 미리 생각해두면 큰 도움이 되겠죠.

**대화하기 좋은 시간을 정하세요.** 만약 그가 섹스에 관한 대화를 계속 피해왔다면 좋은 시간이란 없겠죠. 당신이 이 이야기를 꺼내는 순간 화를 내거나 뛰쳐나가거나 소리 지르거나 울거나 입을 꽉 닫고 대화를 거부할 수도 있습니다. 이런 반응들이 나오리라는 걸 먼저 예상하세요. 당신이 처음 대화를 시도했을 때 잘 안 되더라도 그가 혼자 곰곰이 생각해 보고 하루 이틀 후에 대화할 준비가 될 수도 있습니다.

아무튼 대화 시간을 잘 선택해야 잘 될 확률도 높아집니다. 둘 다 편안한 상태에서 파트너가 편안하게 느끼는 장소에서 하세요. 침실은 피하세요. 섹스를 시도했다가 거절당한 다음에는 절대로 하면 안 됩니다. 둘 다 침착한 상태여야 합니다.

대화하기

**칭찬은 매우 효과적입니다.** 그에게 매력을 느끼고 예전의 좋았던 섹스가 무척 그립다는 쪽으로 포인트를 잡으면 훨씬 더 좋은 반응이 나올 수 있습니다. 저는 이 주제를 인터뷰 했는데요, 남자들은 칭찬에 무척 약합니다. 약간 과장해서 아첨하면 당신의 이야기를 계속 들어보려고 할 가능성이 큽니다.

**간단한 것부터 시작하세요.** "하고 싶은 이야기가 있어. 난 당신을 사랑하고 우리를 사랑하고 섹스가 그리워. 우리 섹스 안 하게 된 거 알아? 당신은 그걸 어떻게 생각해?" 정말 상황이 안 좋다면 "난 우리 관계가 걱정돼. 우리가 멀어진 것 같아. 대화도 많이 안 하고 섹스도 하지 않잖아. 왜 그런지 얘기 좀 할 수 있을까?"

**그가 화를 내더라도 당황하지 마세요.** 분노는 단지 두려움일 뿐입니다. 당황스러워서이기도 하고요. 목적은 그가 입을 열게 하는 겁니다. 소리를 지르는 게 침묵보다 나아요. 그리고 방어적인 태도로 나오는 게 무관심보다 낫고요.

만약 그가 "글쎄, 당신 씀씀이가 그렇게 헤프지 않으면 내가 이렇게 바쁠 일도 없겠지"라고 하거나 "당신이 살 좀 빼면 관심이 생길지도" 같은 모욕적인 말을 한다면 속으로 10까지 세고 즉각 반응하지 않도록 하세요.

거의 모든 커플에게, 특히 남자들에게 성 문제에 관한 대화는 가장 스트레스가 심한 주제 중 하나입니다. 파트너는 공격을 받는다고 느낄 것이고 당연히 본능적으로 맞서 싸우려고 할 겁니다. 만약 그가 즉시 사과하고 심한 말을 한 것을 자책한다면 용서해주고 다음으로 넘어가세요. 하지만 그가 모든 문제를 당신 탓으로 돌리게 하진 마세요. 그건 용서할 수 없는 끔찍한 일입니다. 그러면 나중에 진정되면 다시 얘기하자고 하세요.

**간단할수록 좋습니다.** 만약 그가 대화 자체에 심한 굴욕감을 느끼고 그 자리에 있는 것조차 힘들어한다면 기나긴 토론 같은 대화를 나누려고 해봤자 무의미합니다. 일단 문제가 밖으로 나왔으니 이제는 무시할 수 없습니다. 상대방에게 선택권을 주세요. "지금 얘기해도 괜찮겠어? 아니면 생각해보고 나중에 얘기할까?"

**반드시 경청하세요.** 당신은 미리 준비했으니 할 말이 많을 겁니다. 하지만 일단 말을 시작하면 파트너 역시 할 말이 많을 겁니다. 놀라지 마세요. 먼저 얘기를 꺼내지 않았다고 생각해보지 않았다는 뜻은 아니니까요. 그의 말을 잘 들어주세요. 정말로 집중해서 들어야 합니다. 제대로 이해했는지 확인도 하세요.

**'너' 말고 '나' 대화법을 쓰세요.** "나는 섹스가 중요하다고 생각해", "난 섹스를 해야 당신이 가깝게 느껴져"라고 합니다. "당신은 섹스가 끝일지도 모르지만 난 그렇지 않아"라고 하지 마세요. 비난하고 원망하는 것처럼 들립니다.

**먼저 감정을 말하고 나서 해결책을 말해라.** 감정을 빼먹고 너무 성급하게 해결책으로 넘어가면 안 됩니다. 지금은 감정적인 순간입니다. 둘 다 상처받기 쉬운 상태인 만큼 서로의 감정을 이해하려고 해야 합니다.

대화 후에

그동안 피해왔던 대화에 어쩔 수 없이 참여한 뒤에 오히려 안도하고 행복해하는 사람들도 있습니다. 대화가 생각보다 길어지고 와인도 한 잔씩 하면서 예전의 섹스에 대해 회상하고 다시 되돌릴 수 있는 좋은 아이디어를 함께 고민하죠.

서로 속마음을 털어놓고 홀가분해졌지만, 상대방이 예전처럼 섹스를 규칙적으로 하고 싶은 생각이 전혀 없다는 사실이 분명하게 드러나기도 합니다. 만약 그렇다면, 가능한 선택권을 상의하기 전에 둘 다 생각할 시간을 가져보세요.

섹스를 하지 않는 게 당신도 괜찮다면 나도 섹스를 안 해도 되지만 애정이나 포옹까지 포기하고 싶진 않다는 걸 분명히 말해두세요. 그가 당신이 섹스를 원한다고 생각해서 당신을 만지는 것조차 두려워할 수도 있거든요. 그런 문제가 생기지 않도록 지금 확실하게 하세요. 5장에 제시된 섹스 없는 관계를 행복하게 유지하는 방법을 읽어보면 도움이 될 겁니다.

하지만 아예 대화를 거부하는 파트너들도 있습니다. 당신이 이야기를 꺼낼 때마다 나가버리거나 입을 꾹 닫아버리죠. 대화 시도가 너무 일방적인 노력처럼 느껴진다면 관계 회복의 가망이 없는 것 같아서 절망스러울 수도 있습니다. 그럴 때 상담 치료가 도움 될 수 있는데요, 만약 파트너가 거부해도 혼자 가볼 만한 가치가 있습니다. 아니면 이제는 정말로 헤어지는 게 나을지도 모릅니다.

함께 해결할 수 있을 것처럼 보여도 치료를 받으면 큰 도움이 됩니다. 오랜만에 섹스를 다시 시작하는 것은 쉬운 일이 아닙니다. 여기에서 알려주는 대로 해보고 잘 안 된다면 훌륭한 치료사에게 상담을 받는 것도 투자 가치가 충분합니다.

# 파트너가 섹스를
# 원하지 않을 때의 선택권

## 솔로 섹스, 포르노, 섹스 토이 활용

한마디로 혼자서 자신을 자극해 쾌감을 얻으세요. 이 방법은 많은 사람에게 효과적입니다. 특히 파트너가 섹스를 원하지 않고 이 방법에 찬성한다면 더욱더 그렇죠. 설마 파트너가 섹스를 원하지 않는데 당신이 자위하는 것까지 막진 않겠죠?

### 비상호적 섹스

섹스하고 싶어 하지 않는 파트너라도 손이나 입 또는 섹스 토이를 사용해 당신을 자극해줄 수 있습니다. 내가 이 방법을 말해주자 남편이 웃음을 터뜨리더군요.

"남자들이 안 하려고 할 거야. 남자들은 이기적이거든. '내가 얻는 건 뭐지?'를 생각하지. 그렇게 해줘도 자기가 얻을 게 없잖아."

"사랑하는 여자를 기쁘게 해주는 건데?" 제가 반박했죠.

"소용없을 걸."

다음 생에는 남자로 태어나고 싶네요. 여자들은 받는 것이 없어도 주는 것에 익숙합니다. 여자들에게는 전혀 이상한 일이 아니죠. 만약 파트너가 인도 음식을 좋아한다면 싫더라도 가끔 먹을 겁니다. 샐러드만 먹는 한이 있더라도 말이에요. 커플이라면 끊임없이 서로 양보를 하면서 살아갑니다.

이 문제도 다르지 않습니다. 지금까지 한 섹스로 충분하고 앞으로는 하고 싶지 않다면 어색해도 파트너가 혼자 즐기도록 도와줄 수 있어야 하는 것 아닐까요? 자신은 원하지 않아도 파트너가 원한다면 오르가즘을 느끼게 도와주는 게 그렇게 어려운 일일까요?

### 몰래 밖에서 해결하기

파트너와 헤어지지 않고 원나잇을 즐기거나 기혼 남녀 불륜 카페에 가입하거나 성매매를 하거나 다른 사람을 사귀거나 하는 방법으로 성욕을 해결하려는 사람들도 분명 있을 겁니다. 그런 선택을 하는 이유가 이해되기도 하지만, 파트너가 알게 돼도 용서할 거라고 착각하지 마세요.

배우자가 원치 않아도 성생활을 끝내는 것이 괜찮다고 생각하는 사람들이 많습니다. 그럴 때 밖에서 성욕을 충족하는 게 당연하다고 생각할 수 있지만, 상대방이 동의하지 않을 수도 있습니다. 배우자가 섹스를 거부해서 외도한다면 언제든 결혼생활이 무너질 위험이 있죠.

### 무언의 허락 하에 다른 사람과 섹스 하기

앞으로 두 사람 사이에 영영 섹스가 없을 거라는 사실을 서로 분명히 확인했을 때 파트너가 "하고 싶은 대로 해. 들키지만 마"라고 말하기도 합니다.

이별

만약 당신이 섹스를 즐기고 친밀감과 유대감처럼 섹스가 주는 모든 특별함을 사랑한다면 섹스를 하지 않는 관계를 견딜 수 없을 겁니다. 그렇다면 양심만 쌓이는 불행한 관계를 억지로 이어가지 말고 더 잘 맞는 사람을 찾아 각자의 길을 가는 게 서로를 위한 일일 수 있습니다.

## 오랜만에 다시 섹스를 시작하는 방법

여기서 제안할 두 가지 프로그램은 세계 최고의 성치료사들이 추천하는 방법입니다. 분명히 효과가 있어요. 그렇지 않으면 치료사들이 내담자들에게 숙제로 내지 않겠죠.

성감초점 프로그램(Sensate Focus Program)은 굉장히 오래되었죠. 제가 첫 책을 쓴 1999년에도 성적 교감을 잃어버린 부부들을 위한 표준적인 방법이었거든요. 그런데 저는 그 어떤 책에서도 이 방법을 자세히 소개한 적이 없어요. 그 이유는 예전엔 제가 이 방법이 왜 필요한지 이해할 수가 없었기 때문이었죠.

만약 제가 오랫동안 섹스를 하지 않았고 다시 시작하고 싶다면 주말여행을 떠나 와인을 잔뜩 마시고 곧바로 섹스를 할 것 같았거든요. 누워서 서로 쓰다듬기만 하는 게 아니라요. 오랜만이니까 좀 어색하기도 하고 그냥 기본적인 섹스겠지만 적어도 전 그렇게 바로 그냥 섹스하는 방법으로 성공한 적이 있거든요. 그 다음부터 차차 더 다양하고 새로운 테크닉을 더하면 되죠. 어떤 커플들에게는 이게 가장 좋은 방법일 겁니다.

나이가 들어 조금 차분해지고 (조금이지만) 인내심도 커진 지금, 저는 섹스의 역학에만 초점을 맞추고 감정적인 면을 소홀히 하는 방법이 효과가 없을 때도 있다는 걸 깨달았습니다. 잠들어 있는 욕망을 쿡쿡 찌르면서 "일어나, 이 게으름뱅이야!"라고 깨우는 게 성생활을 되살리는 전부가 아니라는 걸요. 욕망이 장기적으로 계속되려면 동료가 필요합니다. 바로 함께함과 친밀함이죠. 물론 에로티시즘은 좋은 섹스에 필수지만 오래 섹스를 하지 않았는데 기본적인 토대를 다시 쌓지 않은 채 곧바로 그 부분으로 넘어갈 수는 없습니다.

지금은 두 사람 모두 약한 상태에요. 부드러운 이 프로그램이 두 사람에게 딱 필요한 것일 수 있습니다.

### 세상에서 가장 쉬운 섹스 연습

첫 번째는 성치료사 스티븐 스나이더가 고안한 것인데요, '2단계 계획(Two-Step Plan)'이라고 합니다. 명심하세요. 섹스를 하는 게 아니라 흥분 자체를 위해 흥분을 경험하는 게 목적입니다.

강요하지 말고 인내심을 가지세요. "흥분을 오르가즘으로 없애야 한다고 생각하는 커플이 너무 많다. 마치 흥분이 당장 없애야 할 짜증나고 불쾌한 것이라도 되는 것처럼." 스나이더는 말합니다. (사실 저도 그랬어요!) 그는 부부들에게 흥분감을 따뜻하고 유익한 것으로 경험하라고 조언합니다. 흥분되는 느낌을 행동으로 옮기기 전에 그대로 간직하면서 느껴보라고 말이죠.

스나이더의 말대로 이건 정말로 '세상에서 가장 쉬운 섹스 연습'입니다. 방법은 다음과 같습니다.

- **1단계**: 침대에 누워 아무것도 하지 않습니다. 원하면 옷을 벗어도 되지만 원치 않는다면 벗지 마세요. 이야기를 하세요. 무슨 얘기도 상관없지만 간단하게 하세요. 아무런 목적 없이 그냥 서로 나란히 누워있는 걸 즐기세요. 그냥 가만히 서로의 숨소리를 듣고 있어도 됩니다. 그나 자신의 몸을 쓰다듬고 싶어질 수도 있습니다. 아직은 성적인 터치가 되지 않도록 하세요. 원할 때까지 만지세요. "처음에는 어색하게 느껴지겠지만 괜찮다. 어색함이 느껴져도 그저 그 감정을 알아차리기만 하고 그냥 흘려보내라"라고 스나이더는 말합니다.
- **2단계**: 만약 1단계에서 흥분이 된다면 그저 그 느낌을 즐기세요. 그 흥분감을 어떻게 해야 한다고 생각하지 마세요. "흥분감을 신경 쓰지 마라. 흥분감이 알아서 하게 놔두어라. 승객이 된 것처럼 흥분감이 이끄는 대로 따라간다." 만약 좀 더 나아가 성적인 자극을 주고 싶은 마음이 든다면 그렇게 하세요. 그렇지 않다면 가만히 누워서 친밀감을 느끼며 그 순간을 즐기세요. 서로 알몸으로 함께 흥분하

는 것에 익숙해져야 합니다.

이게 다입니다! 이걸 한두 달 동안 일주일에 한 번씩 하세요. 원한다면 더 해도 됩니다. 이것은 완전히 기본적인 것부터 성생활을 새롭게 시작하고 싶은 커플들이 사용하기에 아주 좋은 기술입니다. 다시 에로틱함으로 돌아가게 해주는 일종의 섹스 디톡스라고 생각하세요.

### 성감 초점 프로그램
스나이더는 커플들이 성감 초점 프로그램을 정말로 좋아했는데 그 이유가 '어쩌면 끔찍한 섹스에서 휴식을 취할 수 있기 때문인지도 모른다'고 말합니다. 성감대 찾기 프로그램은 기본적으로 벌거벗은 상태로 번갈아 서로를 애무하는 방법으로 이루어집니다. 처음에는 에로틱하지 않은 터치로 시작해서 성감대와 성기를 포함하게 됩니다. 천천히 다음 단계로 나아갑니다. 성적이지 않은 접촉에서 성적인 접촉으로 넘어가는데 며칠이 아니라 몇 주 또는 몇 달이 걸릴 수도 있습니다.

이 성감 초점 프로그램의 개념은 아주 간단합니다. 만지는 사람은 순전히 만지는 것에 집중하면서 만지고 상대는 그냥 몸을 맡기는 거죠. 스나이더는 누구를 걱정하거나 보살필 필요도 없이 그냥 느긋하게 있을 수 있다는 것이 장점이라고 말합니다.

그는 요즘 커플들은 그렇게 열정적이지 않다고 말합니다. 집중 시간이 짧아지고 경쟁은 더 치열해졌죠. 어떻게든 황홀하게 상대방을 터치하고 칭찬받고 싶어 합니다. #친밀감#교감시간 같은 인스타그램용 셀피를 찍고 싶어서 손이 근질거리죠.

성감 초점이나 2단계 같은 프로그램은 사실 마음 챙김을 연습하는 겁니다. 판단하지 않고 순간에 주의를 기울이고 집중하는 거죠. 오늘날의 최첨단 기술 시대에는 갈수록 더 어려워지고 있지만 반드시 터득할 필요가 있습니다.

### 다음에는?
2단계 계획이나 성감 초점 프로그램을 연습한 후에는 '추격 역학'을 분석하라고 에밀리 나고스키는 말합니다. 그녀는 각자가 돌아가면서 한 사람이 상대방을 관능적으로 터치하라고 권합니다. 적어도 1~2주일에 한 번씩. 두 사람 모두 참여하고 압박감이나 박탈감이 느껴지지 않는 한 횟수는 상관없습니다. 그다음에는 동시 터치로 넘어갑니다. 두 사람이 동시에 서로를 관능적으로 만집니다. 그리고 준비가 된다면 섹스

---

로 퐁당 뛰어드세요(그게 목표라면). 여기까지 몇 주 또는 몇 달이 걸릴지도 몰라요. 서두르지 말고 천천히 하세요.

### 다른 사람이 되어보기

신체적인 연습뿐만 아니라 생각을 바꾸는 연습도 하세요. '난 이제 섹스가 싫어'라고 생각하지 말고 이렇게 생각해보세요. 만약 내가 섹스를 사랑하는 여자 혹은 남자라면 어떻게 할까?

나고스키는 그걸 자신의 정체성과 연결하라고 조언합니다. "그냥 달리지만 말고 러너가 되어라. 아무 생각 없이 섹스하는 대신 섹스에 호기심이 많고 장난기 많은 에로틱한 사람이 되어라." 만약 내가 섹스를 좋아하는 사람이라면 너무 바쁘고/슬프고/피곤하고/외로워서/섹스할 수 없다는 생각에 어떻게 해야 할까? "당신의 문제를 그 사람에게 대입해 보라. 그 사람이 되어 해결해보라. 내가 섹스를 두려워하는 사람에서 파트너만 보면 달려들고 싶은 사람으로 바뀌려면 어떻게 해야 할까?"


# 당신이 섹스를
# 하고 싶지 않다면


섹스를 원하지는 않지만 파트너와 다시 뜨거워지고 싶다면, 2단계 계획 또는 성감 초점 프로그램을 사용해보는 것이 좋습니다. 그리고 많은 제안이 나오는 5장도 꼭 읽어보세요. 책 곳곳에서도 찾을 수 있습니다.

당신이 싱글이고 더 이상 인생에 섹스가 필요하지 않다고 생각한다면, 이제 성적인 존재가 아니라기보다는 낮아진 자존감을 느끼기 싫어서일 수도 있습니다. 금욕 생활을 하는 사람들이 점점 늘어나는 추세입니다. 금욕주의자이지만 그래도 누군가를 사귀고 싶다면, 같은 금욕주의자를 만날 수도 있습니다. 나이가 들수록 그런 사람을 만나기가 좀 더 쉬워지죠.

지금부터 다루는 내용은 앞으로 파트너와 섹스를 하지 않기로 결정한 여성들에게 나아갈 방향을 제시합니다.

파트너가 섹스를 피하는 경우와 마찬가지로 당신이 성생활을 끝내기로 한 이유에 따라서 대처 방법도 달라집니다. 만약 부부 사이에 심각한 불화가 있어서 파트너와 섹스를 하고 싶지 않은 것이라면 사랑하지만 성적인 걸 원치 않는 경우와는 상황이 크게 다르죠. 불화가 너무 심하다면 그 어떤 신체적인 접촉도 원하지 않을 것이고 이때는 세 가지 선택권이 있습니다. 파트너와 허심탄회하게 이야기하거나 상담을 받거나 헤어지거나.

하지만 이렇게 생각하는 사람이 많을 거예요. '아니야, 난 그를 정말 사랑해. 그냥 섹스와 관련된 게 싫을 뿐이야!' 그를(혹은 상황에 따라 그녀를) 사랑하고 두 사람의 관계가 소중하지만 단지 섹스만 원하지 않는 거죠. 말했듯이 당연히 그럴 수 있거든요.

이유가 무엇이든, 만약 파트너에게 이해를 구하고 함께 헤쳐나가고 싶다면 당신은 적어도 문제 해결을 위해 노력하는 모습을 보여야 합니다. 섹스할 때 통증이 문제라면 병원에 가거나 이 책에 나오는 다시 불꽃을 되살리는 방법들을 실천에 옮겨보세요. 처음부터 섹스에 별로 관심이 없었다면 그 이유도 한번 생각해 보고요. 파트너가 "문제를 해결하려고는 해봤어?"라고 물었을 때 자신 있게 "응!"이라고 말할 수 있어야 합니다.

## '섹스리스'의 의미 확실히 규정하기

다음 질문입니다. 파트너와 비상호적인 섹스를 할 마음이 있나요? 섹스를 원하지 않는다는 여자들은 대부분 삽입 같은 침투적인 섹스를 원하지 않는다는 뜻이거든요.

전희만 하는 건 괜찮은가요? 만약 성적인 자극을 받는 걸 원치 않는다면 파트너에게 뭔가 해주는 것(입이나 손으로 해주기 등)도 싫으세요? 그가 자위할 때 옆에 누워있는 건 할 수 있어요? 성적인 게 아주 싫진 않지만 지금의 섹스가 싫은 거라면 솔직하게 말해보세요. 의외로 기분 좋은 놀라운 결과가 생길 수도 있습니다.

성적인 건 아예 하고 싶지 않은가요? 만약 일부일처제 관계이고 파트너는 당신과 달리 계속 섹스를 원한다면 몹시 불행한 상황입니다. 이제 파트너는 자위나 판타지, 포르노 시청 같은 걸로만 성욕을 해결해야 하니까요. 물론 어떤 사람들에게는 그걸로 충분할 겁니다. 특히 건강 이상처럼 당신이 어쩔 수 없는 이유로 섹스를 그만하게 된 거라면요. 하지만 순전히 당신의 선택에 의한 거라면 다르겠죠. 한마디로 파트너에게 '바람피우지 마. 하지만 난 너와 섹스 안 할 거야'라고 말하는 거니까요.

이게 과연 공평해 보이나요? 모든 커플의 상황은 다릅니다. 분명 '그 사람이 나한테 한 걸 보면 그래도 싸지'라고 합리화하는 사람들도 있을 거예요. 하지만 공평하다고 생각한다고 해도 두 사람의 관계가 위기에 놓였다는 걸 알아야 합니다.

당신이 섹스에 응하지 않는데 파트너는 여전히 섹스를 원한다면

---

유혹에 빠지기 쉬워지죠. 평소 당신을 끔찍이 사랑하는 가정적인 파트너일지라도 관심을 주는 사람이 생기면 유혹에 굴복할지 모릅니다. 규칙적으로 성매매를 할 수도 있죠. 파트너를 사랑하지만 섹스를 원하는 남자들이 이 방법을 많이 씁니다. 깊은 관계로 빠질 일이 없으니까(낮으니까) 외도처럼 느껴지지도 않고 몰래 할 수 있으니까요.

이 상황에 대처하는 여러 가지 방법이 있습니다.

**파트너가 바람을 피울 수도 있다는 것을 인정하세요.** 그런 일이 생기지 않기를 간절히 바라겠지만 파트너가 몰래 밖에서 성욕을 해결할 수도 있다는 걸 알아두세요.

**밖에서 해결해도 된다고 노골적으로 허락하지 말고 이해한다는 암시를 주세요.** "당신이 힘든 거 알아. 당신이 어떻게 하든 이해할게." 이런 식으로 넌지시 암시하세요.

틀에 박힌 사고방식에서 벗어날 필요가 있을지도 모릅니다. "난 관절염 때문에 오래 앉아있기가 힘들어서 이젠 영화 보러 못 갈 것 같아. 당신은 아직 좋아하니까 이제부터 친구와 함께 가는 건 어때?" 이런 식으로 말하는 건 어렵지 않죠.

**별거 또는 이혼.** 이 대화는 헤어짐의 결과로 이어지기도 합니다. "40년 동안 같이 산 남편에게 앞으로 섹스를 하고 싶지 않다고 말했어요. 남편이 나를 앉히고 내 손을 잡고 눈을 보면서 말하더군요. '미안하지만 그 사실을 알면서 당신과 계속 함께할 수 없을 것 같아. 분명 내가 상처받을 거야' 그 후 우린 별거를 하게 됐고 지금은 이혼했어요. 후회하냐고요? 아뇨, 혼자가 더 편하고 행복해요. 전남편과는 좋은 친구로 지내고 있어요." 하지만 행복한 결말로 끝나지 않는 이야기도 많습니다.

파트너에게 무작정 "난 앞으로 섹스를 하지 않을 거야"라고 선언하지 마세요. 그건 정말 끔찍한 일입니다. 이 말을 꺼내기 전에 지금까지 살펴본 내용을 꼭 고려하세요.

10장,
바람이 휩쓸고 간 자리 :
나 혹은 배우자의 외도 후

20년 전만 해도
불륜에 관한 말이나 글은
전부 피해자의 관점에서 본 것들이었습니다.

외도를 저지른 사람은 무조건 나쁘고 지옥에 갈 것이라고 했죠. 외도한 사람을 편들면 덩달아 욕을 먹었고요.

그러다 재미있는 일이 일어났죠. 연구결과 바람피우는 이들이 나쁜 사람들만은 아니었습니다. 착한 사람들도 바람을 피웠죠. 더욱더 놀라운 건 아무런 문제없이 행복한 결혼생활을 이어가고 있고 배우자를 사랑하는 사람들까지 바람을 피운다는 사실이었습니다.

잠깐! 아내가 섹스를 원하지 않고 섹스를 원하는 남편을 이해해주지도 않는다면 당연히 밖에서 해결하게 되는 것 아니냐구요? 사람들이 외도하는 이유에 대한 과거의 잘못된 인식을 날려주는 결정타로 요즘은 여자도 남자만큼 바람을 피운다는 사실입니다. 이 모든 새로운 발견이 가져오는 최종 결과는 불륜의 본질에 관한 흥미로운 대화와 새로운 관점이 등장하고 있다는 거죠. 특히 여성들의 외도에 대해서요.

에스더 페렐의 테드 강연 '왜 행복한 커플이 바람을 피우는가?Why Happy Couples Cheat'는 조회 수가 수백만입니다. 그보다 더 일찍 나온 강의 '불륜에 대한 재고Rethinking Infidelity'는 지금 기준으로 조회 수가 400만 건이나 됩니다.

이 장에서는 그녀의 말을 자주 인용할 텐데요, 그녀만큼 이 주제를 제대로 이해하려고 애쓴 사람은 없기 때문입니다. 아, 생물 인류학자 헬렌 피셔Helen Fisher가 있네요. 고전이 된 그녀의 저서 《왜 사람은 바람을 피우고 싶어 할까》가 얼마 전 20년 만에 개정판으로 출판되었습니다. 미국의 성 & 커플 치료사 태미 넬슨Tammy Nelson 박사의 최근 저서 《당신이 바람을 피우고 있다면 알아야 할 10가지》는 벌써 베스트셀러가 되었죠. 네, 바람이라는 주제에 대한 관심이 뜨겁습니다.

피셔는 여성의 40퍼센트가 바람을 피운다고 추정하고 미국의 한 연구에서는 여성의 50퍼센트가 바람을 피운다는 결과가 나왔죠. 페렐은 디지털 시대에 불륜에 대한 보편적으로 합의된 정의가 없으므로 26~75퍼센트 사이라고 말합니다.

기술의 발달로 불법 섹스를 몰래 하기가 더 쉬워졌지만, 주의할 점은 숨기는 것도 더 어려워졌다는 겁니다. 예전에는 옷깃에 묻은 립스틱 자국과 수상쩍은 영수증 같은 건 숨기기가 쉬웠죠. 요즘은 모든 장치가 동기화되기 때문에 아내가 아이패드로 자녀의 숙제를 도와주다가 남편이 애인과 주고받은 문자가 뜰 수도 있어요.

## 왜 바람을 피울까?

바람피우는 이유를 한 번 살펴보죠. 넬슨은 남자들이 정서적 유대감과 친밀감을 위해서 바람을 피운다고 생각합니다. 그런 것은 충족되는데 단지 섹스만 부재할 경우에는 바람을 피우는 게 아니라 포르노에 의존하죠. 사랑과 애정이 충족되지 못하면 외도를 합니다. 넬슨에 따르면 여자는 욕망과 섹스, 그것도 에로틱한 섹스를 위해 바람을 피웁니다. 그를 위하는 것에 지쳐서 복잡할 것 없는 이기적인 섹스를 원하는 거죠.

남자가 여자보다 성욕이 왕성하다는 고정관념을 뒤엎는 책《나는 침대 위에서 이따금 우울해진다》의 작가 웬즈데이 마틴에 따르면, 연속으로 바람을 피우는 여성들이 많다고 합니다. 여자들은 믿음직하고 착해서 가정적인 남편이 되어줄 것 같은 재미없는 남자와 결혼하고 섹시한 나쁜 남자와 몰래 뜨거운 섹스를 즐깁니다. 그러면 장기적인 관계가 주는 안정감도 얻을 수 있고 에로틱한 섹스가 주는 짜릿함도 챙길 수 있죠.

피셔는 책에서 외도를 저지른 여성의 34퍼센트와 남성의 56퍼센트가 행복한 결혼생활을 하고 있는 사람들이라는 사실을 보여주는 연구를 인용합니다. "다윈의 관점에서 보면 우리는 둘 다 원하도록 진화했는지도 모른다. 지금 우리는 실제로 둘 다 가지는 것이 가능해진 진화의 단계에 이르렀다."

미국의 성치료사 스티븐 스나이더는 우리의 '성적 자아'—자신만의 확실한 규칙에 따라 움직이는 우리 안의 무언가—가 어린아이처럼 행동한다고 주장합니다. "당신의 성적 자아는 일부일처제를 전혀 이해하지 못한다. 가끔은 무언가를 원하는 이유가 지극히 비합리적이다. 대다수 사람의 성적 자아는 둘 다 원한다. 일부일처제가 주는 안정감을 좋아하면서도 가끔 한눈파는 것을 개의치 않는다."

지금 읽은 내용이—당신이 본능의 외침에 굴복하고 바람을 피우는 이유—상당히 논리적이고 전혀 잘못이 아닌 것처럼 느껴지는 이유도 그래서입니다. 하지만 자신이 불륜의 피해자가 되면 이야기가 달라지죠.

외도가 발각되면 대개 그 여파는 치명적입니다. 불륜을 저지른 사람은 두 사람을 진정으로 사랑하겠지만 당한 쪽에서는 오로지 한 사람을 사랑했기에 속았다는 큰 상처와 배신감을 느낍니다.

다들 바람을 피우니까 나도 피워도 된다고 합리화하지 마세요. 사랑하는 사람이 당신의 핸드폰을 들고 충격과 공포에 사로잡힌 표정을 짓는 순간, 돌이킬 수 없게 되는 거니까요.

### 남자가 바람을 피우는 이유

남자들의 이유도 여자들과 거의 비슷합니다. 삶에 싫증이 나거나 실망해서(자신이 그토록 바라던 승진을 하지 못했을 때) 흥분감을 느끼려고 바람을 피울 수도 있습니다. 오랜만에 만난 친구가 살찌고 늙었다고 생각했는데 거울을 보았더니 자신도 똑같다는 걸 깨달았을 수도 있죠.

바람을 피우는 것만큼 자신감을 북돋아 주는 건 없거든요.

불륜 상대는 그를 우상화합니다. 연못에 비친 모습을 보죠. 하지만 아내는 그를 현미경 보듯 자세히 봅니다. 남편을 이상화하는 아내는 별로 없어요. 그런데 대부분의 남자는 영웅으로 숭배받는 것을 좋아하지요.

불륜은 초점을 한 곳에 고정시킵니다. 세상에 두 사람밖에 없는 것 같은 만남이죠. 현실이 멀어지니까 너무나 달콤합니다. 불륜이 발각되어 현실 밖으로 나오는 순간 오그라들어 소멸하는 것도 그 때문이죠. 현실적으로는 24시간 서로만 바라보면서 사는 게 불가능하니까요.

남자가 바람을 피우는 또 다른 이유는 섹스 때문입니다. 특히 오래된 관계일 경우 당신이 섹스를 거부하면 그가 바람피울 가능성이 매우 큽니다. 파트너와의 성생활을 끝내면 이런 위험이 따를 수 있습니다. (5장에서 이야기했죠)

섹스리스 부부라 바람을 피우게 되는 남자들은 딱 한 번뿐이라고 다짐하지만 자신이 너무도 섹스를 원하고 또 필요하다는 것을 깨닫고는 멈추지 못합니다. 페렐은 바람피우는 사람 중에는 수십 년 동안 파트너에게 충실했지만 어느 날 자신도 모르게 선을 넘어버린 경우가 많다고 말합니다.

### 유혹을 느끼나요?

선량한 사람들도 바람을 피웁니다. 앞에서 분명히 말했죠. 바람을 피우고 싶다고 생각하거나 심지어 행동으로 옮긴다고 당신이 괴물은 아닙니다. 하지만 불륜을 삶의 방식으로 선택할 거라면 절대로 대충 넘어가지 마세요. 만약 파트너가 받아들일 것 같다면 서로 자유롭게 다른 사람을 만나도 된다고 허락하는 개방형 관계도 생각해보세요. 하지만 그런 경우가 아니라면, 사랑하는 사람을 속이고 있다는 죄책감을 안고 살아갈 자신이 있나요?

만약 그 대답이 '아니오'이고 파트너와 헤어지는 걸 원치 않는데도 다른 사람과의 섹스를 고려하고 있다면 절대 지금 드는 유혹을 가볍게 여기지 마세요. 확실히 선을 그으세요. '만약의 상황'을 계속 떠올리지 말고 거부하세요. 출장 중에 섹시한 직장 동료와 둘이 저녁을 먹지 마세요. 술도 약하고 시시덕거릴 것 같다면 회식에도 빠지세요. 아예 유혹 거리를 없애야 합니다.

시시덕거리는 게 얼마나 위험한지 알아야 합니다. 갈망은 무척 강렬한 감정입니다. 누군가 당신의 마음에 불을 질렀다면 거기에 기름을 부으려 하지 마세요. 그 사람에게 여지를 주거나 농담을 주고받지도 말고 결혼생활이 불행하다는 표시도 내지 마세요. "한 번은" 괜찮다고 생각하지 마세요. 경계를 정하고 절대 넘지 마세요.

가장 중요한 것은, 계속 파트너를 바라보면서 갈망을 느끼게 하는 부분을 찾으려고 하는 거예요. 부부 사이가 침몰하는 배처럼 느껴진다면 그가 당신을 제대로 바라보도록 충격을 줄 필요가 있습니다. 다른 남자에게 유혹을 느꼈다는 걸 솔직히 말하세요. 물론 위험하지만 행동으로 옮기진 않았잖아요. 이래도 그가 관심을 보이지 않으면 상담이 아니라 이혼이 필요합니다.

## 바람피우는 사람이 문제

파트너의 불륜이 당신 때문도, 두 사람 간의 관계 때문도 아니라는 걸 알려주는 11가지 이유가 있습니다.

1. **계속 바람피우는 사람은 친밀감을 쌓을 수 없는 사람들이기 때문.** 그들은 파트너가 누구든 항상 바람을 피울 겁니다. 상대와 너무 가까워지지 않는 방법이기 때문이죠.
2. **다른 문제가 있어서.** 불륜은 해결하지 못한 고통스러운 감정을 잊게 해주는 좋은 방법이죠.
3. **다시 젊음을 느끼고 싶어서.** 들키지 않게 몰래 '하면 안 되는' 일을 하는 불륜은 젊은 날을 떠올리게 합니다. 잃어버린 것을 다시 찾고 '아직 살아 있다'는 걸 증명하기 위해 바람을 피웁니다.
4. **성적 강렬함을 원하기 때문.** 이런 강렬함은 장기적으로 유지될 수가 없죠. 아무리 사랑하는 연인이라도 새로운 사람과의 섹스가 가져오는 짜릿함을 대신할 수 없죠.
5. **놓친 기회에 대한 애도.** 다른 길을 선택했으면 어땠을까? 남편 말고 그때 그 남자와 사귀었다면 어떻게 되었을까? 놓쳐버린 기회를 과거를 다시 살 수 있게 해줘서 바람을 피우는 것일 수도 있습니다.
6. **지금의 모습이 마음에 들지 않아서.** 페렐이 이번에도 정확하게 설명해줍니다. "우리가 파트너를 두고 한눈파는 이유는 파트너가 아니라 바로 자기 자신에게서 멀어지기 위한 것일 수도 있다. 다른 사람을 찾으려는 것이 아니라 다른 나를 찾으려는 것이다."
7. **자유를 원해서.** 젊은 나이에 만나 오랫동안 행복하게 살아왔지만 젊은 시절에 놓쳤던 자유가 아쉬워 불륜에 빠지기도 합니다.
8. **유전이라서.** 552명의 남성을 대상으로 한 스웨덴의 연구에서는 불륜이 부분적으로 유전의 영향일 수도 있다는 결과가 나왔습니다. DNA 때문이라는 거죠.
9. **삶의 변화에 대한 대처법.** 특정한 나이가 된 것, 은퇴, 자녀의 독립 같은 변화가 마음에 들지 않아서 약간의 흥분을 원할 수도 있습니다. 보통 동기부여로 작용하는 원인이죠.
10. **죽음의 해독제이기 때문.** "세계 어디든 불륜을 저지르는 사람들이 항상 하는 말

이 있다. 불륜을 통해 살아있음을 느낀다는 것. 그런 사람들은 최근에 부모의 죽음, 너무 빨리 세상을 떠난 친구, 건강 이상 등의 상실을 겪은 경우가 많다." 주변의 가까운 사람을 잃고 나서 갑자기 섹스를 원하게 되는 이들이 드물지 않습니다. 결국, 섹스는 생명이 창조되는 방식이라서 심리적으로 심오한 당김이 있죠.

11. **동시에 여러 명을 사랑하거나 욕망하는 것이 전적으로 가능하기 때문.** 피셔에 따르면 인간은 짝짓기와 번식을 위한 세 가지의 서로 다른 뇌 시스템을 진화시켰습니다. 바로 성욕과 강렬한 로맨스 그리고 장기적 파트너에 대한 깊은 애착이죠. 이 세 개의 뇌 시스템은 서로 밀접하게 연결되어 있지만 늘 그렇지는 않습니다. "밤에 침대에 누워 오래된 파트너에 대한 깊은 애착을 느끼다가도 다른 사람에게 갑자기 강렬한 로맨틱한 감정이 느껴지고 직장이나 사회적 관계 속의 낯선 사람에게 성욕이 느껴질 수도 있어요."

# 불륜 이후의 치유

피해를 복구하고 용서하지 말아야 할 때도 있습니다. 만약 두 사람의 관계가 풍전등화처럼 위태롭고 파트너가 당신을 나쁘게 대하거나 사랑이 식은 지 오래라면 바람피운 그를 용서하려고 애써야 할 이유가 있을까요? 그런 상황이라면 관계를 끝내라는 신호입니다. 그 관계에서 빠져나와 자신을 위한 새로운 삶을 만들어가는 데 에너지를 쏟으세요.

마찬가지로, 파트너가 바람피우다 걸린 게 이번이 처음이 아니고 지난번에도 상처가 컸다면 '삼진 아웃제'를 따르세요. 파트너가 당신이 괴로워하는 걸 보고도 곧바로 또 바람을 피운다면 이제 자기합리화는 그만 하세요. 계속 관계를 이어가도 상대는 절대 바뀌지 않습니다. (그래도 자기합리화를 계속하고 있다면 상담치료사를 찾아가 냉정하게 현실을

지적받고 정신 차리세요)

이 장의 나머지 부분은 계속 읽을 만한 가치가 있습니다. 이미 헤어짐을 선택했다고 해도 상황을 깊이 이해해야만 다시 세상에 대한 믿음과 마음의 평화를 찾을 수 있으니까요. 가치 없는 관계에 시간을 낭비하지 않는 게 중요합니다.

하지만 평소 파트너와 가장 친한 친구처럼 사이가 좋았고 아이들을 끔찍하게 사랑했고 성생활이 최고까지는 아니어도 나쁘진 않았는데 파트너가 바람을 피웠다는 걸 알게 된다면 어떨까요? 어떻게 해야 할까요? 평소 사이가 좋았다면 배신감도 더 클 겁니다. 하지만 바람피운 사람이 당신이고 파트너에게 큰 고통과 괴로움을 주고 결혼생활이 파탄의 위기에 놓였다면 어떻게 해야 할까요?

파트너가 바람피운 사람을 알게 되었을 때의 충격과 배신감은 이루 말로 하지 못합니다. 도저히 이겨낼 수 없을 것만 같죠. 하지만 고통이 조금씩 사그라지면—분명히 그럴 겁니다—생각이 바뀔지도 몰라요. 사실, 한 사람의 외도 후에도 헤어지지 않는 부부가 많습니다. 노력할 가치가 있는 관계라면 노력해봐야 합니다. 이제 지옥에서 행복으로 돌아가는 여정을 소개합니다.

### 불륜 이후 부부의 사랑과 섹스

태미 넬슨 박사는 불륜을 겪고 회복하는 부부들이 3단계의 과정을 거친다고 말합니다.

## 1. 위기 단계

파트너의 불륜 사실을 알게 되면 평소의 대처 방법이나 성격에 따라 진정제를 먹어야 할 정도로 충격을 받거나, 많이 어두운 방에서 나오지 않거나, 파트너가 소중히 여기는 물건을 깨부숩니다. 정서적 불안, 불면증, 격렬한 다툼, 걷잡을 수 없는 눈물, 극도의 분노, 강렬한 슬픔, 도저히 이겨낼 수 있을 것 같지 않은 고통, 혼란, 증오, 혼자 남겨진다는 것에 대한 두려움 같은 감정을 경험하게 되죠.

어떤 커플들은 별거를 선택하고 배신당한 사람은 아픔이 가라앉을 때까지 상대방의 얼굴을 보는 것을 거부합니다. 분노와 고통이 너무 심해서 파트너가 자신의 몸을 만지는 것이 상상만으로도 몸서리치게 싫을 수 있습니다. 오히려 집착이 생기기도 합니다. "그가 친구라는 여자와 문자로 시시덕거렸어요. 그리고 다른 여자가 관심을 보이니까 그걸 즐겼는데 그래도 괜찮다고 생각했대요. 들키고부터는 그러지 않았어요. 오히려 우리 성생활에 좋은 영향을 줬어요. 그가 나를 더 원하게 됐거든요. 집착하는 것처럼요. 날 잃을 수도 있었다고 생각했나 봐요. 처음에는 혼란스러웠지만 그가 날 원하는 게 느껴져서 자신감을 되찾았어요."

한쪽의 외도 이후에 오히려 열정적이고 뜨겁게 섹스를 더 많이 하게 된 커플이 많다고 넬슨은 말합니다. 여기에는 몇 가지 이유가 있습니다. 첫째, 서로를 잃을까 봐 두려워서 필사적으로 연결되려고 하죠. 둘째, '짝 보호mate guarding' 본능이 작용하기 때문입니다. 한마디로 '내 것'이라고 주장하고 싶은 거죠. 셋째, 외도 사건으로 두 사람 사이에 거리가 생겼기 때문입니다. 거리는 욕망을 부채질하죠.

알다시피 친밀한 부부들은 서로에 대한 욕망이 줄어드는 문제가 생깁니다. 그런데 파트너의 외도를 알게 되면 이 사람은 누구지? 하는 의문이 들게 되죠. 파트너를 누구보다 잘 안다고 생각했는데 아니었던 거예요. 넬슨에 따르면 자기가 알던 사람이 아닌 것 같은 사람과 한 이불을 덮고 있으니 욕망이 다시 생겨납니다. 우리의 몸은 새로운 걸 좋아하거든요. 그리고 다른 사람의 시선으로 상대방이 보입니다. 내가 가진 것을 남이 탐내면 갑자기 더 소중해지는 법이죠.

바람을 피운 배우자와 뜨겁고 환상적인 섹스를 한다니 싫을 수도 있지만—다 용서한 것처럼 보일까 봐—그렇게 되기도 합니다. 그렇게 되지 않을 수도 있고요. 두 반응 모두 정상입니다.

"그와 섹스를 하고 싶었지만 그가 날 만질 때마다 그의 손이 그 여자를 만지는 것 같았어요. 그 여자도 같이 침대에 있는 것만 같았죠. 너무 괴로워서 못하겠더라고요. 너무 소중했던 우리 관계를 망쳐놓은 그와 어떻게 다시 섹스를 할 수 있겠어요?"

## 2. 통찰 단계

넬슨에 따르면 비난과 원망이 줄어들고 호기심은 더 커지는 단계입니다. 섹스에서 감정으로 초점을 옮기게 되죠.

넬슨은 이때 부부가 상담 치료를 받아야 한다고 말합니다. 둘 다 좀 더 논리적이고 더 명료해진 상태죠. 그렇다고 고통이 줄어든 것은 아니겠지만요. "이 시점에서 상대를 꼭 용서할 필요는 없어요"라고 넬슨은 경고합니다. "아직 너무 일러서 분명 취소하게 되니까요." 대신, 그녀는 공감을 목표로 삼으라고 조언합니다. 그동안 서로의 세계가 어땠는지 이해하려고 노력하라는 거죠. "누가 잘했고 나쁘고를 떠나서 두 사람 모두에게 일부분 책임이 있다는 사실을 깨달아야 합니다. '나쁜 놈/년. 지옥에나 떨어져라'가 아니라 '어쩌다 우리에게 이런 일이 생긴 걸까?'를 생각해야 합니다."

너무한 말일 수도 있지만, 배우자의 외도는 두 사람의 관계에 관심과 보살핌이 필요하다는 경고 메시지입니다. 당신이 충족해주었다면 한눈팔지 않았을지도 모릅니다. 파트너에게 섹스가 중요하다면 다른 사람의 매력에 흔들리지 않을 수 없겠죠. 한마디로 외도 사건은 두 사람 모두 정신 차리라고 뒤통수를 세게 때린 거죠.


### 3. 비전 단계

불륜은 끝이나 새로운 시작을 알립니다.

"아내의 구속과 집착이 병적일 정도였습니다. 질투심이 심해서 아무것도 아닌 일에 불같이 화를 냈죠. 12년 동안 아무 데도 안 가고 아내가 화낼 만한 일은 안 하고 살았습니다. 그러다 50세가 되어 문득 죽음을 앞둔 사람처럼 살아보자는 생각이 들었죠. 외도도 그래서 하게 됐어요. 상대는 직장 동료였는데 금방 아내가 알게 됐죠. 그게 우리 부부를 바꿨습니다. 아내는 나를 통제하는 게 불가능하고 믿을 수밖에 없다는 걸 깨달았죠. 자신이 가장 두려워했던 일이—내가 바람을 피우는 것—실제로 벌어졌고 그 위기를 잘 넘기고 나니까 아내가 여유를 찾더군요. 지금 우린 무척 행복합니다. 만약 내 외도가 발각되지 않고 상황이 예전처럼 계속되었다면 결국 내가 아내를 떠났을 겁니다."

비전 단계에서는 문제가 아닌 가능성을 봅니다. 헤어지지 않고 앞으로 두 사람 모두 만족할 수 있는 새로운 미래를 함께 만들어나갈지를 결정하는 단계죠. 넬슨에 따르면 함께 새로운 시도를 하며 경험을 쌓아나갈수록 외도의 기억이 사라집니다.

불륜이 좋은 결과로 이어질 수도 있습니다. 특히 오히려 배신당한 쪽이 이득을 보는 경우가 많습니다. 페렐에 따르면 배신당한 배우자들은 대개 '나는 불만이 없는 줄 알아?'라고 강력하게 반응하게 됩니다. 외도가 발각되면 이제는 그동안 그래왔던 것처럼 섹스에 만족하는 척하지 않아도 되니까요. 바람피운 파트너가 기죽은 동안 자신이 먼저 나서서 주도권을 쥘 수 있습니다.

어떤 사건 이후에 부부는 "수십 년 만에 그 어느 때보다 마음을 열고 솔직하게 깊은 대화를 나누게 될 거예요. 그리고 그동안 섹스에 무관심했던 쪽은 이유도 모른 채 갑자기 상대에 대한 욕망이 커집니다"라고 페렐은 말합니다.

만약 이 시간을 잘 넘기면 다시 사랑에 빠지는 커플이 많습니다. 하지만 관계의 에로틱한 면을 무시하면 위험합니다. 이 상황을 무사히 헤쳐 나가려면 사랑과 섹스가 필요합니다. 배우자가 외도하는 이유는 서로에 대한 사랑은 커지지만 섹스는 시들해지고 완전히 사라지기 때문인 경우도 많거든요.

### 치유의 희망이 보이지 않을 때

이렇게 치유의 길로 나아가는 커플들이 많습니다. 아마 그들은 평소 대화도 잘하고 서로에 대한 사랑과 존중의 토대가 탄탄하며 충격에 충분히 대처할 수 있는 강인함을 지녔을 겁니다. 하지만 외도 사건 후 어두운 터널 저 너머로 희미한 빛조차 보이지 않고 어둠에 갇혀 있는 부부들도 많습니다.

만약 그런 경우라면 회복의 길은 직선이 아니란 걸 기억하세요. 다 극복했다고 생각해도 어느 날 와인 한잔하면서 같이 웃다가도 갑자기 배우자의 외도를 처음 알게 된 그 날의 상처가 되살아날 수도 있다는 겁니다. 다시 정상으로 돌아가기까지 몇 년이 걸리는 부부도 있습니다. 영국의 성치료사 앤드루 마셜은 불륜이라는 주제를 자주 다루는데요, 완전한 자백이 몇 달이 걸릴 수도 있다고 경고합니다. 사랑하는 사람이 자신에게 왜 그런 상처를 주었는지 이해하려는 사람은 큰 좌절을 맛볼 수밖에 없죠.

어떻게 해야 할지 모르겠고 상처가 너무 커서 아무것도 할 수 없다면 부부가 함께 상담가를 찾아가세요. 그들은 당신이 지금 느끼는 복잡한 감정을 이해하게 도와주는 전문가입니다. 무엇보다도, 용서해야 한다는 압박감을 느끼지 말고 잊으려고도 하지 마세요. 시간이 걸립니다. 파트너가 재촉하기라도 한다면 이렇게 된 이유가 바로 그 때문이란 걸 상기해주세요.

한 정신과 의사가 이런 말을 해주었습니다. 서둘러 해결책을 찾으려는 성향 때문에 종종 잘못된 선택을 하게 된다고요. 불편하게 느껴지겠지만 시간을 충분히 가질수록 더 나은 결정을 내릴 수 있을 겁니다. 관계 회복을 위해 노력할 가치가 있을지 잘 모르겠다면 확신이 설 때까지 기다리세요.

## 앞으로 나아가는 데 도움이 되는 방법

모든 부부마다 외도 사건에 대처하는 방법이 다르겠지만 확실히 도움되는 몇 가지가 있습니다. 다음의 방법은 남녀 모두에게 적용되며 불륜을 저지른 당사자와 피해자에 따라 소개하겠습니다.

### 배우자가 불륜을 저질렀을 경우

**처음에는 어떤 장기적인 결정도 하지 마세요.** 배우자와 도저히 한집에서 못 있겠다면 화가 어느 정도 가라앉을 때까지 배우자를 딴 데로 보내세요. 다만 이 시점에서는 절대로 돌이킬 수 없는 일은 하지 마세요.

**안전한 섹스를 했는지 물어보세요.** 그렇지 않다거나 확실하지 않다고 하면 병원에 가서 STI(성병) 검사와 HIV 검사를 받으세요.

**주체할 수 없는 슬픔은 정상입니다.** 믿었던 관계와 장밋빛 미래가 산산이 조각났으니 슬픈 게 당연합니다.

**요즘은 배우자의 불륜으로 이혼하는 것보다 그냥 사는 게 더 부끄러운 시대입니다.** 페렐이 설명합니다. "충격적인 배우자의 불륜을 겪고도 헤어지지 않고 관계를 회복하기 위해 노력하는 성숙함과 용기, 끈기를 대단하게 보기보다는 약함의 증거라고 보게 되었어요." 평소 불화가 심하고 학대까지 이루어진 관계였는데 배우자의 불륜 이후에도 헤어지지 않는다면 무척 해롭습니다. 배우자의 외도가 정말 실수로 여겨질 정도

로 평소 사이좋은 관계였다면 회복을 위해 노력할 가치가 있습니다.

**친구나 가족의 애정 어린 도움을 받고 좋아하는 일을 하면서 지내세요.** 자기 가치를 다시 확인하는 것이 중요합니다. 자기 안의 강인함과 자신감을 확인하세요.

**끔찍한 디테일까지 알려고 하지 마세요.** 페렐은 "고통으로 잠 못 이루게 하는 질문은 하지 마라"고 충고합니다. 그녀는 남편의 불륜을 알게 된 후 자세하게 '파헤친' 여성의 이야기를 들려줍니다. 그 여성은 "남편이 외도 대상과 주고받은 욕망 가득한 수백 통의 메시지와 사진을 다 보았다. 디지털 시대의 불륜은 사람을 갈가리 찢어 죽인다."

"분명 나보다 날씬하고/섹시하고/테크닉이 좋았겠지"라고 하지 말고 "그 관계가 당신에게 무슨 의미였어?"라는 '조사적인' 질문을 하세요.

**'우리'를 잃었다는 것이 가장 이겨내기 힘든 상처입니다.** 평소 모든 것을 함께할 정도로 굉장히 가까웠던 부부라면 파트너가 나 없이 '혼자' 무언가를 했다는 생각이 불륜을 저질렀다는 것 만큼이나 큰 상처가 됩니다. 배신은 배우자가 서로가 서로의 전부라는 믿음을 산산조각 내지요. 산타클로스가 존재하지 않는다는 사실을 깨달은 어린아이의 충격에 10억 배를 곱하면 될까요? "배신은 내 삶의 이야기를 훔쳐 갑니다"라고 페렐은 말합니다. 큰 상처로 좌절하는 것도 당연합니다.

두 번째로 큰 상처는 배우자가 당신에게 상처를 준 것은 후회하지만 불륜을 후회하지 않을 수도 있다는 것입니다. 그 말을 처음 듣는 순간 머릿속도, 심장도 터질 것 같은 기분일 겁니다. 하지만 견뎌야 합니다. 시간이 지나면 이해가 될 수도 있어요.

배우자가 불륜을 저지른 이유가 섹스 때문이 아니어도 그렇게 느껴질 수 있습니다. 섹스는 당신이 파트너와 할 수 있는 가장 친밀한 행위이기 때문이죠. 아무리 탄탄한 부부 사이라도 섹스가 아킬레스건이 될 수 있다고 마셜은 말합니다. "정말 좋은 친구 사이이고 평소 팀워크가 좋은 커플이라도 섹스 문제만큼은 난항을 겪는 경우가 많다. 섹스가 불륜의 전부는 아니지만 그래도 대개는 큰 부분을 차지한다."

언젠가 섹스가 다시 두 사람의 관계에 포함되어야 합니다. 그렇지 않으면 영원히 그냥 친구 사이인 거예요. 두 사람이 섹스에 관해 서로 무엇을 원하는지 무자비할 정도로 솔직하게 대화를 나눠보세요. 두려워하지 말고 그동안 자신들의 모습을 비판도 해보세요. 이제부터는 관계가 새로워져야 합니다. 그러니까 새로운 규칙을 만드세요!

걸음마하듯 천천히 시작하세요. 성적인 행위를 다시 시작할 때 처음에는 화가 치밀 수도 있습니다. 외도 사건 후 부부가 섹스에 다시 불이 붙는다고 해도 분명 섹스 때문에 화가 나거나 눈물이 나올 때가 있을 겁니다. 두 사람을 휩쓸고 간 불륜이 망령처럼 부부의 침실에 남아 있는 거지요. 시간과 인내만이 침실과 머릿속에서 그 망령을 없애는 방법입니다.

일단 껴안는 것부터 시작해서 점점 앞으로 나가보세요. 끝내 자리를 박차고 나가거나 눈물이 터져도 포기하면 안 됩니다. 성감 초점 프로그램이나 2단계 계획이 효과가 있을 수 있습니다. 전혀 발전이 없다고 생각된다면 상담 치료를 받을 수도 있습니다. 섹스한 다음에 껴안고 이야기하고 같이 누워있는 '후희after-play'도 중요하다는 걸 잊지 마세요.

**오랜 시간이 지나서도 다툼이 있을 때마다 배우자의 불륜 사실을 내세워 무조건 이기려고 하지 마세요.** 마셜은 그런 유혹에 빠지면 안 된다고 충고합니다.

**파트너를 위해 시간을 내세요.** "그는 일 때문에 항상 바빴어요. 옆에 있어도 전화기를 붙잡고 있었죠. 그 사람한텐 나만 빼고 모든 게 중요한 것 같았어요. 그런데 나중에 말하길 다 나를 위해서 그랬다는 거예요. 하지만 나한텐 큰 집 같은 건 중요하지 않았어요. 그냥 함께 있고 싶었을 뿐이었는데 그는 항상 바빴죠."

"불륜은 섹스 때문이라기보다 욕망 때문일 때가 많다. 관심을 받고 싶은 욕망, 특별하고 중요한 존재라고 느끼고 싶은 욕망 때문이다"라고 페렐은 말합니다. 파트너가 이 모든 걸 느끼게 해주세요. 물론 파트너도 당신에게 그런 느낌을 주어야 합니다.

**자신의 책임도 있다는 걸 인정하세요.** 물론 파트너가 불륜을 저지른 건 당신의 전적인 잘못이 아닙니다. 하지만 모든 문제에는 두 사람이 개입되지요. 자신의 책임도 받아들이세요.

"파트너를 배신하는 방법은 여러 가지가 있다. 경멸, 무시, 무관심, 폭력 등. 파트너에게 상처가 되는 건 성적인 배신만이 아니다. 다시 말해서 배우자 중에서 불륜의 피해자가 꼭 피해자는 아니라는 뜻이다"라고 페렐은 말합니다.

---

후회되는 게 뭐가 있나요? 파트너를 위해 시간을 내지 못한 것? 섹스를 거부하고 한 번도 먼저 다가간 적 없는 것? 칭찬해주지 않은 것? 사랑한다고 말하지 않은 것? 똑같은 실수를 되풀이한다면 또 똑같은 위기가 찾아올 겁니다.

### 불륜을 저지른 사람이 나일 때

당신이 부부 관계를 망쳤다는 걸 인정하세요. 사실이니까요. 불륜의 경험이 너무 좋았고 당신을 불륜으로 내몬 근본적인 잘못이 배우자에게 있다고 생각하더라도 고통과 상처를 준 사실을 인정해야 합니다. 나중에 불륜을 저지른 이유에 관해 이야기할 순 있겠지만, 불륜을 선택한 것이 당신을 사랑하는 사람에게 큰 상처를 주었다는 것을 결코 잊어서는 안 됩니다.

**파트너를 안심시키세요.** 앞으로 계속 옆에 있을 것이고 큰 상처를 주어 진심으로 미안하게 생각한다는 걸 보여주세요.

**거짓말은 불륜만큼이나 큰 피해를 줍니다.** 솔직함은 좋은 관계의 토대입니다. 신뢰 회복은 불가능하기도 하고 가능하더라도 몇 년이 걸리기도 합니다. 가벼운 선의의 거짓말을 제외하고 이제부터는 절대로 그 어떤 거짓말도 해서는 안 됩니다.

**솔직함은 필수지만 요령이 더 중요합니다.** 파트너가 어떤 질문을 할지는 사실 뻔하죠. 어떻게 대답할지 미리 생각해보세요. "그 남자랑 한 게 나보다 더 좋았어?"라는 질문에 "응. 좀 놀라울 정도였어. 물건이 큰 남자하고 자면 어떤 기분일지 항상 궁금했는데"라고 대답한다면 관계 회복에 전혀 도움이 되지 않습니다. "새로운 사람이니까 새로웠던 것뿐이야"라고 요령 있게 대답하는 게 상대방이 받아들이기에도 더 낫죠.

**불륜 관계에서 파트너에게 없는 무엇을 얻었나요?** 훌륭한 상담가라면 가장 먼저 불륜 관계에서 어떤 사람이 될 수 있었느냐고 물을 겁니다. 배우자와의 관계에서 내가 어떤 모습인지와 비교할 때 불륜 관계에서는 어떤 모습이었느냐고 말이죠.

**배우자를 통해 욕구를 어떻게 충족시킬 수 있는지 생각해보세요.** 어느 정도 진정되고 함께 노력해보기로 했다면 배우자에게 원하는 것과 필요로 하는 것이 무엇인지 분명히 말하세요. (바람피운 게 발각된 지 고작 2주 만에 파트너에게 원하는 걸 줄줄이 읊는다면 이혼이 기다리고 있을 겁니다)

**이제 완전히 투명해져야 합니다.** 핸드폰을 비롯해 당신의 모든 비밀 번호를 파트너에게 공유해야 한다는 뜻입니다. 배우자가 그걸 원치 않을 수도 있지만 적어도 당분간 그러기를 요구할 수도 있어요. 그렇다고 상대를 탓할 수는 없습니다. 어차피 다시 바람피우지 않기로 했다면 숨길 것도 없지 않겠어요?

**뭔가 거창한 행동이 아니라 작고 일상적인 매일의 친절이 치유를 가능**

**하게 합니다.** 차를 타주거나 '사랑해'라고 말하기, 일부러 데리러 가기, 기분 좋은 하루를 만들어주는 것 등. (물론 깜짝 파리 여행 같은 것도 효과가 있겠지만요)

**배우자가 해명을 요구하거나 안심시켜달라고 할 일이 없게 하세요.** 만약 당신의 바람 상대가 직장 동료이고 접촉할 일이 있었다면 곧장 배우자에게 알려주세요. 아무런 감정도 없고 걱정하지 않아도 된다고 안심시켜주세요.

**불륜 상대와 다시 만나고 싶다거나 또 바람을 피우고 싶은 유혹이 들어 배우자를 계속 불안하게 한다면?** 일부일처제를 원하지 않는다거나 불륜 상대와 함께하고 싶다는 걸 배우자에게 알리는 게 도리겠죠. 다 끝난 것처럼 속이고 불륜 상대를 계속 만나거나 새로운 사람과 바람을 피우는 것만은 하지 말아야 합니다. 당신은 그런 인간이 아닌 게 확실한가요?

# 11장, 50대 싱글

몇 십 년의 결혼생활을 끝내고
다시 연애를 시작하는 50대 이상의 싱글,

이른바 '실버 싱글'의 숫자가 증가하고 있습니다. 사별을 할 수도 있고 이혼을 할 수도 있죠. 삶의 자연스러운 모습입니다.

안타깝게도 실버 싱글은 남자보다 여자가 더 많습니다. 통계적으로 여자들이 배우자와 사별하고 혼자 남을 가능성이 훨씬 더 많고 재혼할 가능성이 훨씬 더 적습니다. 미국에 배우자와 사별한 사람 1,300만 명 중에서 여성이 1,100만 명을 차지하고 호주에서도 마찬가지로 여성의 숫자가 훨씬 더 많습니다.

젊은 사람들의 이혼이 흔해진 요즘, 50세 이상 미국인의 이혼율은 1990년대 이후 두 배가량 커진 것으로 나타났습니다. 2017년에 영국에서는 45~49세 남녀의 이혼율이 가장 높게 나타났죠. 베이비붐 세대가 '황혼 이혼'을 주도하고 있습니다. 이는 우리가 젊었을 때 이혼율이 전례 없는 수준이어서 결혼생활이 지속할지에 대한 확신이 없어졌기 때문이죠. 50대 정도 되면 재혼인(삼혼, 사혼) 경우가 많아지고 그 후에는 이혼 가능성도 더 커집니다. 재혼이나 그 이상의 결혼이 지속되는지에 대한 통계는 다양하지만 이혼을 한 번 하면 다시 하는 게 훨씬 덜 두려워지죠. 최근 미국의 통계에 따르면 재혼한 50대 이후 성인의 이혼율은 결혼을 한 번만 한 사람보다 두 배나 더 높습니다.

너무 우울한 얘기만 했나요? 그럼 기분 전환을 해보죠.

## 돌싱은 자유롭다

모든 여자가 파트너와의 헤어짐을 슬퍼하지는 않습니다. 헤어지고 행복해하는 사람들도 많죠. '행복한 미망인The Merry Widow'이라는 오페라도 있는데요, 통제적이고 까다로운 배우자와의 숨 막히고 진부한 결혼생활로 삶의 즐거움을 전혀 느끼지 못했던 여자들이 마침내 자유로워지는 모습을 담아냈죠.

물론, 배우자의 죽음이나 이혼 후에 희망을 잃거나 불행한 여자들도 있습니다. 새롭게 장기적 파트너를 찾고 싶은 마음이 없는 경우도 많아요. 혼자서도 행복하거나(오히려 더 행복하거나) 기회가 닿아도 짧은 연애에만 관심이 있을 뿐이죠.

혼자 있고 싶지 않아도 다시 싱글이 되면 새로 시작할 기회가 생깁니다. 과거가 아닌 지금의 나와 잘 맞는 사람을 찾을 수 있죠.《먹고

기도하고 사랑하라》의 작가 엘리자베스 길버트Elizabeth Gilbert, 영국의 소매업 컨설턴트 메리 포타스Mary Portas, 신시아 닉슨(〈섹스 앤드 더 시티〉의 미란다 역), 포티아 드 로시(〈앨리 맥빌〉과 〈어레스트 디벨로프먼트〉에 출연한 배우)는 과거를 깨끗이 잊어버리고 남자 대신 여자와 새로운 사랑을 시작했죠. 나이가 들고 시간 여유도 많아질수록 우리는 타인의 시선을 덜 신경 쓰게 됩니다. 좋은 거죠.

당신이 어떤 범주에 속하든, 50대 이후로 싱글이 되는 것은 더 젊었을 때의 상황과는 다릅니다. 클럽이나 술집에서 누군가를 만나는 게 아니라 데이트 애플리케이션(이하 '앱')에서 후보자들의 '프로필'을 스크롤 하죠. 적어도 세 번은 만나본 후에 육체적 관계를 맺는다는 법칙이 요즘은 마음에 들면 바로 자는 게 되어버렸고 성병도 심하게 증가하고 있습니다. 탐나는 '눈빛'만 보냈던 연하남과 데이트를 할 수도 있습니다. 돌아온 싱글이 알아야 할 모든 걸 이 장에서 한번 살펴보도록 하죠!

## 50대 이후에 싱글이 된 여성들의 생각

다음은 50대 이후에 싱글이 된 여성들이 들려준 이야기입니다.

- "나는 점점 늘어나는 집단인 '집 있는 이혼녀' 중 한 명입니다. 나를 포함해 요즘 여자들은 그 어느 때보다 독립적이에요. 나는 일을 계속해왔고 절대 남자에게 의존하지 말라고 배웠습니다. 그런 가르침을 준 아버지는 이 세상에서 가장 믿음직한 남자였지만요. 하지만 가끔은 소박한 일상을 함께할 사람이 그리워요. 의사결정을 같이 하고 비용을 분담하고 여행을 가거나 크리스마스를 같이 보낼 사람요."

- "결혼생활은 그럭저럭 괜찮았지만 지금은 싱글이에요. 전남편이 바람을 피워 이혼했어요. 진즉 헤어지지 않은 게 후회돼요. 지금이 제 인생의 전성기예요. 한 달 전에 오럴 섹스로 오르가즘을 처음 느껴봤어요. 전남편은 입으로 해준 적이 없거

든요."

- "평생 싱글로 지냈어요! 내 또래의 남자들은 나보다 훨씬 늙어 보여서 안 끌려요. 섹시한 연하남들은 저 같은 쪼그라든 여자한테 관심이 없고요!"

- "그동안 짧은 연애를 하면서 행복하게 잘 지냈어요. 싱글이라는 걸 최대한 즐겼죠. 하지만 이젠 너무 외로워서 정착하고 싶네요. 싱글로도 잘 지내지만 이젠 좀 힘들어요. 전 가정적인 편인데 같이 TV를 보고 여행을 떠날 사람이 있었으면 좋겠어요."

- "행복을 다른 사람에게 의존하면 안 돼요. 행복은 자신한테 달린 거예요. 난 '혼자 있는 것보단 차라리 아무하고나 같이 있는 게 좋다'고 생각하는 사람이 아니에요."

- 예전보다 자신감이 커졌어요. 내 몸의 부족한 점을 있는 그대로 받아들이게 되었거든요. 섹스에도 엄청난 변화가 생기더군요."

- "똑같은 싱글 친구들을 사귀는 게 중요해요. 어울릴 친구들이 있으면 싱글의 삶도 행복할 수 있어요. 꼭 누군가를 만나야 한다는 압박감이 없이 이 생활을 최대한 즐기고 있습니다. 요즘은 예전과 달리 50대 싱글들이 꽤 많아요."

- "16세부터 50대 중반까지 남편과 함께였고 사별했습니다. 지금 난 60세고요. 내 인생의 틀 자체가 바뀌었어요. 둘이서 모든 걸 함께했는데 이젠 모든 걸 혼자서 해야만 했으니까요. 무엇보다도 섹스가 그립습니다. 난 싱글 생활이 즐겁지 않아요. 절박한 정도는 아니지만 외로워요."

- "남편과 함께 늙어갈 줄 알았는데 안 되더군요. 다른 사람하고는 그럴 수 있을지도 모르죠."

- "너무너무 외롭지만 새로운 사람을 만난다는 것 자체가 무서워요. 폐경 이후로 살도 찌고 질건조증과 끝없는 요로감염으로 고생하고 있거든요."

- "게이 친구들을 사귀세요. 정말 좋은 친구들이에요. 연애하고 싶은 마음 따윈 다 사라질 거예요."

- "나는 서로의 삶을 합치는 게 아니라 서로의 삶에 활력을 주는 시간제 같은 관계

를 원합니다. 은퇴하고 시간이 많아진 나이 많은 남자들은 보통 그래요."

- "내 인생 최고의 시간을 보내고 있어요. 연하남을 만나보세요. 그러면 절대 나이 많은 남자는 못 만날걸요!"

- "머저리 같은 남자를 만나느니 혼자가 낫죠."

# 50대 이후에
# 새로운 사람을 만나는 방법

저도 50대가 가까울 때 싱글이었기 때문에 그게 어떤지 잘 압니다. 너무 홀가분하고 좋을 때도 있지만 가끔은 너무 끔찍하죠. "매력적이고 밝고 친절하고 똑똑하고 싱글인 나이든 여자들은 많은데 왜 그런 남자들은 없을까?"라고 푸념하기 일쑤였죠. 나이가 비슷한 싱글남들은 꼭 얼굴에 '하자 있음' 도장이 찍혀 있는 것 같더군요. 한 달만 만나보면 그 나이에 왜 혼자인지 알 수 있었거든요.

- 다정한 남자와 사귀었는데 알고 보니 알코올 중독이었다.
- 미남이었던 남자는 (무서울 정도로) 심각한 분노 조절 장애였다.
- 키 큰 남자는 (그 나이 먹고도) 구제 불능의 마마보이였다.

사실 처음부터 의심스러운 구석이 있긴 했어요. 그런데도 그런 남자들과 사귄 이유는 다른 선택권이 없었기 때문이었어요. 내 나이대의 멋진 여자들은 쉽게 볼 수 있는데 남자들은 아니더군요. 그러다 10년 만에 한 멋진 독신남을 만났고 결혼까지 골인하게 되었답니다.

너무 서둘러 벼랑으로 향하지 마세요. 괜찮은 사람이 딱 한 명만 있으면 되는 거잖아요. (동시에 여러 사람하고 연애할 게 아니라면요) 싱글 상태로 몇 년 동안이나 괜찮은 남자를 찾아 헤매다 결혼해 행복하게 잘 살고 있는 친구가 여섯 명은 됩니다. 물론 남자들은 많아요. 하지만 그중에서 괜찮은 남자를 가려내려면 자신감과 결단력, 훌륭한 유머 감각이 필요합니다.

## 싱글남을 찾아서

그들은 어디에 있을까요? 똑똑하고 매력적이고 능력도 있고 정신도 제대로 박혀 있는 50세 이상의 싱글 남자들 말입니다. 전부 다 죽었거나 동성애자인 건 아니겠죠. 노인들만 가는 술집에 숨어있나요? 집에서 넷플릭스를 보고 있나요? 밥 먹을 때만 나오고 컴퓨터로 포르노를 보느라 바쁜가요?

왜 남자들은 여자들처럼 밖에 나와 놀지 않는 걸까요? 서로 만나면 좋을 텐데. 제가 밖에서 중년 남자들 무리를 본 건 남자들끼리 여행을 떠나는 프라하행 저가 항공 비행기 안에서뿐이네요. 10명 중 9명은 결혼반지를 끼고 있었고요.

50세 이상의 싱글 남자들은 멸종 위기에 놓인 동물이나 마찬가지입니다. 너무 희귀해서 어쩌다 눈에 띄면 무척 흥분되죠. 분명 많이 있는데 우리가 알아차리지 못하는 것뿐일까요?

심리치료사 친구가 그러더군요. 중년 남자들은 겉으로 전부 다 똑같아서 좀 더 가까워져야만 매력이 보인다고요. 나이대가 비슷한 아는 남자 세 명을 떠올려보세요. 만약 싱글이라면 사귀고 싶다거나 정말 괜찮다고 생각되는 남자들 말이에요. 제 친구 말이 맞는다는 걸 알수 있을 거예요. 그 남자들의 성격을 알지 못하는 상태로 데이트 앱에서 프로필을 발견했다면 관심이 생길 것 같나요? 여기에서 한 가지 교훈을 배울 수 있습니다.

# 지켜야 할 4가지 원칙

따져보자면 끝이 없겠지만 (읽기 지루하니까) 가장 중요한 것들로만 간추렸습니다.

### 1. 중요한 것에 집중하라

키는 중요하지 않습니다. (도박이나 분수에 넘치는 생활 같은 심각한 금전적 문제가 있을 때만 제외하고) 그의 은행 잔고도 중요하지 않아요. 패션 감각도 마찬가지예요. 남자들도 필요하면 기꺼이 꾸밉니다. 직업도 상관없어요. 특히 그 자신이 정말 중요한 일을 하고 있다면요.

성적 매력은 있어야 하지만 그렇다고 외모가 멋져야만 한다는 뜻은 아닙니다. 카리스마가 조각 같은 얼굴이나 남성적인 턱보다 더 멋져

보이니까요.

친절함은 매우 중요합니다. 다정함도요. 당신이 원하는 사랑을 줄 수 있는 사람이어야 하죠. 하지만 이런 점은 상대에 대해 어느 정도 알아야만 파악 가능합니다. 존중심도 정말 중요합니다. 당신의 가족과 아이들에게 잘하려고 노력하는 모습도 필수죠. 성적으로 좋은 관계를 원한다면 그가 당신을 정말 섹시하다고 생각해야 합니다. 섹스 테크닉은 얼마든지 배울 수 있는 거니까 그렇게 중요하지 않아요.

이 모든 조건은 성적 지향성에 상관없이 모든 사람에게 해당됩니다. 개인마다 상대방에게 꼭 원하는 조건이 있을 거예요. 그 조건을 갖추었는지를 보세요.


## 2. 연하를 만나보세요

"연하남들을 끊으려고 노력 중" 제가 40대 후반일 때 〈옵저버〉에 실린 저와 관련된 기사의 제목이었습니다. 거짓말이 아니었어요. 저는 계속 나이를 먹어도 남자친구들의 나이는 항상 비슷했어요. 열 살에서 스무 살 정도 어린 남자들을 만났거든요.

왜 그랬는지 한 가지 이유는 알 수 있을 거예요. 비슷한 나이대의 남자들에게서는 매력을 느끼지 못했거든요. 그런데 외모도 멋지고 에너지도 넘쳐서 매력적인 연하남이 많았는데 그들도 저를 매력적으로 봐줬어요.

한 여성이 저에게 이런 편지를 보냈습니다. "제 또래의 남자들은 저를 위협적으로 여기거나(저는 고압적인 남자들과 자주 충돌해요) 젊은 모델 같은 여자를 원하죠. 저는 52세인데 나이에 비해 젊어 보이는 편이에요. 그런데 아이러니하게도 잘생긴 30세 연하남은 유혹할 수 있어도 55세의 평범한 남자는 저에게 넘어오지 않네요."

또 다른 여성은 말합니다. "43세 때 스물세 살짜리 남자와 사귀었어요. 20대 남자를 몇 명 더 만났죠. 또래보다 훨씬 재미있었어요! 연하남들은 삶에 대한 열정도 있고 자기 관리도 잘해요." (연상녀와 연하남 커플이 잘 맞는 이유는 347쪽 참고)

가뜩이나 '남자 부족' 현상이 심한데 여자들은 대부분 자신보다 나이가 많은 남자를 선호하죠. 진화에 따른 본능이기도 하지만 의도적인 선택이기도 하죠. 자신보다 나이가 많은 남자는 경제적으로도 풍족하니까요. 젊은 여자가 나이 많은 남자를 선택하는 이유도 똑같아요. 돈이나 본능적인 것 때문이죠. 그러니 나이든 여자들의 선택권은 더 줄어듭니다. 고정관념을 뒤엎어 연하남으로 눈을 돌려보세요.

열 살 어린 남자와 결혼하라는 얘기는 아니라(물론 서로 사랑한다면 그렇지 못할 것도 없겠죠?) 시야를 넓혀보라는 겁니다. 연애가 무조건 장기적일 필요는 없어요. 연하남과 한두 번만 만나봐도 삶에 활력이 생기고 자신감도 커질 수 있습니다. 참고로 저는 정말 연하남을 끊었어요. 제 남편은 저보다 세 살밖에 어리지 않으니 예외입니다.

## 3. 자기성찰을 해보세요

앞에서 말한 것처럼 저는 싱글일 때 '하자 있는' 남자들을 많이 만났지만 좋은 남자들도 있었어요. 그런데 좋은 남자들과의 만남을 끝내버린 건 나 자신이었답니다.

저에겐 아주 나쁜 버릇이 있었어요. 세 번은 데이트해보고 어떤 사람인지 판단하기도 전에 "이 남자 어떤 것 같아?"라고 주변 사람들의 의견을 물어보는 버릇이었죠. 알다시피 친구들은 우리를 지켜주려고 하므로 진지하게 분석합니다. 우리가 미처 보지 못한 부분까지 짚어내죠. 가엾은 남자는 자신의 매력을 차차 보여줄 기회조차 얻지 못합니다. 더 만나보면 생각이 바뀔 수도 있는데 말이죠.

남편 마일스와 연애할 때는 몇 달 동안이나 아무에게도 소개하지 않았어요. 어쩌다 누군가에게 보여줄 기회가 있어도 어떠냐고 묻지 않았죠. 이미 그를 좋아하는 마음이 확고했으니까요. 또 달랐던 점은 내가 장기적인 관계를 원한다는 사실을 인정했다는 것이었죠.

그전에 만난 남자들에게는 '정착'을 원하지 않는 타입인 척하곤 했거든요. 왠지 그게 더 멋져 보였어요. (변명을 좀 하자면 20년 정도는 정말 그랬어요. 열심히 일하면서 즐겁게 사는 게 더 좋았거든요. 그러다 나이가 들면서 누군가를 만나고 싶다는 생각이 들었죠) 제가 이성과의 관계를 망쳐놓는 사람이라는 것도 알고 있었어요. 제가 10대 때 아버지가 바람을 피우셔서 남자에 대한 불신이 꽤 컸어요. 몇 달 동안은 괜찮다가도 상대방이 정말로 좋아지기 시작하면 나 스스로 관계를 망치게 됐죠. 몇 년 동안 심리치료도 받았지만 마일스와의 관계에서도 어김없이 또 그랬어요. 하지만 다른 점은 그가 지적해줬을 때 저도 제 행동 패턴을 깨닫고 그만두게 되었다는 것이죠.

제가 이런 이야기를 하는 이유는 제가 지금 싱글이 아니고 8년째 남편과 행복한 관계를 이어가고 있는 것은 자기성찰과 치료를 통해 부정적인 행동 패턴을 찾으려고 애쓴 덕분이라는 거예요. 자신을 알아야 합니다. 자신의 행동 패턴을 알려고 하세요. 친구들에게 물어보세요. 당신이 어떤 실수를 자주 하는지, 어떤 잘못된 신호를 보내는지, 잘 듣고 이제부터는 변화를 줘보세요.

### 4. 억지로 사랑하지 마세요

알아요. 서른 번이나 데이트를 해봤는데도(혹은 30개월 동안 한 번도 하지 않거나) 여전히 외로우면 절박한 심정에 혼자보다는 옆에 누구라도 있는 게 낫다는 생각이 들 겁니다. 그래서 자신도 모르게 기준을 낮추고 있지 않은지 생각해 보세요. 집 안에서 다른 사람의 온기를 느끼고 싶어 누군가를 사랑하는 척한다면 잘 될 수가 없어요.

잘못된 관계는 혼자인 것보다 더 사람을 외롭게 합니다. 정 외로우면 애완동물을 키우거나 룸메이트를 구하는 게 낫죠.


# 데이트 앱과 온라인 데이팅,
# 꼭 해야 할까?

영국의 한 연구에 따르면 (45세 이상) 싱글의 87퍼센트가 데이트 앱을 쓰지 않습니다. 이유는? 절반은 만남을 위해 앱이 필요하지 않다

고 했고 3분의 1은 데이트 앱이 '부자연스럽다'고 했죠.

제 18세 의붓딸은 파트너를 만나기 위해 온라인이나 앱을 사용하지 않는 게 이상하다고 생각합니다. "직관에 어긋나요. 그럼 한번에 새로운 사람을 어떻게 만나죠? 나이 많은 사람들은 항상 똑같은 사람만 만나잖아요. 앱이나 온라인을 이용하지 않으면 어떻게 새로운 사람을 만나요?" 아이는 정말로 이해할 수 없다는 표정입니다.

앱이나 온라인으로 파트너를 선택하는 것을 좋아하는 40세 이상은 많지 않습니다. 직접 얼굴을 보고하는 대화를 선호하는 사람이 많죠. 꼭 첨단 기술을 이용해서 데이트할 필요도 없고요. 하지만 이왕 그런 게 있으니 한 번 이용해보는 것도 나쁘지 않겠죠?

### 앱과 웹사이트가 당신에게 맞을 확률은 50퍼센트

새로운 파트너를 찾고 싶으면 무조건 앱이나 온라인에 희망을 걸라고는 조언하지 않습니다. 사람에 따라 이 방법이 효과적일 수도 있고 그렇지 않을 수도 있기 때문이죠. 저도 파트너를 찾으려고 앱이나 웹사이트를 이용해본 사람들을 많이 알고 있는데요, 절반 정도는 성공적이었고 본인들이 좋아했습니다. 대개 외모도 훌륭하고 사교성도 뛰어나 이런 기술을 편하게 이용할 수 있는 사람들이죠. 나머지 절반은 싫어했어요. 아주 굴욕적이고 처참한 경험이었죠. 수줍음이 많고 사진발도 잘 안 맞고 좀 더 민감한 사람들입니다.

앱과 온라인 데이트에서 살아남으려면 심지가 강해야 합니다. 데이트 신청이 오지 않아도 웃어넘길 수 있는 유머 감각과 어쩌다 이루어진 끔찍한 만남을 위로해줄 좋은 친구들이 필요하죠.

그러나 원하는 조건이 구체적이라면 앱이나 웹사이트는 사랑이나 섹스를 찾는 매우 효과적인 방법입니다. 다양한 사람들을 위한 앱이나 웹사이트가 존재하기 때문이죠. 춤추는 것을 좋아하고 역시 춤을 즐기는 사람을 만나고 싶나요? 그런 앱이 있습니다. 제복 입는 사람을 만나고 싶은가요? 당연히 그런 앱도 있죠. 당신이 원하는 '필수' 조건이 뭐든 온라인에서 찾을 수 있을 겁니다. (대형 데이트 사이트들은 회원들이 원하는 조건에 따라 특정한 틈새 사이트를 만들기도 하죠. 필터링을 대신 해주는 거죠!) 앱과 웹사이트는 밖으로 나가 사람들을 만나기 어려울 때도 편리합니다. 작은 지역에 살고 있어서 선택 범위가 적은 사람들도 좀 더 넓은 곳을 살펴볼 수 있죠.

효과적으로 사용하는 방법은 다른 방법들과 함께 활용하는 겁니다. 데이트 앱이나 웹사이트에만 등록하지 말고 싱글들을 위한 이벤트에 참석해 사람들을 직접 만나보세요. 친구들에게 소개팅도 부탁해보고 밖에서 친구들과 놀다가 마음에 드는 사람이 있으면 먼저 다가가 연락처를 달라고도 해보세요. 대중교통을 이용할 때 고개를 숙이고만 있지 말고 주변을 자세히 살펴보세요. 이렇게 다양한 방법을 다 시도해보고 자신에게 맞는 걸 찾아보세요. 보통은 여러 가지를 섞어서 활용하는 게 효과적이죠.

연령대에 따라 인기 있는 앱과 웹사이트, 가입과 이용 방법, 온라인 프로필을 작성하고 사진을 고르는 팁 등 찾아보면 정보가 아주 많습니다. 가입하기 전에 꼭 찾아보세요.

다음은 주의해야 할 사항들입니다.

**사기꾼을 조심하세요.** 자기가 원하는 이익을 취하는 게 목적인 사람들도 있습니다. 그게 아무런 조건 없는 섹스일 수도 있고요. (물론 당신이 원하는 것도 그거라면 잘된 일이죠!) 돈을 노리는 사람도 있을 수 있습니다.

믿어지지 않을 정도로 너무 좋은 사람이라면 종종 사기일 수 있어요. 사이가 깊어지면 어느 날 갑자기 수술비 등의 명목으로 돈이 필요하다고 하거나 불편한 부탁을 해옵니다. 그런 일이 생긴다면 곧바로 빠져나오세요. 당신에게는 그런 일이 없을 거라고요? 넷플릭스 드라마 〈더티 존〉을 한 번 보시길. 모든 걸 다 가진 매력적인 남자가 알고 보니 사기꾼이죠. 넘어가기에 십상입니다.

**자신에게 맞는 사이트를 찾으세요.** 여기저기 검색도 해보고 친구들에게 물어보고 직접 테스트도 해보세요. 포기하기 전에 적어도 두 번 정도는 이용해보세요. 앱은 가벼운 데이트나 연애를 원하고 디지털 기술에 익숙한 젊은 사람들이 사용하기에 더 적합합니다. 그런 쪽에 해당하지 않는다면 좀 더 전통적인 데이트 웹사이트를 이용해보세요.

보통 적당한 상대를 찾기까지는 시간이 좀 걸립니다. 제 친구들도 전부 비슷한 주기를 겪는 것 같더군요. 일단 가입하고 한두 달 정도는 미친 듯이 여러 사람을 만나보고 질려서 한동안은 쉽니다. 그리고 전보다 좀 더 신중한 태도로 접근해 다시 온라인 데이트를 시작하죠. 몇 번의 시도 끝에 사귀는 사람이 생기거나 아예 포기합니다. 온라인 웹사이트를 생전 처음 이용해서 처음 만난 남자와 결혼한 여자도 딱 한 명 알고 있습니다.

**비싼 결혼정보업체에 속지 마세요.** 효과가 없습니다. 제 주변에도 수천 파운드를 들여 그런 업체를 이용한 친구들이 서넛 있는데요, 한 달에 10파운드짜리 매치닷컴Match.com보다 절대로 낫지 않습니다.

첫 만남을 저녁 식사 약속으로 잡지 마세요. 커피를 좋아한다면 커피를 마시는 약속으로 잡으세요. 친구들하고 저녁 먹으러 가기 전에 딱 술 한 잔 같이 하는 약속으로 잡거나요. 그래야 만남의 시간이 너무 길어지지 않을 수 있어요. (마음에 들지 않는 상대와 몇 시간씩 계속 같이 있을 일도 없죠) 만약 느낌이 좋다면 다른 저녁 약속을 잡아두지 마세요. 정말 '취소'해야 할 수도 있으니까요.

### 데이트를 두려워하는 싱글 여성들에게 싱글 여성들이 해주는 조언

설문조사에서 나온 싱글 여성들의 조언입니다.

- "눈 딱 감고 그냥 해보세요! 직접 해봐야 생각이 바뀝니다."

- "친구들과의 우정에 집중하고 그동안 소홀했던 관계에도 관심을 기울이세요. 선호하는 방법으로 밖에 나가 사람들도 만나고. 정말로 원해서 무언가를 하세요. 파트너를 찾으려는 목적이 아니라. 그러면 자신감이 살아나고 매력도 커집니다."

- "친구들에게 누군가를 만나고 싶다고 하세요. 소개팅을 주선해주거나 알아봐 줄지도 몰라요."

- "이하모니, 주스크, 실버 싱글즈, 매치닷컴을 이용해봤어요. 유일하게 매치닷컴이 성공적이었네요. 사람들을 만날 기회가 생길 테니까 다시 일을 시작할까 생각 중

이에요."

- "제 나이대 사람들에게 '적합한' 데이트 웹사이트를 이용하고 있는데 꽃이나 좋아하고 재미없는 노인네들이 너무 많아요."

- "데이트 웹사이트/앱의 증가는 역설적으로 데이트의 소멸을 가져왔어요. 선택권이 너무 많으니까 남자들이 다음 프로필에서 더 빛나고 더 예쁘고, 더 젊은 여자를 찾을 수 있을 거라고 생각하죠."

- "데이트 앱은 사악하지만 받아들일 수밖에 없죠. 다들 쓰니까요. 좋은 사람을 만나는 게 쉽지 않아요. 쓸 수 있는 방법은 다 써보세요."

- "틴더를 개발한 사람은 천재입니다. 일회성 섹스를 위한 거라고 하지만 난 틴더에서 두 남자를 만나 좋은 연애를 했어요. 하지만 중독성은 있네요. 더 좋은 사람이 있을 것 같아서 계속 다시 이용하게 되거든요."

- "싱글 친구들하고 두 달에 한 번씩 싱글들을 위한 모임을 열어요. 술집이나 레스토랑에서 다 같이 만나 즐거운 시간을 보내죠. 가끔 커플이 탄생하기도 해요. 지금까지 몇 커플이나 탄생했답니다. 무엇보다 친구를 사귈 수 있어서 좋아요."

- "앱이나 웹사이트로 남자를 만나보되 마음을 단단히 먹어야 해요. 따분하고 자기중심적이고 젊은 여자만 밝히거나 못된 남자들이 많거든요. 심리적으로 흔들림이 없을 때만 이용하세요."

- "데이트 문화가 엄청나게 바뀌었어요. 훨씬 가벼워졌죠. 예전에는 정장을 차려입고 저녁을 먹었지만 요즘은 '피자 먹으면서 맥주 한 잔' 하고 그러죠. 그래도 여전히 압박감은 남아있는 것 같아요."

- "어머니가 나와 자매들에게 섹스에 대해 매우 부정적인 이미지를 심어줬어요. 어머니가 돌아가신 후에는 어머니의 간섭으로부터 자유로워졌고 내가 원하는 대로 할 수 있고 남자도 마음껏 만날 수 있게 되었죠. 정말이지 해방감을 느껴요."

**겉모습만 보고 판단하지 마세요.** 조금만 더 알게 되면 개구리에서 왕자님으로 변하는 남자들이 많습니다. 걸림돌이라고 생각했던 부분이 알고 보면 아닐 수도 있어요. 처음엔 키가 작아서 별로였지만 친절하고 다정한 성격을 알면 상관없게 되죠.

**사진과 실물이 영 딴판이라도 미소를 잃지 마세요.** 상대방도 당신을 보고 실망했을 수도 있으니까요. (너무 잔인한 이야기지만 만약 상대가 당신을 보자마자 실망한 표정이 역력하다면 기분 나쁘지 않겠어요?)

우리는 자신을 좋아하는 사람을 좋아합니다. 만나자마자 웃는 얼굴을 보여준다면 상대방도 호감을 느낄 수밖에 없습니다.


# 데이트를 시작하는
# 50대 싱글들을 위한 지침


50대 이후 데이트를 시작할 때 알아둬야 할 지혜를 소개합니다. 제 개인적 경험과 연구, 전문가들의 조언, 제 설문조사에서 경험자들이 해준 이야기 등을 합쳐서 나온 것들이지요. 역시나 성적 지향성과 관계없이 모든 사람에게 적용됩니다. 구체적으로 남성을 언급한다면 특히 남성에게 적용되는 조언이기 때문이고요.

**자신의 매력에 대해 현실적으로 생각하세요.** 매력이 2점인데 10점인 사람을 노린다면 아무런 성과가 없겠죠. 자신의 매력이 1~10 중에 몇 점인지 잘 모르겠다면 믿을 수 있는 친구에게 물어보세요. 거기에서

1~2점을 뺍니다.

**행동으로 옮기세요.** 가능한 한 다양한 사람들을 만나보세요. 항상 같은 곳만 가고 같은 사람만 만나는데 지금까지 아무런 효과가 없었다면 앞으로도 마찬가지입니다. 습관을 바꿔보세요.

**기대치를 관리하세요.** 새로운 만남이 있을 때마다 운명의 대상을 만날 것이라는 기대를 품는다면(그나저나 바보 같은 생각이죠. 어린아이도 아니고 그런 생각은 버리세요) 결국엔 실망만 할 겁니다. 그냥 새로운 사람을 만나 즐거운 시간을 보내는 것에 집중하세요. 새 친구들도 사귀고요.

**열린 보디 랭귀지를 보여주세요.** 팔짱을 풀고 손을 테이블 위에 올려놓고 시선을 맞추고 미소 지으세요. 상대가 마음에 들면 칭찬도 하고 팔도 살짝 만지고 관심이 있다는 걸 보여주세요.

**데이트를 주도하세요(이성애자인 경우).** 보통 남자들은 의사소통에 서툽니다. 관심을 보이고 질문도 하세요. 상대방이 어떤 사람인지, 예전에 무슨 일을 했는지 알아가 보세요. 가족에 대한 것도 물어보고요. 대화의 방향을 이끄세요. 자기 이야기를 하는 것도 겁내지 마세요. 서로 비슷한 정도로 자신을 드러내는 것이 좋습니다.

**좋은 남자는 지루하지 않습니다.** 드라마틱한 것과 사랑을 착각하지 마세요. 롤러코스터 타듯 오르락내리락하는 것은 뜨거운 열정이 아니라 두 사람이 안 맞는다는 신호에요. 평온한 게 좋습니다.

**목표를 크게 잡으세요.** '안전한 선택'처럼 보이는 상대도 위험해 보이지만 매력적인 상대와 마찬가지로 당신을 차버리거나 나쁘게 대할 수 있습니다. 그러니 정말로 마음에 드는 상대를 골라보세요.

**자신에게 불가능한 것이라면 상대에게도 바라지 마세요.** 당신이 남자에게 바라는 것들은 자신 또한 줄 수 있는 것이어야 합니다.

**당신이 찾은 사랑은 생각했던 것과는 전혀 다를 겁니다.** 지금 당신에게 어울리는 사랑은 더 젊었을 때와는 다릅니다. 유연함이 필요합니다. 기존의 '이상형'을 버리면 훨씬 더 행복해질 수 있습니다.

**남자가 전부는 아닙니다.** 사랑은 파트너 말고도 여러 곳에서 느낄 수 있습니다. 친구, 가족, 애완동물, 일, 책, TV, 영화, 여행, 음식, 와인, 솔로 섹스 모두 우리에게 즐거움을 주죠. 물론 원한다면 남자를 만나세요. 하지만 집착할 필요는 없습니다.

**나라면 나와 사귀고 싶을까?** 만약 그렇지 않다면 정리가 좀 필요합니다. 책임감을 느끼세요. 모든 데이트와 연애가 나쁘게 끝난다면 부분적인 원인이 당신에게 있을 수 있습니다. 남을 탓하지 마세요.

**자신을 사랑하는 것은 남을 사랑하는 것만큼이나 중요합니다.** 사랑받는 법을 배우기가 더 힘듭니다. 자신의 약한 부분을 드러내야 하기 때문이죠.

**절박한 만큼 매력을 떨어뜨리는 건 없습니다.** 옆에 누군가가 있었으면 좋겠다는 사실을 인정하는 것은 절박한 게 아니에요. 너무 외로워서 그 대상이 누구라도 상관없다고 생각하는 게 절박한 겁니다.

**기분이 별로라면 약속을 잡지 마세요.** 비비 꼬인 기분으로 데이트 상대를 만나 의심 가득한 눈초리를 던지고 방어적인 태도를 보인다면 만남의 의미가 없습니다. 굳이 그럴 필요가 있나요? 그냥 집에서 넷플릭스나 보면서 기분 전환을 하던가 상담 치료를 받아도 좋습니다.

**진지하게 연애를 포기하고 싶다면 행복해질 수 있는 다른 방법을 찾으세요.** 안 좋은 경험을 너무 많이 해서 마음이 닫혀버리는 일도 있으니까요.

**데이트 상대에게 친절하세요.** 친절하게 대하고 존중하는 태도를 보이세요. 대접받고 싶은 대로 대접해요.

**상대에 대해 보고 싶은 것만 보지 마세요.** 긍정적인 것과 망상은 엄연히 다른 겁니다. 45세가 넘었는데 앞으로 바뀌는 건 거의 불가능합니다. 조금 영향을 받을 순 있어도 크게 변하진 않습니다.

변명은 그만. "그는 당신에게 반하지 않았다"를 기억하세요. 지금 없는 관심이 앞으로 생기진 않습니다. 자신을 합리화하지 마세요.

인생은 짧으니 우유부단한 사람과 시간을 낭비하지 마세요. 서로 관심이 뜨거워야 할 시작부터 미지근한 모습을 보여주는 사람이라면 앞으로는 더할 겁니다.

연락이 잘 안 되는 사람이라면 미련을 버리세요. 문제가 무엇인지 분석하느라 소중한 시간을 낭비하지 마세요. 아, 말이 나와서 얘긴데······ 보통은 그 남자가 머저리라 기가 죽어서 그러는 거니까요.

너무 일찍 정리하진 마세요. 며칠째 답장이 오지 않는다고 '감히 내 연락을 무시해!'라고 분노 섞인 메시지를 보냈다가 일이 잘못될 수도 있습니다. 살다 보면 이런저런 일이 생기기 마련이지요. 부모님이 돌아가셨을 수도 있고 어디가 크게 아팠을 수도 있어요. 직장에서 해고당하거나, 여행을 떠났을 수도 있고요. 평소 연락을 자주 안 하는 편이라 일주일에 한 번이 적당하다고 생각할 수도 있죠. 상대에게는 알리지 말고 그냥 마음속으로 조용히 정리하세요. 그러다 연락이 오면 좋은 거죠. 안 올 수도 있고요. 그도 당신이 자신에게 관심 없다고 생각할 겁니다. 그럼 피차일반이죠.

둘 중에 누가 더 아깝다는 느낌이 없어야 합니다. 누가 더 외모가 뛰어난지, 더 부자인지, 재치가 있는지가 중요한 게 아닙니다. 균형이 중요하죠. 아이러니하게도 둘 중에서 더 부족한 사람이 먼저 끝내는 경우가 많은데요, 상대와 비교해 부족하다는 생각 때문이죠.

**열심히 노력하는 데도 나아지지 않는다면 잘못된 만남입니다.** 제대로 된 관계라면 서로 함께 노력하기 때문에 순조롭습니다. 하지만 서로 독이 되는 관계가 있어요. 상대방의 나쁜 점만 끌어내는 관계죠.

**정말 힘든 시기를 이겨내려면 세 가지가 필요합니다.** 바로 유머 감각, 강한 화학작용, 상대방의 관점에서 바라보는 관점이죠.

**완전한 믿음을 주기 전에 1년은 기다리세요.** 1년도 안 되어 전부 다 내어주는 사람들이 많습니다.

## 그럼 이제는…….

**싱글이지만 좋은 파트너를 찾으면 성생활을 하고 싶어요.**
**어떻게 준비하면 좋을까요?**

규칙적으로 자위를 하세요. 그러면 성기가 튼튼하고 건강해지고 성욕도 강하게 유지됩니다. 227쪽에 자위 방법에 대한 내용이 소개되니 아직 읽지 않았다면 꼭 참고하세요. 116쪽에서는 삽입 섹스를 위해 신체적으로 어떤 준비가 필요한지 알려줍니다. 섹스 토이를 다루는 장에도(220쪽부터 시작) 더욱더 즐겁고 기능적으로 솔로 섹스를 즐기는 흥미로운 팁이 많이 소개됩니다.

**데이트 상대와 언제 섹스를 하면 좋을까요?**
**세 번은 만나고 해야 한다는 법칙이 아직 유효한가요?**

아니요. 섹스에 가장 좋은 타이밍은 바로 당신이 섹스할 준비가 되어있을 때입니다. 당신이 상대방과의 관계에서 무엇을 원하는지에도 달려있고요.

만약 데이트의 주목적이 육체적인 관계라면 꼭 기다릴 필요가 있을까요? 물론 안전한 섹스를 해야겠죠. 하지만 상대방과 장기적인 관계를 원한다면 저라면 조금 기다렸다가 섹스를 하겠어요. 섹스를 너무 늦게 해서 후회하는 경우는 준비가 되었는데 신호를 분명하게 보내지 않았을 때뿐입니다. 대부분은 섹스를 너무 일찍 한 걸 후회하죠. 제대로 된 남자라면 시간이 더 필요하다고 해도 이해해줄 겁니다.

말이 나와서 하는 이야기인데, 저는 처음 만난 날 관계를 맺고도 오래도록 행복하게 잘 사는 커플을 많이 알고 있어요. 개인의 가치관이나 성격, 성적 경험, 과거 등에 따라 달라지겠죠. 자신에게 맞는 쪽을 선택하세요. 섹스를 언제 해야 한다고 정해진 법칙은 없습니다.

## 먼저 다가가도 될까?

당연하죠! 섹스를 좋아하지 않는 척할 나이는 지났잖아요. 여자가 먼저 섹스하자고 했을 때 상대가 겁먹을지는 그의 성격에 달려있습니다. 만약 수줍음 많은 성격이라면 만난 지 일주일 만에 당신이 알몸으로 리본을 달고 나타나면 당황하겠죠.

## 섹스만 원한다면 그에게 말해야 할까?

상황에 따라 다릅니다. 둘 다 가볍게 즐기고 싶어 한다는 게 분명하다면 군이 이야기하는 게 어색하겠죠. 하지만 당신은 육체적 관계를 맺는 친구 사이로 생각하는데 상대방은 점점 마음이 깊어지는 것 같다면 반드시 말해야 합니다. "당신과의 섹스가 정말 만족스러운데 지금은 진지한 만남을 원하지 않아. 그래도 괜찮겠어?"라고 하면 됩니다.

## 만약 섹스를 원하지 않는다면?

할머니들이 '벗'이라고 부르는 관계를 원한다면 처음부터 분명하게 말하는 게 좋습니다. 나이를 먹을 대로 먹었으니 당연히 성적인 건 없을 거라고 생각하지 마세요. 80대에 섹스를 원하는 사람들도 많으니까요. 상대가 오후 시간에 당신을 초대했다면 공원 산책과 차 한 잔만을 원하는 게 아닐지도 모릅니다.

섹스를 원하지 않는다고 말해야 할 때는 상대가 관계를 진전시키고 싶어 하거나 성적인 것을 원한다는 것을 암시할 때입니다. 자주 만난 지 한 달이나 되었는데 그럴 기회가 없었다면 그래도 말하세요. "당신이 정말 좋고 함께하는 시간이 즐겁다. 하지만 나는 이제 성적인 것에 관심이 없는데 당신에게는 섹스가 얼마나 중요한지 모르겠다"라고요. 이유가 있다면 그것도 설명하고요.

섹스를 기꺼이 과거로 흘려보내고 섹스는 하지 않지만 애정과 사랑이 가득한 관계를 이어가는 것에 동의하는 사람들도 있을 겁니다. 그런가 하면 조용히 연락을 끊는 사람도 있을 거고요. 빨리 알릴수록 좋습니다.

**섹스가 아프면 어쩌지? 미리 말해야 할까? 아니면 도중에?**

섹스하기 전에, 도중에, 후에 말하세요. 고통스러운 섹스를 왜 그냥 참고만 있어요?

섹스가 아프다고 말하는 것은 '깨는 일'이 아닙니다. 지극히 인간적이죠. "난 섹스할 때 가끔 아파. 윤활제를 많이 쓰고 천천히 해야 해. 살살 삽입하고 내가 아프다고 하면 멈춰야 해. 그래도 괜찮겠어?"라고 물어보세요. 이때 올바른 답은 "물론이지!"밖에 없습니다.

만약 상대가 이해하지 못하거나 기분 나빠한다면 관계를 끝내세요. 자신의 쾌락을 위해 아파도 그냥 참으라고 하는 사람을 뭐 하러 만납니까?

## 섹스하는 친구 사이도 괜찮을까?

단기적인 해결책으로는 좋은 아이디어가 될 수 있습니다. 물론 두 사람 모두 뭔가를 숨기고 있는 게 아니라면요. 문제는 속으로 딴마음을 품고 있는 사람들이 많다는 거죠. 겉으로는 섹스만 원하는 척하면서 더 깊은 관계가 되길 바라는 겁니다.

하지만 마음이 바뀌어 장기적인 파트너를 원하게 된다고 해도 섹스하는 친구가 있으면 장기적인 파트너를 만나려는 노력에 소홀해지게 됩니다. 데이트 결과가 좋지 않을 때마다 실망해서 술에 취해 그 친구를 찾아가 섹스와 사랑의 경계를 흐리기가 너무 쉽기 때문이죠.

물론 섹스하는 친구 사이에서 커플이 되기도 합니다. 하지만 대부분은 그렇지 않아요.

## 원나잇이나 조건 없는 섹스는?

원나잇은 올바른 태도만 갖춘다면 큰 자유와 해방감을 느끼게 해주고 긍정적인 경험이 될 수 있습니다. 한 여성은 말합니다. "이혼 절차가 드디어 끝나고 출장을 갔을 때였어요. 30년 동안 한 남자밖에 몰랐는데 용기를 내어 다시 연애를 시작하려고 마음먹었죠. 호텔 바에서 한 남자와 이야기를 나누게 되었어요. 술이 다섯 잔 정도 들어가니 그 남자에게 모르는 남자 앞에서 옷을 벗는 게 두렵다는 말까지 하게 됐죠. 그런데 어느새 내가 그 남자랑 발가벗고 있는 거예요! 아주 좋았어요. 그때의 나에게 필요했던 일이었죠." 끔찍한 전남편 때문에 자신감이 바닥으로 떨어졌다면 섹시한 연하남과의 원나잇이 도움 될 수도 있습니다.

하지만 이혼이나 사별의 아픔을 잊기 위해, 아니면 심리적으로 너무 불안정한 상태라서 가벼운 섹스를 즐기려고 한다면 마음을 고쳐먹으세요. 가벼운 섹스는 이기적인 섹스입니다. 당신을 아껴주려는 게 아니라 당신에게서 쾌락을 얻으려고 하는 섹스죠. 다 끝나고 껴안고 있으면서 사랑을 느끼고 싶어서 섹스를 하려는 거라면 정말 이건 아닙니다.

# 정말로 마음에 드는 사람과 스트레스 없이 첫 섹스하기

오랜만에 섹스를 할 때 신체적으로 어떤 준비를 해야 하는지는 119쪽을 참고하세요. 하지만 섹스에는 다른 준비도 필요합니다.

우리는 워낙 성적인 사회에서 살고 있습니다. 그래서 섹스가 별 게 아닌 것처럼 되어버렸다고 생각할지도 모르지만 정말로 마음에 들고 좋은 관계를 발전시켜 나가고 싶은 사람과의 섹스는 엄청나게 중요한 일이죠. 누군가에게 벌거벗은 모습을 보여주고 내 몸을 만지고 냄새 맡고 맛보게 허락한다는 것 자체가 우리를 연약한 상태에 놓습니다. 당신은 어쩌면 수십 년 동안 함께해온 예전의 배우자 말고는 그 누구에게도 알몸을 보여준 적이 없을지도 모릅니다. 그렇다면 더더욱 새로운 사람과의 첫 섹스는 큰일이 맞지요. 처음부터 분명하게 해두겠습니다.

떨리고 걱정되는 게 정상입니다. 이상하다고 생각하지 마세요.

자신의 직감과 이 지침을 따르면 문제가 없을 겁니다. 믿어보세요. (대부분은 이성애자 커플을 위한 조언입니다. 이성애자 커플의 섹스가 레즈비언 커플보다 더 까다롭기 때문이죠. 하지만 성적 지향성과 관계없이 적용되는 사항이 많으니 계속 읽어주세요)

**언제 잘지 규칙을 정해놓지 마세요.** 올바른 타이밍은 상대에 따라 다릅니다. 처음 만난 날 잘 수도 있고 10번째 만남까지 기다려야 할 때도 있죠. 몇 달이 걸리기도 합니다. 그냥 자연스럽게 진도가 나가도록 놔두되 한 가지 원칙만은 지키세요. 상대가 아니라 내가 준비되었을 때 해야 합니다. 그리고 일단 하기로 했다면 도중에 멈추지 마세요. 그러면 감정의 혼란이 올 수 있습니다.

**유방암을 치료한 적 있어서 의식된다면 사실대로 말하세요.** 10대와 사귀는 게 아니라면(연하남을 만나라고는 했지만 범죄를 저지르라고는 안 했어요) 상대는 성인 남자입니다. 그 나이의 남자들은 여자들이 유방암에 걸릴 수 있다는 걸 잘 알아요. 10대들은 여자의 가슴에 집착하지만 이 나이대의 남자들은 별로 그렇지 않습니다. 이미 여러 개의 젖가슴을 본 적 있으니 열광할 나이는 지났죠. 유방암과 수술 사실을 알리면 그는 아마 안심할 거예요. 자신의 손가락 관절염이나 발기 문제를 자백할 수도 있죠. 걱정스러운 질병이나 건강 문제가 있다면 전부 이야기해야 합니다.

**안전한 섹스를 하세요.** 임신 될 일은 아마 거의 없겠지만 아예 불가능한 것도 아닙니다. 질에 엄청나게 아픈 커다란 물집이 생길 수도 있고요. 아니면 HIV에 걸리거나요. (콘돔을 써야 한다는 사실에 대한 확신이 필요하다면 349쪽을 참고하세요)

**편한 대로 하세요.** 불을 끄고 싶으면 끄세요. 옷을 다 벗고 싶지 않으면 그렇게 하고요, 무릎이나 허리가 아프면 베개를 받치고 하세요. 혹시 어려운 체위가 있다면 미리 이야기하세요.

**미리 준비하세요.** 여자들이 나이들수록 즉흥적인 섹스를 덜 하게 되는 이유가 있습니다. 윤활제 없이 하는 섹스가 성교통과 요로감염을 자초하기 때문이죠. 그 앞에서 윤활제를 바르는 게 창피하면 미리 화장실에 가서 질 안쪽 깊숙이 넣고 오세요. 아래쪽으로 내려올 겁니다. 삽입하지 않더라도 윤활제를 바르면 전희가 더 즐거워집니다. 흥분하지 않은 것처럼 보일까 봐 걱정스러운 마음도 덜 수 있고요.

**천천히 진도 나가세요.** 처음 몇 번은 삽입하지 않고 입이나 손, 손가락을 이용해 전희를 많이 즐기는 쪽으로 할 수 있습니다. (삽입을 아예 하지 않을 수도 있고요) 이것은 두 사람 모두에게 좋습니다. 여자들과 마찬가지로 남자들도 나이가 들면 흥분하기까지 오래 걸리거든요. 서로에게 익숙해질 시간도 필요하고 흥분감과 에로틱한 긴장감도 커집니다.

나이가 들면 더 강렬하고 확고한 자극이 있어야 발기가 유지된다

는 사실을 기억하세요. 7장을 읽었다면 남자들이 발기부전에 대해 얼마나 민감한지 잘 알 겁니다. 당신이 옆에 있다고 무조건 발기되지 않는다는 걸 기억하세요. 섹스에 대한 기대감이나 당신의 아름다운 모습을 보는 것만으로는 부족할 수 있어요. 모욕적인 일이 아닙니다. 그의 페니스가 나이들었다는 뜻일 뿐이죠. 비아그라 같은 약을 먹었어도 확고하고 (이왕이면) 능숙한 자극이 필요합니다. 두려워하지 말고 그의 페니스를 잡으세요. 좀 부끄럽다면 그의 손을 직접 페니스에 갖다 대세요. 스스로 자극을 줘도 괜찮다는 걸 알려줄 수 있죠.

**너무 자세히는 말고 살짝 이끌어주세요.** 처음에는 서로 교감과 친밀감을 느끼는 게 중요합니다. 어떻게 하면 당신이 오르가즘을 느낄 수 있는지 그에게 알려주는 시간이 아닙니다. 만약 그가 너무 감을 잡지 못해서 쾌감이 느껴지지 않는다면 그의 손을 살짝 들어 원하는 곳으로 가져가세요. 친절하게 격려하는 태도여야 합니다. 좋으면 신음을 내거나 '좋아'라는 말로 칭찬해줍니다. 아무런 느낌도 나지 않는데 열정적으로 반응하지 말고요.

**진심은 섹시합니다.** 진심으로 흥분한 모습이야말로 가장 큰 칭찬이죠. 비록 그의 테크닉이 완벽하지 않더라도 그의 손/페니스/혀가 나를 만진다는 사실만으로 무척 만족스럽다는 걸 보여주세요.

**처음에는 단순함을 추구하세요.** 자기만의 '테크닉'을 줄줄이 보여주려는 건 절박해 보일 수 있습니다. 마찬가지로 '특이한' 테크닉을 시도

해보는 것도 좀 기다리세요. 이전 파트너와 해보지 못한 새로운 모험을 즐기고 싶은 마음이 크겠지만 너무 서두르지 마세요. 특히 나이들수록 남자가 여자보다 더 보수적인 경향이 있거든요. 채찍을 사용하기 전에 서로 좀 더 알아가라는 뜻입니다.

**오르가즘을 기대하지 마세요.** 오랫동안 굶주려 있다가 마침내 섹스를 하게 되면 어렵지 않게 오르가즘을 느끼는 여자들도 있습니다. 하지만 상대에 대한 믿음이 생기고 긴장이 풀려야만 가능한 여자들도 있지요. 오르가즘이 느껴지지 않아도 절대로 연기하지 마세요. 그가 느꼈는지 물어보면 "당신에 대해 더 알고 긴장이 풀려야 해. 하지만 오늘 전부 다 좋았어요. 이렇게 같이 누워있는 게 정말 좋아"라고 말하세요.

**유머 감각을 잃지 마세요.** 첫 섹스가 비록 대참사로 끝나도 두 사람 모두 웃어넘길 수 있다면 상관없지 않을까요? 대부분 처음에는 뒤죽박죽이다가 조금씩 감을 잡기 마련입니다. 보통 4~6회 정도 해봐야 정말 좋은 섹스가 가능하죠.

### 로빈슨 부인이 되어야 하는 5가지 이유

아마 당신의 연하남은 로빈슨 부인이 누구인지 모를 겁니다. (옮긴이 주: 로빈슨 부인은 영화 〈졸업〉에서 아들뻘의 주인공을 유혹하는 여성 캐릭터) 하지만 어쨌든 그는 당신을 원할 겁니다! 연하남과 연상녀 커플이 성적으로 잘 맞는 이유가 있습니다.

1. **우리는 능숙합니다.** 모든 것이 다 그렇지만 경험이 많을수록 능숙한 법이죠. 우리는 그동안 서지 않는 페니스, 계속 서 있는 페니스, '조루'라고 할 만한 짧은 시간

동안 두 가지를 전부 다 하는 페니스를 고르고루 다 봤습니다. 젊은 여자들은 허벅지가 더 부드러울지 몰라도 우린 성적으로 훨씬 능숙해서 연하남들이 더 편할 수 있죠.

2. **우리는 그를 이끌어줍니다.** 나이든 여자들은 지시하는 걸 두려워하지 않습니다. 우리는 자기 몸을 잘 알기에 무엇이 효과가 있고 효과가 없는지도 잘 압니다. 젊은 여자들은 남자가 다 알아서 하기를 기대하며 그냥 가만히 누워만 있을 뿐 이끌어주는 게 없죠. 혹은 지시하면 남자가 비판으로 받아들일까 봐 두려워합니다. 틀렸어요. 남자들은 대부분 직접 행동으로 보여주는 걸 좋아합니다. 우린 가슴을 만져주길 원하면 그의 손을 가슴에 갖다 대죠.

3. **우리는 삽입에 덜 집착해 그도 압박감이 줄어듭니다.**

4. **우리는 서두르지 않습니다.** 워밍업에 시간이 더 걸리기 때문에 섹스하는 시간을 최대한 즐기죠. 느리고 긴 섹스일수록 두 사람 모두에게 더 큰 만족을 줍니다. 그는 원할 때 곧바로 사정할 수 있을지도 모르지만, 오랫동안 흥분감이 쌓일수록 절정의 느낌이 더 좋죠.

5. **우리는 좋으면 좋다고 티를 냅니다.** 침대에서 왜 내숭을 떨죠? 남자들은 여자가 완전히 흥분한 모습이 아름다운 외모보다 더 흥분을 자극한다고 말합니다.

**섹스 후에 심리적으로 연약한 상태에 놓이게 될 겁니다.** 많이 사랑했던 배우자를 사별로 잃거나 이혼한 후 처음 하는 섹스라면 울음이 터질 수도 있습니다. 괜찮아요. 어떤 감정이고, 왜 그런 감정을 느끼는지 그에게 솔직히 말하세요. 앞에서도 말했듯이 이 나이의 남자들은 감당할 수 있는 일입니다.

하지만 섹스가 좋지 않았거나 그와의 관계를 지속하고 싶지 않아서 그런 게 아님을 분명히 할 필요가 있어요. 속으로 '꼭 바람을 피우는 것 같아! 이건 옳지 않아. 이러지 말았어야 했어!' 같은 생각이 들어도 당황하지 마세요. 조용히 침착함을 유지하고 나중에 깊이 생각해 보세요.

좋아하는 사람과의 첫 섹스는 온갖 다양한 감정을 촉발할 수 있습니다. 나중에 곰곰이 생각해보거나 친구와 상의해서 그와의 관계가 어떻게 되기를 원하는지 한 번 머릿속을 정리해보세요.


# 섹스하고 싶어 죽겠어요?
# 콘돔을 사용하지 않으면
# 진짜로 죽을 수도 있습니다


간단한 질문을 하나 해보겠습니다. 당신이 성생활을 하는 싱글이라면 다음에 누군가와 섹스를 할 때 콘돔을 사용할 계획인가요? 대답이 '아니오'라면 건강은 물론이고 목숨이 위험해질 수도 있습니다.

STI(성병)를 진단받는 50~90대의 숫자는 지난 10년 사이에 두 배로 증가했습니다. B형 간염, C형 간염, 매독, HIV, 클라미디아 감염증, 항생제 내성이 강한 임질—눈에 띄는 증상이 거의 없어요—이 모두 증가하는 추세죠. 이런 병에 걸리고 싶은 사람은 없겠죠?

모든 성병을 가장 확실하게 막는 방어책은 섹스를 하지 않는 것입니다. 헤르페스와 사마귀는 감염된 피부를 만지는 것만으로 쉽게 퍼질 수 있습니다. 사면발이나 옴은 콘돔을 세 개 껴도 막지 못하고 가장 가까운 체모로 점프하죠.

하지만 콘돔은 정말로 끔찍한 일들을 막아주는 매우 효과적인 방어 수단입니다. 체액(정액, 혈액, 점액 등)을 통해 성병에 옮는 걸 막아주죠. 콘돔 없이 삽입 섹스(질, 항문 모두)를 하는 게 가장 위험한 행동입니다. 성기가 자극되거나 상처가 생기면 감염이 더 쉽게 일어납니다. 오럴 섹스로도 성병이 전염된다는 걸 기억하세요. (HPV, 즉 유두종바이러스는 인후암을 유발할 수 있습니다)

## 성병 걸린 사람 알아보는 방법

사실은 거짓말입니다. 그건 불가능해요. 병 대부분이 그렇듯 성병은 표시가 많이 나지 않아서 저 사람이 성병이 있는지 알 수가 없습니다. 증상이 없는 경우가 많죠. 기회가 될 때 사마귀나 헤르페스가 있는지 상대의 성기를 몰래 자세히 살펴보면 도움이 될 순 있지만 몸속까지는 알 수 없죠.

'좋은' 사람들도 성병에 걸렸을 수 있습니다. 마음에 드는 그 사람도 성병이 있을 수 있습니다. 30년 동안 배우자하고만 섹스한 사람이라도 성병에 걸릴 수 있죠. 배우자가 바람을 피웠거나 처음 만났을 때부터 이미 성병에 걸려 있었더라면요.

성병은 치료하지 않고 방치하면 여성에게 골반염증성 질환과 생식계 암을 유발할 수 있습니다. 남성의 경우 성병을 치료하지 않으면 음경과 항문에 암이 생길 수 있죠. HPV는 남녀 모두에게 구강암과 인후암, 항문암을 일으킵니다. C형 간염은 간암으로 이어질 수 있죠.

## 좋은 소식

이것도 거짓말이에요. 좋은 소식 같은 건 없습니다. 겁을 주려고 그러는 건데 그래도 끝까지 읽어주세요.

콘돔을 사용하지 않으면 목숨까지 위험할 수 있다는 사실이 아직도 이해되지 않는다면 이건 어떤가요? 50세 이상에서 HIV(에이즈로 이어질 수 있는 바이러스)가 증가하고 있습니다. 한 연구 결과 유럽에서 새로 발생하는 HIV 환자 6명 중 한 명은 50세 이상이었습니다. 미국에서도 HIV/에이즈 환자의 27퍼센트가 50세 이상이고요.

왜일까요? 나이 많은 사람들은 같은 주삿바늘로 마약을 하거나 동성애를 해야만 HIV에 '걸릴' 수 있다고 생각하는 경우가 많거든요. 잘못된 생각입니다. 너무도 매력적이고 다정한 사람과 콘돔을 끼지 않고 섹스를 하면 걸립니다.

## 진짜 좋은 소식

이번에는 농담이 아닙니다. 성병은 대부분 완치가 가능합니다. HIV 환자들도 조기에 발견되면 항레트로바이러스 치료로 건강하게 오래 살 수 있죠.

나이든 사람들은 자신이 위험할 수도 있다고 생각하지 않기 때문에 성병 증상이나 위험에 대해 의사에게 물어보지 않습니다. 의사들도 나이 많은 환자들이 성생활을 하지 않을 거라는 추측으로(틀린 경우가 많죠) 성 건강에 관한 이야기는 하지 않고요.

남자가 소변에 이상이 생기면 전립선을 검사합니다. 여자가 성교통을 호소하면 질건조증과 호르몬 감소 때문이라고 보죠. 성병이 원인일 거라고는 생각하지 못하는데 반드시 고려해봐야 합니다.

나이가 들수록 면역력이 약해져 감염 위험이 커집니다. 비아그라 덕분에 남자들은 자연적으로 가능한 것보다 훨씬 오래 삽입 섹스를 할 수 있게 되었죠. 하지만 콘돔을 쓰지 않거나 성병 검사를 받아보지 않은 사람이 많습니다. 폐경 후에는 질 벽이 얇아지고 건조해져서 성병과 HIV의 감염이 더 쉬워집니다. 특히 질의 피부조직에 미세한 찢김이 있으면—나이든 질이 비아그라로 단단해진 페니스와 만나면 그러기 쉽죠—오히려 감염을 두 팔 벌려 환영하는 꼴이 됩니다.

### 나이든 사람들은 왜 콘돔을 사용하지 않을까?

우리 세대는 콘돔을 임신과 연관시키는 경향이 있었죠. '안전한 섹스'는 임신을 하지 않는다는 뜻이었습니다. 더 나이가 많은 사람들은 성병이 얼마나 쉽게 전염되는지, 어떤 증상인지 잘 모릅니다. 성교육을 거의 안 받았을 수도 있고 수십 년 동안 콘돔을 사용하지 않아서 요즘 콘돔이 얼마나 편하게 잘 나오는지도 모르죠.

오랫동안 배우자와의 관계를 이어온 50세 이상 사람들은 성병 검사를 받을 생각을 하지 못합니다. 습관이 되어 있지 않으니까요. 50대 이상을 위한 〈사가〉 잡지는 50세 이상의 65퍼센트가 성생활을 하고 있다는 것을 확인시켜 줍니다. 배우자와 사별하거나 이혼한 많은 사람이 콘돔의 필요성을 알지 못하는 채로 데이트와 섹스를 즐기고 있다는 뜻이죠. 이제 무지에서 깨어나세요. 섹스는 당신의 목숨을 앗아갈 수 있습니다.

콘돔을 사용하세요. 걱정된다면 이미 성병에 걸리지 않았는지 검사를 받아보세요. 둘 다 성병 검사를 받고 깨끗하다고 나오면 그때 콘돔을 사용하고 섹스를 하세요. (상대가 나만 보거나 다른 사람하고 섹스할 때도 콘돔을 사용할 거라는 믿음을 주는 사람이어야겠죠)

병원에 가고 싶지 않다면 요즘은 성병과 HIV 자가 테스트 키트를 사서 집에서 해볼 수도 있습니다. 약국이나 온라인에 알아보세요. 성-건강 클리닉에 연락하는 게 가장 좋습니다. 테스트 키트를 무료로 나눠주거나 특정 제품을 추천해주거든요. 영국이라면 CE 품질 보증 마크를 찾아보세요. 나라마다 비슷한 게 있을 겁니다. 직접 하든, 병원에 가든 검사를 받고 정상으로 나오면 크게 안심이 되겠죠. 그리고 앞으로는 절대 콘돔 없이 섹스하지 마세요!

# 12장,
## 50세 이후에
## 알아야 할 50가지

## 50대인 지금은 제 인생에서
## 가장 행복한 시기입니다.

제가 만나본 최고의 남자와 보내는 시간이라서이기도 하지만 그것만은 아닙니다. 평온함이 느껴지면서도 아직 열정이 살아 있고, 지금까지 이룬 것에 만족합니다. 새롭고 흥미로운 프로젝트를 하고 있지만 너무 무리하진 않습니다.

20세부터 45세까지 거의 매주 주말에도 일했습니다. 무조건 일이 제일 중요했어요. 하지만 나중에야 그게 얼마나 바보 같은 짓인지 깨달았죠. 다행히 아직 가족과 친구들이 제 곁에 남아있었습니다. 시간 여유가 있어서 운동도 하고 마음을 차분하게 가라앉히니 그 어느 때보다 몸도 건강해졌습니다. 제가 해보니 요가는 정말 효과가 있어요.

예전에는 절대로 만족하고 안주하지 말아야 한다고 생각했어요. 현실 안주는 어리석은 일이고 새로운 흥분감을 추구해야 한다고 말이죠. 하지만 지금은 남편과 함께 소파에 앉아 와인을 마시며 TV를 봅니다. 집콕이 외출보다 더 재밌는 걸 왜 몰랐을까요? 저는 영영 멈춰버리고 싶을 정도로 50대가 좋습니다. 젊은 사람들이 "젊었던 때로 돌아가고 싶지 않으세요?"라고 물으면 "아니, 지금이 너무 좋은데?"라고 대답할 사람은 저뿐만이 아닐 겁니다.

50대 이외의 다른 시간은 즐겁지 않았다는 말이 아닙니다. 제 인생의 모든 나날이 다 좋았습니다. 하지만 그중에서 50대인 지금이 가장 좋아요. 50대가 되어서야 진정한 깨달음을 얻었다는 생각이 들어서인지도 모르겠네요.

법적 결혼이 인정되는 만 18세가 되면 세상을 전부 다 아는 것 같겠지만, 반백 년을 살아야만 알 수 있는 것 50가지를 소개합니다. 아직 50세가 되지 않은 젊은 여자들에게 소개해주어도 됩니다.

# 삶

1. **내가 세상 전부는 아닙니다.** 나 말고도 수많은 사람과 요인이 다른 사람들의 기분에 영향을 끼칩니다. 모든 것을 당신 탓으로 받아들이지 마세요.
2. **사람을 바꾸려는 것은 무의미합니다.** 아이들, 친구들, 배우자 등. 그

들은 당신이 아니기에 당신과 똑같이 생각하지 않습니다. 그래서도 안 되고요. 모두를 내 미니미로 만들려 하지 말고 서로의 다름을 즐기세요.

3. **항상 좋은 사람이 되려고 애쓰지 마세요.** 당신을 무시하는 웨이터, 개인 통화하느라 바쁜 매장 직원들, 매일 약속 시각에 늦는 사람들. 마음에 들지 않는 게 있으면 말하세요.

4. **모든 사람이 당신을 좋아할 순 없습니다.** 당신이 좋은 사람인 건 당신이 잘 압니다. 남이 뭐라고 하든 신경 쓰지 마세요.

5. **솔직함이 최선은 아닙니다.** 최선책은 재치와 친절함, 그리고 민감성이지요. '솔직함'을 장점으로 내세우는 사람치고 못되지 않은 사람이 없어요.

6. **몸이 건강하다면 완벽한 겁니다.** 부족한 점을 찾는 건 그만두고 건강한 것에 감사하세요. 몸 구석구석이 아직 잘 돌아가는 걸 기뻐하세요.

7. **까다로운 것도 나쁘지 않습니다.** 시간은 유한합니다. 10분 만에 즐거움이 느껴지지 않으면 다른 가치 있는 것에 관심을 돌리세요.

8. **사소한 것에 연연하지 마세요.** 친구를 잃거나 목숨이 위태로운 병을 앓고 나면 시야가 명확해집니다.

9. **걱정해도 소용없습니다.** 걱정한다고 결과가 절대 변하지 않습니다. 게다가 두려워하는 일의 90퍼센트는 실제로 일어나지 않죠.

10. **내가 속한 공동체를 찾으세요.** 비슷한 사람들과 함께 있으면 절대로 이상해 보일 일이 없습니다.

11. **나이 들어서도 젊게 살 수 있습니다.** 나이 들어 만족하면서 살아

가는 것도 젊고 의욕적으로 사는 것만큼 즐겁습니다.

12. **갱년기는 이겨낼 수 있습니다.** 한동안 엉망진창이 될 수도 있지만 길들일 수 있는 괴물입니다.

13. **절박한 것보다 늙어 보이는 게 더 멋집니다.** 팽팽하게 잡아당기거나 복어처럼 빵빵한 얼굴은 전혀 예쁘지 않고 안쓰러울 뿐이죠.

14. **겉만 보고 부러워하지 마세요.** 타인의 삶을 다 알 수는 없습니다. 누군가의 삶이 어떤지 그 사람만이 알죠.

15. **시간은 사람을 기다려주지 않고 더 나은 결과는 더더욱 기다려주지 않습니다.** 누굴 만나면/은퇴하면/새로운 직장을 구하면/이사 가면 그때부터 시작해야지 생각하는 것은 미친 짓입니다.

16. **사람은 누구나 자신이 나이에 비해서는 괜찮아 보인다고 생각합니다.** 하지만 당신은 정말 멋집니다.


# 사랑


17. **혼자라고 외롭다는 뜻은 아닙니다.** 불행한 연애나 결혼생활만큼 더 외로운 건 없습니다.

18. **배우자에 대한 욕망이 없어졌다고 두 사람이 맞지 않는다는 뜻은 아닙니다.** 장기적인 관계에서 파트너에 대한 욕망을 잃는 것이 계속 섹스를 원하는 것보다 더 '자연스러운' 일입니다. 같이 산 지 수십 년이나 되었는데도 여전히 벽으로 밀치고 싶은 욕망이 드

는 게 이상한 거죠.

19. **그의 사랑이 변하지 않을 거라고 믿지 마세요.** '그는 절대로 바람 피우지 않을 거야'라고 생각하는 건 자신을 너무 과대평가하는 것이고 그를 모욕하는 일이기도 합니다. 당신이 그를 사랑한다면 다른 사람의 눈에도 그가 사랑스러워 보일 수 있는 거예요. 옆에 있을 때 잘하세요.

20. **행복하게 잘 사는 부부도 바람을 피웁니다.** 파트너가 바람을 피우는 이유는 당신이나 당신과의 관계 때문이 아니라 파트너 자신의 문제일 때가 많습니다.

21. **새로운 연인도 오래된 연인으로 변합니다.** 매혹적이고 반짝이는 새로운 사람도 몇 년이 지나면 옆에 있는 사람만큼 똑같이 성가셔질 겁니다.

22. **밀고 당기기는 것은 아무런 도움도 되지 않습니다.** 좋아하는 사람을 만날 시간이 분명 있는데 왜 바쁜 척하는 거죠? 감정을 조정하지 말고 솔직하세요.

23. **배우자와 경쟁하는 것은 두 사람을 모두 불행하게 만듭니다.** 같은 편이 아니라면 과연 배우자라고 할 수 있을까요?

24. **직감을 믿으세요.** 직감은 거의 항상 당신을 올바른 방향으로 인도합니다.

25. **정말 열심히 노력하는데도 효과가 없다면,** 잘못된 관계라는 뜻입니다.

# 섹스

26. 젊은 시절의 섹스가 그리울 수도 있지만 지금의 섹스도 그리 나쁘지 않습니다. 단지 다른 것뿐입니다.

27. 자신을 믿지 않으면 섹시해지는 것도 불가능합니다. 자신감 있는 연인이 셀룰라이트를 걱정하며 가만히 누워있는 여자보다 더 매력적이죠.

28. 성욕에 지배당하지 않는 것은 다행스러운 일입니다. 문제가 생길 일도 줄어들고 배우자에게 충실하기도 쉬워지니까요.

29. 오르가즘은 너무 과대평가되어 있습니다. 결과가 아니라 과정을 즐기는 게 더 중요합니다.

30. 좋은 몸매보다 열정이 더 매력적입니다. 외모는 시들해지지만 섹스에 대한 진정한 사랑은 하는 한 계속됩니다.

31. '적당한' 양의 섹스란 건 없습니다. 남이 어떻게 하건 무슨 상관이죠? 나만의 정상 기준을 만드세요.

32. 섹스에 동기를 부여하는 건 욕망만이 아닙니다. 교감과 친밀감도 욕망만큼 중요합니다. 파트너를 행복하게 해주고 싶은 마음 또한 그렇죠.

33. 상대가 나를 욕망하는 것만큼 흥분되는 것은 없습니다. 나를 바라보는 그의 뜨거운 눈빛은 그 어떤 섹스 테크닉보다 흥분되죠.

34. 침대에서 이기적인 것은 나쁜 것이 아닙니다. 자신의 쾌감에도 집중하세요. 상대가 만족하고 있는지 걱정할 필요도 없어요.

35. **즉각 발기되지 않으면 남자들은 매우 큰 충격을 받습니다.** 하지만 페니스가 주연이 아니게 되면 섹스가 더 좋아질 수 있어요. 성기뿐만 아니라 서로의 온몸을 이용해 사랑을 나누세요.

36. **자위할 때 최고의 오르가즘을 느끼는 경우가 많습니다.** 바이브레이터는 이렇게, 저렇게 마음대로 움직여도 기분 나빠하지 않지요.

37. **발기된 페니스가 없어도 침대에서 즐거울 수 있습니다.** 파트너에 의해 느끼는 가장 강력한 오르가즘은 오럴 섹스를 통해서일 때가 많아요.

38. **비아그라가 항상 해결책은 아닙니다.** 비아그라로 단단한 페니스와 50대 여자의 질은 환상의 콤비가 아니거든요.

39. **성적 판타지에 죄책감을 느끼지 마세요.** 머릿속으로 한눈파는 건 실제로 한눈파는 것과 다릅니다.

40. **가끔은 섹스를 쉬어도 괜찮습니다.** 살다 보면 스트레스받을 일이 많으니까요. 당황하는 사람이 없도록 잠시 쉬는 것뿐이라고 둘이 미리 합의를 보세요.

41. **성은 유동적입니다.** 여자는 남자보다 훨씬 더 성적으로 유연하고, 성별이 아니라 그 사람 때문에 흥분할 가능성이 큽니다.

42. **즉흥적인 섹스는 너무 과대평가되어 있습니다.** 기대가 훌륭한 대체품입니다.

43. **50세 이상의 여성은 미치지 않고서야 윤활제 없이 성관계를 갖지 않습니다.** 윤활제는 치약과 화장지처럼 필수품입니다.

44. **새로운 사람과 처음 섹스를 하는 좋은 타이밍은 바로 당신이 준비되었을 때입니다.** 처음 만난 날이 될 수도 있고 1년 후가 될 수

도 있어요.

45. **섹스에 관한 한 '사용하지 않으면 잃는다'는 법칙을 기억하세요.** 파트너가 없다면 자위를 하세요.

46. **여자의 오르가즘은 남자의 오르가즘보다 못하지 않습니다.** 올바른 자극이 주어지면 여자도 남자만큼 쉽게 절정에 이를 수 있죠.

47. **전희가 섹스입니다.** 꼭 섹스 전에 하는 게 아니라요.

48. **새로운 사람과 섹스할 때 콘돔 사용은 절대로 타협할 수 없는 필수입니다.** 거부하는 사람이라면 관계를 끝내세요.

49. **좋은 관계라야 섹스도 좋습니다.** 좋아하지도 않는 사람과 섹스할 마음이 들진 않으니까요.

50. **섹스 후 기분이 좋지 않다면** 잘못된 관계라는 뜻입니다.

## 감사의 말

# 저는 정말로 운이 좋은 여자입니다.

이게 제가 쓴 17번째 책인데요, 첫 번째 책 감사의 말 부분에 등장한 것과 똑같은 이름들이 여기에도 많이 등장한다는 사실이 무척 흐뭇하고 기쁩니다.

책을 혼자 만드는 사람은 없습니다. 친구가 소중하죠. 나이를 먹으니 가족이 더 그리워집니다. 시간이 날 때마다 저는 호주에 있는 가족들에게 날아가는 상상을 하며 마음속으로나마 함께 시간을 보냅니다. 몸은 함께하지 못해도 마음은 함께할 수 있으니까요. 매일 보고 싶습니다. 나의 어머니 셜리, 아버지 패트, 그의 아내 모, 오빠 나이절과 아내 다이애나, 언니 뎁과 남편 더그 그리고 조카 매디와 찰리. 모두가 항상 제 마음속에 있습니다.

남편 마일스는 지난 6개월 동안 제가 사무실에만 처박혀 있어도 이해해주었고 저녁 6시 이후 시원한 와인을 배달해줄 때만 방해했죠. 너무 남편 자랑을 해서 죄송하지만 정말 사랑스러운 남자거든요. 이제

18살인 예쁜 의붓딸 소피아도 사랑스러워요. (정말 특별한 아이입니다)

언니 뎁은 호주에서 패밀리 플래닝과 일한 적도 있고 성 건강과 상담에 대한 폭넓은 지식을 갖추고 있는데요, 고맙게도 원고를 꼼꼼히 읽고 언니답게 동생에게 든든한 격려를 보내주었습니다. 아버지는 제가 출판사의 제의를 받기도 훨씬 전에 '나이든 사람들'을 위한 섹스 책을 쓰라고 잔소리를 하셨고요. 전 그러고 싶지만, 요즘은 섹스 책이 팔리지 않는다고 대답했거든요. 그런데 그게 아니었네요, 아빠. (적어도 팔리길 바라고 있습니다!) 세상에서 제일 멋진 여성인 우리 엄마는 성과 노화에 대한 흥미로운 관점을 제시해주셨어요.

어릴 때 친구들이 그런 엄마를 둔 나를 부러워했던 게(지금도 마찬가지) 생각나더군요. 제 친구들이 전부 사귀고 싶어 했던 오빠 나이절은 평소와 마찬가지로 재치 있는 조언으로 힘을 실어주었습니다.

친구들은 내가 책을 쓸 때면 늘 그러는 것처럼 이번에도 몇 달 동안 잠수타는 걸 이해해줬습니다. 지금쯤이면 제 책에서 자기들 이름을 보는 것도 지겨워지지 않았을까 싶네요! 제 에이전트 비키 맥이보어는 여전히 저의 멋진 친구이기도 합니다. 벌써 우리 인연이 수십 년이나 되었네요, 빅! 일에서나 개인적으로나 저를 위해 해주신 모든 일에 감사드립니다.

전문지식과 인터뷰를 허락해준 성치료사이자 사랑스러운 친구 빅토리아 레만, 이 책에 들어간 모든 의학적 지식을 정확하게 검토해준 성의학과 비뇨기과에 특별한 관심이 있는 런던의 가정의 닥터 패트리샤 샤르타에게 진심으로 감사드립니다.

코린 로버츠는 가장 큰 성공을 거둔 제 세 번째 책《슈퍼섹스》를 출간해주었는데 그 후로 우리는 좋은 친구가 되었습니다. 그녀는 태양과 모래를 즐기기 위해 몇 년 전 영국을 떠나 오스트레일리아에 정착했는데요, 중년과 섹스에 관한 책을 쓸 생각이 없는지 제의를 해왔습니다. 그녀와 다시 일할 기회였기에 망설일 이유가 없었죠. 예전에 머독 북스 출판사와 일했을 때도 한 말이지만, 그곳의 모든 사람에게 큰 감동을 받았습니다. 영국에서 루 존슨, 젬마 크로커, 클라이브 킨토프와 처음 미팅을 했고 에너지와 아이디어와 열정이 그 이후로 계속되었습니다. 원고를 매끄럽게 다듬어준 훌륭한 편집자 줄리 마저 트라이브, 안드레아 오코너에게 감사드립니다. 여러분은 최고의 팀입니다.

마지막으로, 50이 넘은 여자에게 섹스란 무엇인지 진실하고 사실적인 이야기로 속마음을 기꺼이 드러내 준 여성들 덕분에 이 책을 쓸 수 있었습니다. 저를 믿어 주셔서 감사합니다. 여러분의 기록이 이 책에 생명을 불어넣었어요.

## 추천 정보

관련 주제를 좀 더 자세히 파헤치고 싶을 때 유용한 정보 출처를 소개합니다.

### 책

마리 드 헤네젤Marie de Hennezel
《프랑스 여자의 60세 이후 섹스 가이드A Frenchwoman's Guide to Sex After Sixty》

헬렌 피셔Helen Fisher
《사랑의 해부학Anatomy of Love: A Natural History of Mating, Marriage, and Why We Stray》

에밀리 나고스키Emily Nagoski
《있는 모습 그대로Come As You Are: The Surprising New Science That Will Transform Your Sex life》

이안 커너Ian Kerner
《그녀의 섹스He Comes Next: The Thinking Woman's Guide to Pleasuring a Man》

트레이시 콕스Tracey Cox
《뜨거운 관계Hot Relationships: How to Have One》, 《핫섹스Hot Sex: How to Do It》

앤드루 마셜Andrew G. Marshall
《SOS 부부 클리닉I Love You but I'm Not in Love with You》

스티븐 스나이더Stephen Snyder
《가치 있는 섹스Love Worth Making: How to Have Ridiculously Great Sex in a Long-Lasting Relationship》

에스더 페렐Esther Perel
《왜 다른 사람과의 섹스를 꿈꾸는가Mating in Captivity: Unlocking Erotic Intelligence》

앤 캐츠Anne Katz
《남자 암 섹스Men Cancer Sex》

조앤 프라이스Joan Price
《이 나이에 알몸이 된다는 것Naked at Our Age: Talking Out Loud About Senior Sex》

---

마이클 알비어Michael Alvear
《오늘은 내가 뚱뚱해서 안 돼Not Tonight Dear, I Feel Fat》

이안 커너Ian Kerner
《그의 섹스She Comes First: The Thinking Man's Guide to Pleasuring a Woman》

저스틴 레밀러Justin Lehmiller
《원하는 것을 말해Tell Me What You Want》

잭 모린Jack Morin
《에로틱 마인드: 성에 대한 열정과 성취감의 근원을 깨워라The Erotic Mind: Unlocking the Inner Sources of Sexual Passion and Fulfillment》

크리스애나 노스럽Chrisanna Northrup, 페퍼 슈워츠Pepper Schwartz, 제임스 휘트James Witte
《노멀 바: 행복한 커플의 놀라운 비밀과 새로운 정상을 만든다는 것The Normal Bar: The Surprising Secrets of Happy Couples and What They Reveal About Creating a New Normal in Your Relationship》

에스더 페렐Esther Perel
《불륜의 상태: 불륜에 대한 새로운 생각The State of Affairs: Rethinking Infidelity》

조앤 프라이스Joan Price
《50대 이후 섹스 가이드: 뜨겁고 만족스러운 성생활 유지하기 혹은 되살리기The Ultimate Guide to Sex After 50: How to Maintain or Regain a Spicy, Satisfying Sex Life》

웬즈데이 마틴Wednesday Martin
《나는 침대 위에서 이따금 우울해진다Untrue: Why Nearly Everything We Believe About Women, Lust, and Infidelity Is Wrong and How the New Science Can Set Us Free》

대니얼 버그너Daniel Bergner
《욕망하는 여자What Do Women Want? Adventures in the Science of Female Desire》

태미 넬슨Tammy Nelson
《바람을 피우는 사람이 알아야 할 10가지When You're the One Who Cheats: Ten Things You Need to Know》

앤 캐츠Anne Katz
《여자 암 섹스*Woman Cancer Sex*》


**웹사이트**

앤드루 G. 마셜
www.andrewgmarshall.com

영국 상담 및 심리치료협회
www.bacp.co.uk

성 & 부부 상담 테라피스트 대학
www.cosrt.org.uk

에밀리 나고스키
www.emilynagoski.com

에스더 페렐
www.estherperel.com

굿 인 베드
www.goodinbed.com

헬스라인
www.healthline.com

리브 베터 위드
https://menopause.livebetterwith.com

러브허니(성인용품 슈퍼섹스와 에지 제품을 판매하는 업체)
www.lovehoney.co.uk
www.lovehoney.com
www.lovehoney.com.au

맘마미아
www.mamamia.com.au

갱년기 건강은 중요하다
www.menopausehealthmatters.com

미들섹스
www.middlesexmd.com

미들보디그린
www.mindbodygreen.com

릴레이트(부부관계 심리치료, 지원)
www.relate.org.uk

섹스 & 심리
www.lehmiller.com

60부터 시작
www.startsat60.com

수지 고드슨
www.suzigodson.com

트레이시 콕스
www.traceycox.com


## 소셜 미디어

니콜 프라우스 박사 @nicolerprause
데비 허베닉 @DebbyHerbenick
스티븐 스나이더 @SexualityToday, @quickdirtytips
앤드루 G. 마셜 @andrewgmarshall
에스더 페렐 @EstherPerel
트레이시 콕스 @TraceyCox

## 지은이 **트레이시 콕스**Tracey Cox

세계에서 가장 유명한 성생활 전문 작가 중 한 명이다. 섹스와 인간관계에 관한 책 17권을 썼다. 그 중 〈Hot Sex〉, 〈Supersex〉 등은 140개국 20여 개 언어로 출간되며 세계적 베스트셀러가 됐다.

영국 태생으로 호주에서 자라 그곳 〈코스모폴리탄〉 잡지의 부편집장을 거쳤다. 런던으로 돌아와 첫 TV 시리즈를 진행한 뒤 BBC, 디스커버리, HBO 등에서 섹스와 인간관계에 관련한 많은 프로그램을 제작했다. 미국의 오프라 윈프리 쇼, CNN, 투데이쇼 등에 출연했고, 많은 나라에서 TV쇼와 강연을 펼쳤다. 메일온라인(MailOnline) 주간 칼럼을 비롯해 여러 매체에서 꾸준히 글을 쓰고 있다. 그의 글과 TV프로그램, 강연은 심리학과 저널리즘을 바탕에 둔 솔직함과 공감력으로 큰 인기를 끌었다.

현재 〈엄마들은 섹스할 시간이 없어(Moms Don't Have Time to Have Sex)〉라는 팟캐스트를 진행하며 섹스 상담을 이어가고 있다. 또한 'EDGE'와 'SUPERSEX'라는 섹스토이 브랜드를 만들며 활동 영역을 넓히고 있다.


## 옮긴이 **강동우·백혜경**

서울대학교 의과대학 출신 전문의(醫) 부부. 미국 킨제이 성 연구소와 보스턴·하버드 의과대학에서 정신과·비뇨기과·산부인과 등 성(性) 관련 분야를 두루 연수, 통합적인 성의학 클리닉·연구소를 18년째 운영하고 있다. 특히 발기부전 등 성기능장애에 있어 단순 인공발기를 도와주는 발기약 처방 등이 아니라 근본적인 원인 치료로 대다수 환자들을 자연발기로 개선시켜왔으며, 사정이 불가능한 지루, 섹스리스 등을 실제로 치료해 내는 많은 증례를 갖고 있다.

조선일보와 중앙일보를 통해 300여 편의 성의학 칼럼을 함께 연재하였다. SBS 〈그것이 알고 싶다〉 '섹스리스편', KBS 〈생로병사의 비밀〉 300회 특집 등 400여 편의 다양한 방송에 출연하였고, KBS 〈사랑과 전쟁〉 시즌2에 2년간 고정출연하여 솔루션 전문위원으로 함께 활동했다. 서울대학교 의과대학 겸임교수 및 여러 대학이나 학회를 통해 성기능장애나 성문제를 200여 차례 강의하였다. 강동우 박사는 2005년 국제학회에서 발간한 여성 성의학 교과서의 공동 집필자이기도 하다.

# 환상적인 섹스는
# 50부터다

**초판 발행** 2022년 5월 1일

**지은이** 트레이시 콕스 | **옮긴이** 강동우·백혜경 | **번역참여** 정지현
**펴낸이** 류원식 | **펴낸곳** 린쓰

**편집팀장** 김경수 | **책임편집** 성혜진 | **디자인·편집** 신나리

**주소** 10881, 경기도 파주시 문발로 116
**대표전화** 031-955-6111 | **팩스** 031-955-0955
**블로그** blog.naver.com/linsbook | **이메일** linsbook@naver.com
**등록번호** 2016.9.20. 제406-2016-000128호

**ISBN** 979-11-978566-0-0 03510
**정가** 18,500원